Дмитрий НОВИКОВ

В СЕТЯХ ТВОИХ

ЭКСМО

МОСКВА
2014

УДК 82-3
ББК 84(2Рос-Рус)6-4
Н 73

Художественное оформление серии
Ф. Барбышева, А. Саукова

В оформлении переплета использовано фото
автора работы *Ирины Ларионовой*

Новиков Д. Г.

Н 73   В сетях Твоих / Дмитрий Новиков. — М. :
Эксмо, 2014. — 384 с. — (Лауреаты литературных
премий).

ISBN 978-5-699-71773-6

Герой новой книги петрозаводского прозаика Дмитрия Новикова Михаил впервые сталкивается с тор-
жественной и строгой красотой Русского Севера, и это
заставляет его раз и навсегда пересмотреть взгляды
на жизнь, отказаться от выморочности городского су-
ществования и тех иллюзорных ценностей, которыми
живут люди в столицах. Древняя магическая сила северных земель как сетью ловит человека, подчиняя его
себе и меняя его.

Жесткая и пронзительно красивая, как сама природа Русского Севера, проза Дмитрия Новикова вы-
деляется на фоне современной российской словесно-
сти — как здоровая сосна на фоне регулярного сада.

УДК 82-3
ББК 84(2Рос-Рус)6-4

ISBN 978-5-699-71773-6

ГЛАЗА ЛЕСА

— **С**ей, сей[1], — баба Лена все подкладывает в тарелки дымящейся вареной оленины. Она — карелка. Дед Андрей — коми. Коми-ижемец — он явно гордится происхождением.

В маленькой лесной избушке тепло. Это самое главное — еще полчаса назад мы с Володей дрожали крупной звериной дрожью, насквозь промокнув под брызгами злых, острых волн озера Любви — как еще на русский перевести Ловозеро.

Дед Андрей, маленький, сморщенный, быстро пьянеющий старик с пронзительными голубыми глазами. У настоящих алкоголиков они мутные, постоянно слезятся. Здесь же этого нет и в помине.

— Ты не смотри, что я сейчас в лесу живу. Я мно-о-огое прошел, — он постоянно в движении. Присядет за стол, вскочит подкинуть дров, помешать парящее варево на плите.

---

[1] Сей *(коми)* — ешь.

— Я в поселке раньше жил. А еще раньше оленеводом работал, бригадиром в бригаде. Двадцать человек у меня было, и все девушки, — он сладко жмурится.

— Комсоргом я у них был, — продолжает после паузы, отхлебнув черного, полкружки сахара, чаю. — Взносы собирал.

— А какие взносы были, сколько? — Мне вдруг стало интересно, вспомнилась красная книжица с фиолетовыми размытыми штампами внутри: «Уплачено. ВЛКСМ».

— Сколько-нисколько. Палка — взнос, — дед Андрей радостно смеется, хороша была комсомольская юность.

— А раньше где жили? Происхождения какого? — допытываюсь я. Мне интересно, я в тундре — всего второй раз. Но уже чувствую, как страшно давит меня красота здешних мест. Она нереальная, жесткая — голубая быстрая речка, окаймленная неширокой полоской свежезеленого, летнего северного леса, за ним — широчайшее, серое пространство болот. Вдалеке, но близко, над всем мирным пейзажем жутко нависают Ловозерские тундры — голубые горы со сметанно стекающими с вершин белыми снежниками.

— Из Коми мы, с Ижемского района. Сюда пригнали нас оленей пасти, на Кольский. Восемь детей было. Осталось два. Вот тебе и коммунизм, — дед Андрей помрачнел и внезапно замкнулся. Пришлось подлить ему в стакан разведенного спирта.

— А как места здесь вообще, интересные? — Я сам немного знал, читал, но хотелось услышать от местного жителя. Местные чем и хороши для пытливого слуха — много разных тайн знают. Расскажут, если захотят.

Дед Андрей как-то по-особому остро посмотрел на меня:

— Куда как интересные. Сейдозеро в стороне от вас останется, так что сейдов[1] не много увидите. Но Куйва[2] за вами присмотрит, — он странно хихикнул. — Скалы пройдете — Праудедки называются. Рисунки там наскальные есть. Капища. Место особое есть — Чальмны Варэ. Если дойдете, конечно.

Он опять помолчал, задумчиво жуя кусок мяса. Потом снова встрепенулся.

— Да нет, ничего жизнь была. Хорошая. Тяжелая только. — Дед обхватил граненый стакан не по росту широкой ладонью, опрокинул в себя. Затем медленно залез на огромный, вполдома, топчан, что тянулся вдоль всей стены. Пятнадцать человек легко могли разместиться на нем. Одеяла, шкуры, но чистые. Не было в них заскурузлого запаха человечьего

---

[1] Сейд *(саамск.)* — культовое сооружение, большой камень, установленный на нескольких маленьких.

[2] Куйва — огромное природное (мхи) изображение великана на одной из скал над Сейдозером.

отчаянья. Из грубых досок сколоченный, приземистый и крепкий, он казался очень уютным и теплым — за стенами продолжал бушевать ветер, окошко текло водой дождя. Было слышно завывание озера Любви.

Володю увела куда-то баба Лена. Он всю жизнь прожил среди степей, хоть и украинец по национальности. В лесу, в тундре — первый раз. Поэтому порой наивен, как новое ведро на колодце, — стоит, сверкая, солнцем цинка, на краю, не зная о грядущем полете вниз. Хорошо, что есть цепь.

Мне не спалось. Тот самый мандраж, невероятный для сорока лет страх, который поселился в душе задолго до похода, не давал ни на минуту расслабиться. Лишь иногда получалось на мгновение задушить его глубоким, колодезным глотком алкоголя, но и тогда он лишь помогал упасть в оленьи шкуры сна, пробуждение от которого было еще более пугающим.

Я не знал, почему так в этот раз. Позволял себе немного догадываться. Но никак не мог окончательно определиться.

Дед Андрей похрапывал на топчане. Я в очередной из многочисленных раз достал из рюкзака карту и описание маршрута. Открыл ее и стал всматриваться в заученные изгибы рек. Одна из них носила странное имя —

Афанасия. Ко второй, огромной, безлюдной и величественной, — предстояло дойти. Поной — Собачья река в переводе с саамского. Не самое веселое имя...

Не знаю, что за странная прихоть ведет меня на север. Она неодолима. И часто, опять собираясь, укладывая вещи в рюкзак, думаешь со страхом и упованием — бесы ли манят, промысел ли божий. Так и мучаешься в сомнениях, пока не дойдешь до края, где открывается все. Там узнаешь — благодарить или бежать.

Я еще раз прочитал описание маршрута. На сгибах его уже начали протираться дыры. Да, безлюдье на сотни километров. Да, четвертая категория. Да, на сплавах предыдущих лет погибло одиннадцать человек. Но неотвратимо и ласково манила зелено-голубая карта обширной местности. Были в ней обещание и загадка, как в красивой испуганной женщине, уже покорной, уже сдавшейся. И нужен очень трезвый глаз, чтобы за нежной податливостью этой суметь увидеть мгновение острого стального взгляда из-под трепещущих в страхе ресниц.

— Мама, я знаю, что нужно делать, чтобы мальчик за тобой погнался, — говорила одна четырехлетняя прелестница моей знакомой. — Нужно подойти, улыбнуться и побежать.

9

Все, хватит. Карту опять в рюкзак. Сапоги на ноги. В дверь, наружу. На мне брезент энцефалитки, на поясе — нож, в ногах твердость, в груди — решимость, в голове — задор. Сделав глоток спирта и закусив куском оленины, я вышел из дома.

Посреди белой ночи, в северной глуши, стояла черная избушка. Черная она потому, что стены из тонкомера снаружи обтянуты толем — таков кольский стиль. Поверх толя зачем-то — маскировочная сетка, скорей всего — для красоты. Низкая крыша из почерневшего от времени шифера была полога — сугробы снега наверху давали зимой лишнюю толику тепла. Маленькие окошки тоже берегли жизнь от лютого холода. Хлипкая изгородь, сплетенная из тонких березок, — не от человека или зверя. Задерживая снег, она принимала на себя удары ветра с озера. Еще был огород — два метра вскопанной земли, из которой торчала пара былинок лука да робко пробивались листья клубники — ягод нужно было ждать к сентябрю.

Куриных ножек у избушки не было. А может, и были, просто она низко, нахохлившись, присела на землю.

По двору бродили две добрые собаки-лайки. Я сразу подружился с ними за оленью кость. Поодаль была привязана собака злая. Помесь сенбернара и кавказской овчарки, она когда-то была сильно обижена людьми. По-этому бросалась молча, без предупреждения. Лишь внезапный звон толстой цепи мог спа-сти от смертельной опасности. Которой не почуял черный кот Василий, и спина теперь была без шерсти — страшные зубы сорвали шкуру с обоих боков и сверху. Теперь кот был черно-розовый, непонятно как выживший, но по-прежнему ласковый и ждущий рыбы. До-брые собаки иногда шутливо прихватывали его то за голову, то за шрам. Он игриво от-бивался, не выпуская когтей. Цепь же обхо-дил далеко.

— Пойдем, Володя, я тебя с собачкой по-знакомлю. Чтобы не покусала случайно, — из-за изгороди донесся голос бабы Лены. Следом за ней покорно шел Володя. Бывший чемпи-он по плаванию, двухметрового роста, он по жизни был слегка задумчив — водная среда медленнее, тягучее воздуха. Длинноволосый, с черной бородой, он для пущей красоты на-дел в лес спортивный костюм былых достиже-ний, с золотой надписью Kazakhstan на спине. Основные же цвета его были желтый и голу-бой, символизируя, возможно, происхожде-ние бывшего пловца. «Ну что, пираты в горо-де», — так приветствовал его вчера первый встреченный на кольской земле. Действитель-но, большая серьга в ухе Володе бы очень по-дошла.

Еще когда собирались дома, я много говорил про север. Про тревоги и опасности. Про то, что непонятно на самом деле, как зайти на Поной, слишком много изгибов было на пути к нему. Что так же непонятно, как с него выйти — река впадает в Белое море, у самого горла его, на границе с Баренцевым, где из жителей только пограничники, а из возможных средств выброски лишь теплоходик «Клавдия Еланская» с таинственным расписанием да вертолеты, возящие американских рыболовов на элитную рыбалку. «Выход, похожий на вход», — глубокомысленно изрек тогда Володя. А я принялся шутить.

— Володя, на пограничников надежды мало. На «Клавдию» меньше того. Один реальный выход — суровый вертолетчик. Ты, красивый и видный мужчина, должен суметь очаровать вертолетчика. Денег для алчного Икара у нас будет мало. Поэтому придумай что-нибудь.

— Выход, похожий на вход, — уже радостно хохотал Володя. Отчего бы не поскабрезничать двум взрослым мужикам.

Но больше смеялся я, когда в магазине продавщица протянула Володе голубой спальник, внутренность которого была отделана веселой байкой с пушистыми котятами на ней. Володя хмурился уже. От другого спальника — траурно-черного цвета — отказался наотрез.

И хохотали в голос уже вместе, когда в другом суровом магазине для настоящих, искренних мужчин не оказалась брезентухи Володиного немаленького размера.

— Вот это возьмите, тоже помогает от клещей, — в руках у девушки была сеточка на голое тело, что так выгодно может обрисовать спортивный мужской торс.

— Суровые вертолетчики крикнут радостное «Хэй!!!», увидев красивого тебя. И вывезут куда угодно. А я уж с вами в уголке!

Вот что в Володе особенно хорошо — он никогда не обижается. В походе это очень важно.

Все почему-то быстро вспомнилось, пока я наблюдал, как маленькая баба Лена властно ведет большого Володю к привязанной на цепь собаке.

— Кровавик, — она сунула ему в руку зеленоватый, с красными пятнами камень. — Саамская кровь называем. Подарок тебе.

— Познакомься, Бэрик, свои, свои, — баба Лена стала сильно гладить пса, пригибая его голову к земле. Тот тихонько рычал.

— Володя, не бойся, наклонись, погладь собачку, — какие-то особые ноты появились в ее старческом раньше, резко помолодевшем голосе.

Володя послушно нагнулся. Как удачно спикировавшая чайка, взлетающая вверх с добычей, навстречу большому росту взмыла баба Лена и впилась в большие Володины губы тяжелым, сильным поцелуем.

От неожиданности и ужаса мой друг на секунду замер, а затем навзничь опрокинулся на спину, стремительно, по-заячьи перевернулся и на четвереньках ринулся прочь.

— Куда, куда, стой! — Баба Лена пыталась прихватить его за желто-голубой костюм, но он вырвался и колобком закатился за угол избушки. Затрещали сучья.

Баба Лена оглянулась, поправила седые волосы и вернулась в дом. Минут через десять, так и не отойдя от увиденного, туда же зашел и я. Еще через десять минут осторожно протиснулся запыхавшийся Володя. Дед Андрей не спал, сидел на лавке. Баба Лена снова накрывала на стол.

— Это — моя женщина, — мрачно сказал дед Андрей испуганному Володе, и тот лишь смышлено моргнул большими понятливыми глазами.

Остаток ночи прошел в полубреду. Снова разгулялся ветер за окном. Снова пошел дождь. Чуйка не подвела меня, и я лег с краю топчана, ближе к стене. За мной пристроился Володя. Дальше лежал дед Андрей. Он снова выпил и камлал всю ночь. То начинал умолять тоненьким голоском: «Не трогай, не трогай меня, я нормальный мужик». Потом затихал на десять минут. Я сразу проваливался в сон. И просыпался от его грубого и тяжелого, как холодная вода, приказа: «Лежи тихо. Жди». Волосы начинали шевелиться у меня. Сзади беспокойно ворочался Володя. Дед Андрей опять затихал, чтобы через новый промежуток зашептать: «Володька, Володька, вставай, налей деду».

Бабы Лены было не слышно. Но я знал, чувствовал, что она не спит, что она где-то рядом и внимательно смотрит сквозь темноту холодными острыми глазами.

Все это повторялось раз за разом. Я не знал уже — во сне или наяву. Ужас был на дне темного провала, куда я летел в забытьи, но, вздрогнув и проснувшись, я понимал, что наяву страшнее. Приснилось ли, вспомнилось, но я отчаянно и вновь увидел, как ты пила мою кровь. Мы расставались, вернее, уходила ты. А мне было нужно показать, что наплевать, что не боюсь ничего. Даже этого, что казалось равным смерти. Я был безбоязненным тогда. И браво водкой заливал лихое горе. Позвал на праздник друга своего, пьющего доктора. Мы выпили в машине. Я сходил в аптеку и купил систему. «Откачай-ка мне, братка, крови. Кровопускание должно помочь». И когда набралось пол-литра, взяли еще водки и пошли к тебе. Мне так хотелось напугать тебя каким-нибудь особенным путем. Я смешал водку с кровью и грубо приказал: «Пей!» И всего ожидал — слез, страха, негодования, рвоты. Но не смеха. Ты смеялась и пила. Одну рюмку, другую, третью. Смеялась, внимательно глядя мне в глаза холодным острым взглядом...

Наконец настало утро. Чуть только белесость белой ночи сменилась солнечным лучом, прорвавшим вдруг тяжелые тучи Ловозера, мы с Володей одновременно вскочили на ноги. Тихонько выскользнули из избушки, умылись живою серою водой. Прокрались обратно за вещами. А на плите уже вовсю кипел чайник. За столом улыбчиво сидел дед Андрей. Баба Лена резала пластами розовое, прозрачное мясо большого жирного сига.

— Садитесь завтракать, — дед Андрей был явно в духе, — Володька, налей деду.

— Сей, сей, — баба Лена щедро накладывала на тарелки неземного вкуса яство.

— Я вот что думаю. Далеко-то я вверх не ходил. Покажь-ка карту. Да, Марийок, потом еще километров тридцать. Волок. Койнийок. Тяжеленько вам будет, — радостно заключил дед. — Но один точно вернется. Не знаю, как хохол, а карел вернется точно!

— Куда, как вернется? — я подлил старику еще, но тот лишь широко улыбнулся в ответ.

— Дед, а может ты — смотритель реки? — настороженно спросил Володя.

Тот снял с лица улыбку и сказал вдруг серьезно и жестко:

— А ты больше никогда так не говори!

И через минуту молчания:

— Ну, с богом! Длинный путь.

Мы быстро собрали байдарку. Кинули вещи, погрузились сами. Мяукнул на прощанье Васька-кот. Залаяли лайки. Зазвенел цепью сенбернар. Я оттолкнулся веслом от близкого дна. Володя покачнулся, сидя в носу со вторым веслом.

— Задницей, задницей равновесие лови! — крикнул я ему главный байдарочный секрет.

— В жопу поветерь!!! — сказал дед Андрей и обнял бабу Лену за плечи.

Через несколько гребков мы были далеко, и, с трудом обернувшись в узкой лодке, я увидел две маленькие уже, пристально глядящие нам в спину фигурки. Рядом бегали собаки, и черно-розовой запятой вился возле ног кот...

Поначалу река была спокойной, неторопливой, и мы легко выгребали против течения. Настолько, что было время, чтобы смотреть окрест и думать про путь. Потому что ничего нет слаще и тревожнее, чем думать про путь, особенно в начале его. Ведь только в дороге ты по-настоящему свободен и честен перед Богом и собой. В любых других обстоятельствах зависимость от людских схем гнет тебя к земле. И лишь беря на себя всю радость бремени за дорогу к жизни или смерти, имея над головой всего лишь небо, а под ногами только землю или воду, ты становишься господин себе. И помочь тебе может лишь нательный крест, а помешать — лишь былые неправды. Все остальное — в руках, разуме и душе твоей. В дороге ты чист и потому силен и уязвим. Но это жизнь, достойная того, чтобы попробовать ее на вкус и запах.

Медленно протекали мимо нас берега. Заросли карликовой березки сменялись открытыми пространствами моховых болот. Иногда внезапно возникали песчаные отмели, и на них были видны следы оленьих стад. Тихо было вокруг. Моросил мелкий дождь. Изо рта шел пар. Был конец июня.

Берега текли медленно, а потом остановились. И потихоньку пошли назад. Одновременно с этим послышался шум. Я очнулся от благородных мыслей и увидел, что, пока мечтал, речка изменилась. Она стала быстрой. Впереди был слышен первый порог.

Я вообще сильно рассчитывал на Володю. Еще бы — спортсмен, хотя и в прошлом. Шесть литров легких и клубок тяжелых мышц. Вдвоем мы многое могли пройти. Я рассчитывал еще на нескольких людей. Они собирались идти со мной, у них были лодки, ружья, умение и отвага. Я полгода заманивал их на Поной, обещая золотые горы, несметную рыбу, красоты и воспоминания. Они соглашались, кивали головами, сжимали в руках оружие и готовы были на многое. Пока не подошло время пути. Один за другим, словно недозревшие обмороженные почки с дерева, отваливались от пути герои и рыбаки. По разным причинам — семейным, бытовым, другим. Я думаю, что их просто испугал путь. Он действительно был непростым.

Последним отпочковался друг мой Конев. Полгода он собирался, а кончился в последний день перед отъездом. «Внезапно заболела язва. Я не пойду», — и все слова. Ни сожаления, ни извинения. По-женски как-то отвалился Конев, сделал кувырок через голову и был таков. Остались мы с Володей одни. И теперь гребем изо всех сил, а вдвоем тяжело, еще бы человечка в помощь. Речка бурлит, совсем ускорилась резко, сменила спокойный норов. Того и гляди — снесет обратно в озеро.

Короче, ели выгребли на берег. Перед самым порогом тихая заводь была с водоворотиком небольшим, туда-то мы и нырнули. Выскочил я на берег, байдарку подтянул. Вылез и Володя. Как-то не очень быстро он осваивается. Хотя что с человека степного взять в условиях далекого севера. Я сам точно так же какую-нибудь лошадь упустил бы на волю, как

Володя байдарку. Хорошо, шкерт на носу привязан был, за него еле схватиться успели, когда она плавно и свободно уже готовилась без нас отплыть в одиночное плавание. Остались бы без еды и снаряжения в самом начале.

Но красиво кругом так, что руки сами быстро-быстро работу делают — костер, палатка там, а голова вертится отдельно, красоту эту через глаза, уши и ноздри впитывая. Порог речной шумит, лес зеленью свежей глаза ласкает. И только высокие синие тундры, облитые сметаной снежников, сурово висят над головой. И кажется — постоянно смотрят, наблюдают за тобой. Словно ты коммунист — сам маленький, а совесть у тебя огромная и синяя.

Володю я легко в поход заманил. Он человек хороший, но забавный. Решил почему-то, что самое интересное в мире — это древние индейцы. Какой-то в детстве комплекс у него сформировался. И вот эти индейцы у него везде — в голове, в сердце и в глазах, больших и вечно удивленных. Ацтеки, майя, Кексоткоатль и другие прелести. Он даже книжку об этом написал, фантастические рассказы про индейцев, как они все предвидят и способствуют. Поэтому ему было достаточно лишь фотографии Праудедков показать, скал, что в пойме Поноя расположены. А скалы действительно замечательные. Фигуры сидящих великанов, фантастические животные, горбоносые профили с перьями на макушке — бальзам для настоящего фантаста. Вот Володя и кинулся в северный поход за южным знанием. А знание — оно вне земной географии. География души человеческой — вот оно где.

Утром встали — так лагерь собирать неохота. Быстро человек к любому месту прикипает. Даже палатка в одну ночь домом родным становится. Да и как иначе, когда на улице дождь и температура — плюс три. Пар изо рта валит, сапоги мокрые, хорошо — комаров и мошки пока нет, холодно им еще. Ну и потряхивает, конечно, от детского ужаса перед собой — куда черт несет?

Я, когда дома собираться начал, все не мог понять — кто меня сюда ведет: то ли промысел божий, то ли бесы манят. Фотографии смотрю здешних мест — красота такая, что страшно. Стал людей искать, чтобы помочь смогли — легко как-то все получается. Один, другой, третий, общие знакомые находятся, в Интернете совсем со стороны люди — и все помогают, ведут радостно. Очень я этим доволен сначала был. А потом насторожился слегка. Если все слишком хорошо — что-то не так. Это — одно из моих основных знаний о жизни в родной стране. Чуйка моя. Иногда помогает. Приятель, казацких корней, говорил —

чуйка, мол, палочка такая с черной ленточкой. Когда убитого казака хоронили, то на могилу ее ставили, пока не отомщен. Но я и другое знаю: чуйка — это чувство такое. Лучше его слушать.

Есть, правда, напиток волшебный, который превращает страх в мужество. Называется: спирт этиловый, разведенный. Позавтракали мы с Володей им да тушенкой с макаронами и бодро так собрались, опять на многое готовы, красавцы и герои. Все в байду уложили красиво и плотно. И пошли. Только теперь уже первый этап пути закончился. Тот, когда сидишь на лодочке да веслами помахиваешь, на природу любуясь. Бечева началась. И кусты.

Бечева легче волока. Но не намного. На волоке все на себе волочишь. Тут же вещи все в байдарке. А ты ее по воде за носовой шкерт тащишь. Она легко идет, если течение не быстрое, да берег пологий, да тропинка по нему — идешь гуляючи, цветы нюхаешь попутно. А тут пороги, да кусты непролазные, да речонка стала уж больно бойкой. Байдарка то и дело в кусты носом упирается, выдираешь ее оттуда с хрустом. Сами березки даром что карликовые — метров до двух ростом, да переплетенные все, словно волосы кудрявой девчонки после ночи искренней любви.

Приспособились кое-как. Я впереди байдарку тащу, через березы продираясь. Володя сзади с веслом, отталкивает ее от берега вовремя, чтобы в зарослях не путалась. Бодро сначала пошли, сил в избытке. Дождь нипочем, холод побоку — конкиста идет. Полог походный натягивали, только когда ливень сплошной начинался, а так — вперед, через ухабы. Правда, когда первый раз за собой плеск громкий услышал, испугался сильно. Но виду не подал, подумал — рыба большая. Обернулся — а это Володя веслом промахнулся мимо борта да во весь свой рост плюхнулся в воду. Даром, что ли, чемпион по плаванию. Это первый раз было. А потом уж я оборачиваться перестал. То ли от усталости, то ли от ужаса, но стал Володя все чаще и чаще в воду падать. Бродни воды полные, мокрый весь, но идет, держится. Привалы мы часа через три устраивали, когда совсем невмоготу становилось ноги на высоту плеч задирать, чтобы сквозь заросли проломиться. Костерок маленький под тентом зажжешь, чайку согреешь, да плеснешь туда — пуншик, как поморы говорили. И снова в путь.

Сначала мы бодриться пытались. Песню вспомнили про кустового кенгуру Скиппи, что из далекого детского фильма. Вот и шли, порой чуть не вприсядку: «Скиппи, — поешь, — Скиппи, Скиппи из э буш кангуру-у-у». Так первый день прошел. Лагерь на старой стоянке с костровищем сделали. Тент, палатка, костер и отсутствие ног. Носки свои мокрые Володя пытался высушить, грея камни в костре и заворачивая в них потом. Да тщетно. Дождь так и не кончился.

Все последующие дни стали похожи один на другой. Тяжелый подъем, ломота во всем теле, завтрак на скорую руку. Путь. Дождь лил, не переставая, лишь иногда спадая до состояния мороси, зато в другое время проливался холодным ливнем, словно у неба был отпущенный запас воды, которую нужно вылить на горящую страстями землю. Мокрая одежда, мокрые ноги. Кусты. Через пару дней бодрая песня про Скиппи превратилась в унылый романс:

Не говорите про кусты, не говорите.
Вы лучше спирт водой тихонько разведите.
И шапку новую мою не прое....,
пардон — не потеряйте.

Вещи стали пропадать с пугающей частотой. Нож, садок для рыбы, носки. Они убывали так же, как и запас еды. Мы постоянно становились легче, скидывая с себя обузу и привязанности. Обувь пока держалась, хотя на резине стали появляться трещины на сгибах и вода сочилась сквозь них. На недолгих привалах я старался не смотреть на голые Володины ноги, когда он стаскивал с себя сапоги в очередной тщетной попытке их высушить или хотя бы согреть. Ноги были потертые, распухшие, мясного, с синеватым отливом, цвета. Мои были получше, я умудрился сохранить сухими одни шерстяные носки, которые надевал только на ночь, в палатке, и утром опять тщательно убирал в непромокаемую «гидру».

Песни в пути мы пели не столько от радости, сколько от страха. Следы людского пребывания — редкие костровища, тропинки, консервные банки — стали потихоньку исчезать, пока не пропали совсем. Вместо них появились звериные тропы. На песчаных участках, свободных от кустов, все чаще холодили душу первобытным ужасом следы сначала росомахи, а потом — медведя. Их становилось все больше и больше. Первые остатки медвежьей трапезы я заметил уже на второй день, но не сказал Володе. Дальше их стало настолько много, что не заметить было невозможно. Порой ступить на тропу было некуда из-за повсеместных черных куч. Когда Володя догадался наконец, что это такое, он бессонно просидел в палатке полночи. Под утро же, заснув, закричал почти сразу тонким голосом, перепугав меня. Ему приснилось, что медведь подошел к палатке и стал просовывать лапу под Володину спину, тяжело дыша и прижимаясь теплым боком. Володя во сне послушно прогибался, пока не осознал помутненным разумом, что происходит.

Мы пели разные песни, чтобы зверь заранее услышал нас и успел уйти. Говорят, это единственно помогает от нападения — медведь нападает, только испугавшись неожиданной встречи. Но так лишь говорят. Подходя к новым зарослям кустов на берегу, мы начинали истошно вопить про неуклюжих пешеходов, про орленка, который взлетел выше солнца, а иногда и вообще про вчера, когда мои беды были так далеко отсюда, но я билив ин естердэй. Из оружия у нас были только пара ножей да четыре китайских фейерверка в форме маленьких граноток-лимонок. Взрываясь, они издавали резкий хлопок, который должен был напугать и обратить в бегство любого зверя. По крайней мере, мы надеялись на это. Ружей у нас не было, все люди с ружьями благоразумно остались дома.

Иногда я пробовал ловить рыбу. Но она не клевала. Заброс самых привлекательных приманок в самые чудесные для рыбы места не давал никаких результатов. Омуты с водоворотами, одинокие камни по течению, бурные перекаты — река должна была кишеть рыбою. Однако каждый раз с рыбалки я возвращался ни с чем. Единственным из трофеев было постоянное чувство, что кто-то внимательно наблюдает за тобой из леса. Приходилось петь еще громче, но я не был уверен, что это зверь, хотя и холодело сердце от вида каждой черной коряги в чаще и от каждого лесного треска за спиной. Вообще почему-то было очень тихо. Не пели птицы. Не жужжали насекомые. Только неумолчный шум реки да голос постоянного дождя. К ним мы привыкли настолько, что не замечали. Тишина казалось полной.

Каждый раз, уже лежа в палатке вечером, мы начинали вспоминать и разговаривать, чтобы как-то убить тишину. Вспоминали почему-то больше женщин, мужчины меньше интересовали нас. Вспоминали плохих и хороших, веселых и злых, хитрых и простодушных. Таких совсем мало было. И каждый раз оказывалось, что любой рассказ был связан с болью, приглушить которую мог только добрый глоток или циничный смех.

— Представляешь, я когда увидел, что все попутчики наши испугались, начал судорожно в Интернете на туристических сайтах объявление вешать — ищу, мол, для похода на Поной. Так сразу девушка одна откликнулась. Пишет: «Хочу с вами пойти. А зовут меня Маша Изумрудова».

Володя впервые за последние дни радостно засмеялся:

— А чего — нужно было Машу с собой взять! Представляешь, какими бы мы тут го-

голями ходили. И любой путь был бы нам не страшен. И в соревнованиях за Машу радостно летели бы часы и километры.

Потом он тщательно подумал:

— Фамилия какая-то странная — Изумрудова. Цыганка, что ли. Знаешь, хорошо, что не взяли. Ну его на фиг, женщин этих. Передрались бы еще тут все.

Внутри у меня холодно шевельнулась моя чуйка.

Ночью ты сидела у меня на лице. Я так бесстрашно любил это раньше. Любил и сейчас, пока не стал задыхаться. Воздух кончался, и горячая радость, что только что была жизнью, стала душной, тяжелой, смертельной. С трудом я открыл глаза, проснулся и с отвращением откинул с лица мокрую со вчерашнего дождя шерстяную шапку...

Утром я услышал необычные звуки. После долгой и гнетущей тишины с неба лился трубный глас серебряных труб. Раз, и еще раз, и еще. Внимательно осмотревшись, я осторожно вылез из палатки. Звуки раздавались со стороны реки. Натянув волглые сапоги, я вышел на берег. Низко над водой, медленно, как во сне, летели три лебедя-кликуна. Раз за разом они зычно и прозрачно кричали, словно сзывая неведомое воинство на бой.

Володя проснулся совсем мрачный:

— Кукушка кричала.

— Это не кукушка. Это лебеди пролетали, очень красиво, — мне хотелось казаться веселым.

— Знаешь, мне сегодня приснились надгробия — твое и мое. Имена, фамилии. Даты рождения. А дат смерти пока нет.

Я притворился отважным, хотя нерадостно слушать утром чужие сны:

— Володя, чего-то ты приуныл совсем. Может, вернемся?

— Да нет. Бабы Лены боюсь, — сказал Володя серьезно.

Он вылез из палатки и стал разводить костер. А я в сотый раз принялся перечитывать описание маршрута: «Примерно на середине Поноя находится заброшенное село Чальмны Варэ. После него характер реки резко меняется. Берега повышаются. Отвесные скалы достигают высоты ста метров. Река сужается, часто петляет. Порой резко поворачивает, и тогда возникают опасные прижимы. На протяжении пятидесяти километров на ней располагаются одиннадцать порогов. Последний из них, Бревенный, непроходим».

Поразительно, но в реке совсем не было рыбы. Вернее, наверняка она была, клевать же отказывалась. Погода ли была тому причиной, еще что, но каждый раз, уходя на рыбалку, я возвращался с пустыми руками. Володя в мое отсутствие, казалось, слегка сходил с ума. Он передвигался по лагерю, постоянно озираясь и приплясывая. Пение песен стало его постоянным занятием. Пел он разные песни, иногда просто мычал, но в тишине находиться для него стало невыносимо. В руках он сжимал маленькие гранатки, готовый в любой момент нервно сорвать чеку и запустить в белый свет или в любую тень свое единственное игрушечное оружие.

Зато стало очень много птиц. Каждое утро, а то и под вечер нас преследовал щемящий душу крик лебедей-кликунов. Огромные жирные гуси пролетали так низко и близко, что иногда, казалось, их можно сбить удилищем спиннинга. Утки то и дело выныривали из реки в самых неожиданных местах и пугали внезапным своим появлением из-под воды. Все они внимательно следили за нами.

В один из дней я решил проверить свое странное предположение. К тому времени многое из невероятного раньше уже казалось возможным.

— Володя, я пойду ловить рыбу, — сказал я ему, — а ты внимательно смотри. Я знаю имя одного женского беса, некрупного, но злого. Попрошу его. А ты гляди в оба.

Я вышел на берег реки. Володя зачем-то спрятался в кустах. Вода мирно журчала на небольшом перекате. Смотрели сверху горы.

Я распустил спиннинг.

— Катька, дай рыбы, — крикнул в гулкую пустоту отчаянно и безнадежно. — Давно я ничего не просил у тебя.

Блесна упала далеко, почти у другого берега. Я стал крутить катушку, внутренне усмехаясь своей слабости — сабельные походы комсомольской юности не оставляли обычно места сомнениям.

Внезапно удилище дрогнуло, согнулось, и я выхватил из воды чудесного трепещущего хариуса. Не долетев до кустов, в которых прятался Володя, он сорвался с крючка и заплясал на песчаном берегу. Я быстро и судорожно убил его, шмякнув головой о прибрежный камень, и закинул блесну снова. Вторая поклевка, и второй хариус заплясал рядом с неподвижным уже первым. Больше поклевок не было. Шутки и баловство кончились...

В этот вечер мы впервые поели свежей рыбы. А ночью я в ужасе проснулся в палатке от тихого тонкого воя. Выл Володя, неподвижно лежа в спальнике с широко раскрытыми глазами. Я несколько раз сильно толкнул его, пытаясь как-то расшевелить. Наконец он замолчал, полежал немного неподвижно, затем тяжело и грузно вылез из спальника.

— Миша, мне в голову вошел парализующий шар! Я не мог двигаться. Я мог только лежать и звать тебя. Но ты спал. Тогда я испугался, — сбивчивый Володин рассказ был особенно гнетущ посреди окружающей палатку мертвой тишины. Выглядывать наружу не хотелось.

— Володя, все это ерунда! У тебя опять фантастическое воображение проснулось. Нет никаких шаров и надгробий. Медведь есть, правда, но он держится поодаль. Мы просто идем обычным русским путем, — я старался говорить уверенно, чтобы унять дрожь в голосе. Крепкие руки умело разводили напиток утреннего мужества.

— Что значит — русским путем? — Володя слегка успокоился и заинтересовался.

— Предки наши шли в неведомое, поморы и ушкуйники. Ну и что — лопари колдуны и шаманы были сплошь. Ну и что — Куйва на скале и сейды вокруг. У наших — крест на шее и топор в руках. Крестили же лопарей, последних, но крестили. А бесы все — внутри. Нет ничего снаружи, все — внутри.

Володя как-то приободрился героической историей и глотком спирта.

— Я кофе поставлю, — он осторожно, но настойчиво полез наружу из палатки, мелькнув напоследок своими голыми ступнями с кровавыми потертостями на них.

А я остался внутри, чтобы подумать. Опять достал карту. Красивая она была и в чем-то неуловимо, по-женски лживая. Расстояния какие-то не те, уже семь дней идем, а волока не видно. Изгиб на реке вот этот был, а следующего не было. Ручья чего-то не заметил, а он большой на карте. Но все равно, красивая она. Зеленые массивы лесов и болот. Голубые извивы рек. География. Давно изученная, написанная, нарисованная. И любой путь теперь — лишь повторение шедших пред тобой.

Другое дело — внутри. Ничего не ясно. Смутно, и не проясняется. Душа человечья, злоба и радость. Боль. И путь навстречу боли. Любовь. Баба Лена. Кровь всегда морковного цвета. Жесткие пустые глаза и свет улыбки. Карта души.

Видимо, я задремал. Очнулся от пыхтенья у костра — Володя раздувал огонь.

Карта лежала рядом. Поверх нее — описание маршрута. Взгляд упал на последний абзац:

«Село Чальмны Варэ. В переводе с саамского — Глаза леса...»

КУЙПОГА

«Моя философия в том, что нет никакой философии. Любомудрие умерло за отсутствием необходимости, — он дернул ручку коробки передач, и машина нервно, рывком увеличила скорость. — То есть любовь к мудрости была всегда, а саму мудрость так и не нашли, выплеснули в процессе изысканий. Ты посмотри сама, что делается. Напророчили царство хама, вот оно и пришло. Даже не хама, а жлоба. Жлоб — это ведь такой более искусный, утонченный хам». Они ехали молча, в ночной тишине, по дороге, ведущей за город, на север. За окном мелькали старые, с облезшей краской, дома, сам асфальт был весь в выбоинах и ямах, как брошеное, никому не нужное поле. Внезапно показался огромного размера ярко освещенный предвыборный щит с сияющей мертвенно-синей надписью «Поверь в добро». «Вот-вот, смотри, славный пример, досточтимый. Ничего не нужно делать. Просто в нужный момент подмалевать красками поярче, лампочек раз-

ноцветных повесить. Годами друг друга души-
ли, душу ножками топотали, а тут одни с пустыми глазами мозгом поработали, у других,
таких же лупатых, релюшка внутри сработа-
ла — и все мы опять верим в добро, тьфу», —
он выплюнул в окно окурок вместе со слюной
и выругался.

Она сидела рядом, нахохлившаяся и пе-
чальная. Ей было грустно — он опять говорил не о том. И стоило ли объяснять давным-
давно говоренное, обыденное, как овсяная
каша. Стоило ли в сотый раз пытаться найти первопричину, когда все просто — такая
здесь жизнь. Ей хотелось радоваться, что наконец свершилось, после долгих сборов, све-
дений в кучу всех обстоятельств, всех вязких
стечений они все-таки вырвались и едут теперь к морю. Большую воду она видела только однажды, в детстве, когда отец взял ее на
юг, и с тех пор в памяти остался свежий, ще-
кочущий горло и грудь запах, слепящая глаза
пляска солнечных бликов и едкий, как уксус,
вкус кумыса.

А он продолжал нудить свое: «Видела,
плакат на площади повесили. «Фиерическое
шоу». Ублюдки. Писать разучились, а туда же,
феерии устраивать. Даже любимое и родное
теперь слово «fuck» умудряются в подъездах
с двумя ошибками писать. Вообще, утонула
речь, язык утонул. Как будто во рту у всех

болотная жижа. Да и в головах тоже. Мозги квадратными стали. Вместо мыслей заученные схемы. Мыслевыкидыши. И утопленица — речь». Он был неприятен самому себе со всеми этими неуклюжими рассуждениями, но никак не давали успокоиться, вновь почувствовать ровное течение жизни три пронзительных в своей немудрености вопроса: «Куда едем? Зачем едем? Ищем чего?» И, глупый, все спрашивал и спрашивал себя...

«Хватит, — вдруг попросила она. — Надоело уже. Давай про что-нибудь другое. Посмеши меня как-нибудь. Ты же умеешь меня смешить!»

У них была странная любовь. Она начиналась как чистой воды страсть. Когда он увидел ее впервые, то поразился стремительности, какой-то воздушности всех движений. Окружающие люди, события — все вокруг казалось застывшим, словно погруженным в желейную дремоту. Ему сразу представилось тонкое деревце под напором ветра, как оно гнется к земле почти на изломе, но вдруг выпрямляется при малейшем ослаблении, рассекает сабельным ударом тугую тягомотину, чтобы потом снова клониться, сгибаться из стороны в сторону, отчаянно трепеща листвой, и вновь упрямо и чувственно бросаться навстречу жестокому потоку. «И создал Бог женщину», — подумалось, когда он наблюдал со стороны за силой и изяществом ее походки, красотой тонких, округлых рук и неземным почти, стройным совершенством бедер. Потом, много позже, он понял, что только живая, полная ласковой внимательности ко всему вокруг душа способна так умастить, драгоценным миром покрыть совершенное тело. Потому что полно вокруг было красивых манекенов, пляшущих свои бессмысленные, нелепые танцы и постоянно жующих лоснящимися ртами пирожные по многочисленным кофейням.

Но потом страсть стала потихоньку стихать, откатываться, как морская вода при отливе, и наступило время прикидок и размышлений о чужих мнениях, полезности и монументальной правильности, и никак не могло родиться долгожданное, дерзкое и бесшабашное доверие.

«Не буду я тебя смешить», — упрямо пробормотал он и снова погрузился в унылые размышления о продажности всего и вся. Благо опыт продаж у него был изрядный. Тяжелым, скользкой тиной покрытым камнем лежала на душе торговля алкоголем, когда цены предварительно повышались на пятнадцать процентов, а потом резко и публично снижались на десять; бодяжный портвейн с хлопьями осадка, распиханный в коробки с сертифицированным пойлом; расселение бичей со всем их вонючим, жалким скарбом по различным, на них же похожим халупам; переклей этикеток с новыми сроками годности на лежалую, прогорклым жиром пахнущую рыбу; склизкая дружба с «нужными» людьми, когда над всем разнообразием отношений плавает маслянистый взгляд хитро прищуренных глазок; странные, нереальные сочетания вожделеющих чиновничьих рук и их же властных ртов, вещающих о совести и доброте. А рядом с ними были молодые девчонки, отдающиеся за коробку бабблгама или за ужин в ресторане, что стоило примерно одинаково; рекламные кампании в газетах, где такие же молодые и бездумные могли за деньги сочинять сказки о чудесных похуданиях и излечениях; яркие, талантливыми красками расцвеченные плакаты о том, что «только у нас, опять в последний раз, одобрено всеми министрами и специалистами, продается столь необходимое вам, жизненно показанное дерьмо в красивой упаковке, с прилагаемым бонусом в виде еще одного, но уже небольшого дерьма». Удивительно, но сначала все это казалось ему свободой, захватывающей игрой раскрепощенной воли и могучего интеллекта, изящным противовесом системе фронтального распределения. И только много позже, когда все многочисленные, не лишенные изящества и стройности схемы стали складываться в такую же систему захлебывающегося счастья безграничного потребления, дешевой радости каждодневного закупа, он почуял неладное. Блистательным венцом его торговой карьеры стали тогда головы лосося. Многоходовая, до мельчайших деталей продуманная афера, где очень многое зависело от дара убеждения себя и других в том, что продать можно абсолютно все, натолкнулась на какую-то преграду. И вроде бы все вокруг были согласны, что дешевые рыбные отходы могут послужить весомым социальным фактором в накормлении сирых и убогих, вроде бы сами голодные, судя по многочисленным маркетинговым исследованиям, были безумно рады поиметь практически даровую похлебку из голов благородных рыб, вроде бы все соответствующие, строго бдящие инстанции выдали одобрения и разрешения, но предел есть даже у свободы предпринимательства. У него вдруг истощились душевные силы, и тогда сразу пропала воля, хитрый ум отказался измышлять новые кротовьи ходы. Он перестал бороться с отступающей, мусор несущей водой и поплыл в ней, словно бездумное бревно, отстранясь и впервые за многие годы сумев увидеть со стороны себя, свои придонные мотивы, чужое суетливое величие, громогласие пустоты и комичность каждодневного подвига во славу вороватости. И когда наступил день лактации пушных зверьков, которые присоединились к слоям населения, отказавшимся потреблять неискренний корм, он взял в руки пустоглазую голову лосося, все еще красивую своими стремительными, рубящими воду очертаниями, и со словами «бедный Йорик» выкинул ее через левое плечо.

«Все на свете продается, кроме любви и голов лосося», — сказал он ей внезапно повеселевшим голосом, и она засмеялась в ответ.

Когда через несколько часов они подъехали к старинной деревне у самого Белого моря, солнце уже высоко стояло над горизонтом. Время белых ночей. Ночи белых ножей. Есть в северном лете какая-то жестокая сила. Она чем-то похожа на щедро украшенное рыбьей кровью резвое лезвие, которое без устали пластует тела, отбрасывает прочь всю нутряную смердь и одного добивается холодной своей силой — чистоты. Ни на минуту не дает солнце закрыть глаза, отдохнуть, накопить новые оправдания. Светло и тихо кругом, лишь изредка вскрикнет в лесу испуганная неприкрытой истиной птица, и ты чувствуешь сначала полную измотанность от своих же вопросов, ты наедине с огромным правдивым зеркалом белесого неба, ты словно стоишь перед могилой убитого Бога, и когда наступает уже предел человеческих сил, вдруг ощущаешь, как с тела, с души словно отваливается пластами чешуя накопившейся за долгие годы грязи, и слезы наворачиваются на глаза от ощущения пусть временной, пусть предсказуемой, но чистоты и ясности. Ты становишься сильным, тебе незачем изворачиваться и лгать, ты пьешь много водки и не хмелеешь, потому что тебя заразил, захватил уже, проник во все поры, в волосы, под ногти бесконечно добрый наркотик — дух Внутреннего моря. И с перехваченным дыханием, как пойманная в сеть рыба, ты поешь во славу его свои спиричуэлсы.

Они остановились у первого попавшегося дома и, постучавшись, вошли внутрь. По высоким ступеням, словно по трапу корабля, забрались в сени, потом, наклонившись перед низкой притолокой, ступили в комнату. У небольшого окна на стуле сидела крепкая старуха с живым внимательным взглядом. Лоб и щеки ее были темными, обветренными, а шея и узкая полоска вокруг лица — белые, незагорелые. «Славный черномордик», — шепнул он, но осекся.

— Здравствуйте, — старуха кивнула в ответ и быстро оглядела их с ног до головы. — Мы из города, не пустите ли пожить на несколько дней?

— Ну не знаю, — та смотрела с легкой усмешкой. — А кто такие будете, туристы?

— Нет, мы так, посмотреть, — он чувствовал себя неловко и поспешил добавить: — Мы заплатим.

— Ну не знаю, — старуха опять усмехнулась и замолчала.

— Мне очень хотелось на море. Я никогда не была, только один раз, в детстве, на юге. А тут ведь совсем рядом от нас, и никогда. Вот мы собрались просто и поехали. А остановиться не у кого, не знаем тут никого.

— Ладно, живите, чего уж там, Ниной Егоровной меня зовут, — старуха уже многое знала о них.

— А сколько стоить будет, — он попытался свернуть на знакомую стезю.

— Нисколько не будет. Так живите.

К морю, к морю. Она торопливо собиралась, выкладывала из сумки вещи, которые могли пригодиться. Куртка, резиновые сапоги, теплые носки, комариная мазь. И постоянно, неосознанно, принюхивалась — не донесет ли ветер тот давно забытый, детскими воспоминаниями расцвеченный запах. За окном начинал погромыхивать гром, в доме пахло сушеной рыбой, деревом, какой-то едой. Но того высокого, заставляющего слезы наворачиваться на глаза запаха не было. Она помнила, что на юге он был сильный, пряный, тяжелым потоком несущийся от воды, от галькой покрытого брега, от куч выброшенных на пляж гниющих водорослей. А здесь если и было что-то похожее, то совсем слабое, еле уловимое, призрачное и обманчивое. Какая-то граница, грань между жизнью и смертью, добром и злом, та, которую постоянно ищешь, иногда натыкаешься, но никогда не можешь устоять, удержаться на ней. Он с кислым лицом следил за ее сборами. На улице начал накрапывать дождь, небо затянуло тучами. «Смешно было бы думать, что можешь запрограммировать себе чувства. Да и пошло это как-то — раз к морю, значит, нужно ахать и восторгаться, производить готовый набор телодвижений и ощущений. Трезвее нужно быть, циничнее. А то чуть-чуть разомлеешь, расслабишься, поверишь, как тебя тут же мордой в цветущую клумбу: хотел — на, жри свои вонючие растения», — он был давно наученным, умным зверьком.

— Собрались? — Нина Егоровна откровенно смеялась над их яркой городской одеждой. — Сядьте, чаю попейте, затем можете на убег сходить за рыбой.

— Что за убег? — недовольно спросил он.

— Ловушка такая. Пойдете направо от деревни, сначала по берегу, потом по кечкоре, там увидите. Километров пять до него.

— Кечкора какая-то. А это что за зверь?

— Дно морское. Пока куйпога стоит, нужно идти. Потом вода пойдет — не пройдете.

«Издевается, — решил он про себя, — неужели внятно нельзя объяснить. По-русски. Вроде все здесь русские, не карелы и не чукчи».

Старуха словно угадала его мысли:

— Куйпога — это когда вода уходит и стоит далеко. Отлив, по-городскому. Уйдет так, что не видно ее. Все, что в море мертвого было, оставляет. Водоросли, рыбу, может тюленя выбросить. Иногда аж страшно делается — вдруг не вернется. Но возвращается всегда, всегда... — она улыбнулась каким-то своим мыслям.

Сели за стол. Нина Егоровна взглянула в окно, затем резво вскочила и накинула крючок на входную дверь:

— Андель, телебейник идет, нахрен его.

Он фыркнул, она в веселом недоумении широко раскрыла глаза. Старуха же охотно пояснила:

— Коробейники были, знаете? По дворам ходили, торговали, а глядишь — и украдут чего. Этот же все агитирует, раньше — за одно, теперь — за другое. Вроде слова умные говорит, а смысла за ними никакого. И болтает, болтает: «Теле-теле-теле».

Вместе посмеялись, успокоились.

— А вы как, отсюда родом? — спросила она старуху, с удовольствием вслушиваясь в ее вкусную речь.

— Отсюда, милая, отсюда. Восемьдесят три года, и все отсюда.

— И как жили? — Они явно нравились друг другу.

— А как жили. Тяжело жили. Я с семи лет уже нянькой по чужим людям. А потом в море зуйком ходила, здесь в Белом, и на Баренцево ходила. На елах мы тогда рыбачили, с парусами еще.

— А где тяжелее было, — заинтересовался он, вспомнив внезапно свою службу на севере и зимние шторма, когда слоновьими тушами валялись по берегу разбитые бурей бетонные причалы.

— Везде тяжело, — усмехнулась старуха. — Первый раз как вышли в Баренцево в волну, так мне ушанку на лицо привязали, чтоб туда блевала. Зато сразу привыкла, со второго раза уже за полного человека брали. Замуж в двадцать лет вышла. Вы-то муж с женой будете?

Они замялись:

— Да нет, мы так, думаем...

Старуха проницательно взглянула на нее, внезапно покрасневшую, затем на него:

— Был тут у нас в войну один такой. Глупый. Не как все. Ходил все, думал. Как увидит красивую, вроде тебя, так потом на станцию тридцать верст пешком уйдет. Все на поезда смотрел, на женщин проезжающих, искал чего-то... — она посмотрела на часы. — Ладно, идите уже. А то не успеете.

Они вышли из деревни, пересекли заброшенное поле, поросшее высокой жесткой травой, из которой поднимались оголтелые тучи комаров, и ступили на кечкору. Та простиралась почти до самого горизонта, лишь в еле видимом глазу далеке сверкала кажущаяся узкой полоска воды, за которой угадывались туманные очертания островов. Дно морское оправдывало свое корявое, бородавчатое название — посреди вязкой, чавкающей глины тут и там возвышались скользкие валуны, покрытые зеленой слизистой тиной, лужи мутной стоячей воды составляли аляповатый, тоскливый узор, повсюду валялись обломки раковин, мешали ступать грязнобородые кочки фукуса. На небе царил такой же раздрай. Верхний слой тяжелых, мертвенно-серых облаков не оставлял ни единого просвета. Ниже беспорядочными клочьями неслись белесые обрывки тумана. С двух сторон приближались темно-синие, безнадежные, как арестантские думы, грозовые тучи. Из них с невнятной угрозой погромыхивал гром. «Полная куйпога», — мрачно сказал он, жалея уже, что дал себя втянуть в эту беспросветную авантюру. Она же молчала, только широко раздувала ноздри, все пытаясь поймать тот свободный, вольный запах, о котором мечтала всю дорогу.

Вдалеке показался убег. Они быстрым шагом дошли до него, достали из ловушки пару десятков мелкой трепещущей камбалешки.

— Пойдем назад, — он замерз уже под моросящим дожем и с опаской смотрел на приближающиеся отвесные столбы полноценного ливня. — Пойдем!

— Нет, я хочу купаться, — решительно, со слезой в голосе сказала она.

— Да где здесь купаться, в лужах, что ли? — он говорил раздражительно и зло. — Тебе же сказали — куйпога. Да и холод собачий, замерзнешь.

Но она не слушала. Решительно сняла с себя сапоги, одежду повесила на вбитый в глину кол и, оставшись совсем голой, повернулась к нему с внезапной улыбкой:

— Ты увидишь, все будет хорошо!

«Что хорошо, что здесь может быть хорошего?» — не понял он и вдруг заметил какую-то перемену. Дувший с берега ветер вдруг стих. Сначала еле-еле, словно младенческое дыхание, а потом все сильнее задул ветер с моря. Он был ровный и ласковый, как утреннее объятие, и нес в себе простые, изначальные вещи. Соль и йод были в нем, и любовь глубоководных рыб, и когда-то давно прозвучавший крик малолетнего рыбака. «Кончилась куйпога, кончилась!» — кричала она, убегая, а навстречу ей сначала мелкими ручьями, а потом все сильнее, веселыми потоками пошла вода. «Не может быть», — прошептал он, упорствуя в неверии своем, и тогда сошлись две грозовые тучи, одна похожая на лысый профиль хитрого дедушки, другая — с нависшим над усами крючковатым носом любимого вождя, стукнулись лбами, и грянул гром, разметавший их на мелкие обломки. «Вера! — позвал он, и последний раскат унес с собой рокочушее «Р», оставив «Е» и «В» и «А». — Не может быть! — он пытался охладить поднимающуюся внутри горячую волну чем-нибудь проверенным и разумным, и тогда в разрыве туч вдруг блеснуло яростное солнце. — Не может быть!!!» — упрямился он, смахивая набежавшие слезы, и тогда сверху обидно, прямо в лоб стукнула его задорная сливовая косточка. А потом вернулась она, вся покрытая сверкающими каплями воды и кристаллами соли. Длинные, прохладные и тугие листья ламинарии спускались у нее с плеча, лаская теплую, вольную кожу, и глаза ее невинные, губы ее винные что-то говорили ласково.

— ...щается всегда, — за ветром угадал он окончание.

НА СУМЕ-РЕКЕ

Проехали, протряслись по пыльной, удушливой грунтовке последние семьдесят километров, а потом прошуршали шинами по мягкой, лежалой хвоей покрытой лесной дороге, остановились у разрушенного деревянного моста и разом, вместе глубоко вдохнули воздух и сказали «ах». Было красиво. Широко, неистово, с какой-то страшной страстью катила свои темные воды Сума-река. Трухлявым гнилозубьем торчали из нее старые бревна опор, и вода раскачивала их постоянно, хотела вырвать из грозной расщелины рта былые, ненужные теперь обломки. Светлой пеной злилась она в узких промоинах, в неудобных искусственных лазах и, вырвавшись на свободу, широко разливалась среди лесных берегов. Дальше, куда хватало взгляда, река уже была спокойной и сильной, лишь недовольно пофыркивала на частых порогах, вновь смиряя свой изменчивый женский норов на широких плесах.

Сразу, чуть только затих последний, слабеющий рык усталого перегретого мотора, Федор схватил из багажника удочку и побежал к реке, на ходу разматывая сникшую от долгого безделья леску.

— Куда, а костер развести, — крикнула она вслед, но он только мотнул головой.

Оскользнувшись, спустился по крутому травянистому склону и встал на берегу, у самого края, границы между живой говорливой водой и спокойной сосредоточенностью земли. Затем, уже не торопясь, пронизанный величавыми звуками ровно шумящего леса, насадил на крючок сильного багрового червя, плюнул на него по неизвестно кем заведенной традиции и закинул наживку далеко в реку. «Сума, дай рыбы», — сказал и усмехнулся своей прямолинейности.

Поплавок закачался в центре секундной, недолговечной мишени и поплыл спокойно по течению. Федор приготовился ждать, гася внутри неосторожный огонь азарта, но винная пробка с обгорелой спичкой посередине вдруг резко и косо ушла под воду. Сердце глухо гукнуло, руки, забыв о разумной, отточенной последовательности действий, суматошно дернули удилище. Леса натянулась. Время замерло. Обострившимся вдруг зрением он увидел, как в темной глубине мелькнула серебряная вспышка, как метнулись в стороны темные черточки поверхностных мальков, как вязкая вода словно вскипела под резким напором напряженной, до предела натянутой жилки, и расступилась перед ней, как перед носом отчаянного лилипутского скутера. «Тонковата леска, тонковата леска, тонковата...» — закружилась, зациклилась испуганная рыбьей страстью мысль, а ладони ощущали, как мелкой дрожью трясется удилище, как микрон за микроном рвутся волокна нити, соединяющие его, жаждущего, и ее, вырывающуюся. Вдруг случилось — воды расступились и отдали ее. Отвергли бесстрастно, хотя только что держали сильно. От неожиданного отторжения этого Федор не удержался на ногах и шлепнулся задом в мокрую траву, удилище высоко держа и сжимая изо всех пальцы белящих сил. Так и сидел ошарашенно, а она плясала над ним высоко в воздухе, живая и блестящая. Наконец очнулся он и стал суматошными руками хватать воздух, а рыбка все ускользала, все билась, пока не прижал ее к животу, к самому чреву, сильно и нежно, и не скользнул пальцами по серебряной чешуе, не вынул осторожно из губ ее пронзительный крючок и не опустил в баклажку с водой у ног своих.

Это была большая плотва. В других обстоятельствах могла она быть рыбой сорной, но не теперь, когда главным было не наличие в ней многих костей, не вкус ее плоти, а стремительная обтекаемость тела и неистовая живость движений. Она стояла в прозрачной, слегка красноватой воде и тихо, недоуменно шевелила плавниками, словно пытаясь осознать невероятную, произошедшую с ней перемену. Рот ее, раненый, открывался и закрывался — казалось, что шептала она беззвучно: отпусти меня, отпусти меня, отпусти... Федор так же тихо стоял над ней и глубоко дышал. От ладоней, на которые нежданным даром налипло мелкое серебро, доносился тонкий запах чужой жизни, полной стремительных перемещений в сильных, но добрых течениях, беззаботных игр под зыбкой луной на водной глади и той, внимательной, небесной, и дикого страха, когда черной тенью проносилась где-то рядом острозубая, жестокая опасность. Он хорошо, до боли, помнил, как год назад впервые увидел ту, что сейчас ждала его у костра. Как впервые захлестнула ее улыбка, незаслуженная им, бесплатная, осветившая веселым фонариком его мрачную, пьяную отупелость. Как сразу понятен стал ему восторг и обожание, с которыми смотрели на нее дети, учившиеся искусству танца, да и не только танца, а вообще тому радостному, доверчивому отношению к жизни, что казалось давно уже невозможным в этой стране. И когда однажды он, быстро постучавшись и не дождавшись ответа, дернул дверь в раздевалку и увидел ее, смутившуюся, но все равно улыбнувшуюся в ответ на его быстрый взгляд, увидел снежно-белый треугольник ее белья над гладкой стройностью ног, то понял, что пропал, что сдался без боя, что сработали все те триггеры, над которыми смеялся всегда, полагая их выдумкой таких же хитрых, как он, для простаков, постоянно ищущих новых учителей и новой веры. И дрожала потом многие месяцы в руках тонкая, напрягшаяся леска, натянутая до предела своего, когда чужими стихами, своими словами, зримым отчаяньем от невозможности, невероятности происходящего он поймал ту, которая сейчас ждала его у костра, держал ее крепко и жестко, выводя на слепящую глаза поверхность из темного омута обычных, привычных, семейных отношений. А потом, когда случилось, когда на смену ее спокойствию пришло пронзительное ощущение свободного полета в пропасть, то не было дня, чтобы не пыталась она вырваться, оборвать неправильный ход вещей и чувств и не замирала потом, усталая, одно лишь шепча в страшном и сладком изнеможении: «Отпусти меня!»

Солнце высоко взобралось по красным стремянкам высоких сосен и положило ему на голову горячие ладони. Федор наконец решился. Он прощально посмотрел на тяжело дышащую рыбу и осторожно погрузил баклагу с теплой уже водой в свободную прохладу реки.

Затем повернул ее набок. Рыба недоверчиво постояла на месте, потом устало и благодарно шевельнула плавниками и хвостом, но тут же перевернулась кверху брюхом и всплыла на поверхность. Равнодушная вода сразу понесла вдаль от берега, к середине реки, а там ее с восторженным криком схватил внимательный, грязно-белый баклан и суетливо замахал крыльями, унося добычу. Федор дернулся было кинуть в него камнем, схватил наугад горсть с земли, но в кулаке оказался лишь пересушенный серый песок, который безвольно ссыпался меж пальцев. А от костра донеслось призывное посудное позвякиванье...

Костер был по-женски небольшим. Возле него аккуратно легла на чистую хвою невесть откуда взявшаяся белая скатерка, под которой, на случай сырости, лежала клетчатая клеенка. Сверху, в уютном походном беспорядке, стояли плошки, тарелки, пластмассовые коробочки и стеклянные банки с разнообразной, любовно приготовленной снедью. В центре возвышалась горка аккуратно порезанного, изящного в своей непритязательности черного хлеба. Салат овощной, из испанского цвета помидоров и ярко-зеленых огурцов, салат мясной, где колбаса и лук находчиво заменяли рябчиков с ананасами, копченое сало со смуглой кожицей и невинно-розовыми прожилками мяса было обсыпано короткими трубочкам зеленого же лука. Рядом лежала горка крупных, молочной прозрачности долек чеснока. Над костром, на тонкой жердине, покачивался в потоках раскаленного воздуха круглый важный казан, где тесно, по-братски, поддерживали друг друга перед лицом неминуемого уничтожения разваливающиеся кругляши картошки и крупные в своей бордовой волокнистости куски тушеной говядины. Рядом, опасно балансируя на неровной, дикой поверхности случайного камня парил, готовясь к своему выступлению, приземистый, закопченный во многих битвах чайник с помятым боком. В нем замер, предвкушая веселый раскардаш кипения, густой, пронзительно коричневого отлива, настой ссохшейся Индии и северных, местных трав: лаковые листья брусники вольно, словно в родном лесу, переплетались в нем с рыхлыми ветками черники, а поверх них заплывала толокнянка и несколько случайных сосновых хвоинок. Неподалеку, куда Федор первым делом бросил взгляд, на самом солнцепеке лежала и накапливала резкую, холодную ярость завернутая в мокрую белую тряпицу бутылка водки. Чуть поодаль, в тени густой елки, степенно и ласково белела трехлитровая банка домашнего деревенского молока.

— Садись, рыболов, будем обедать, — сказала она, и он послушно сел на свернутый спальник.

— Ешь, — поставила перед ним миску с дымящимся варевом, положила ложку. Федор быстро свинтил голову холодной бутылке, изрядно налил себе, плеснул на донышко ей: — За что пьем?

— За тебя, конечно, — он торопливо, чтобы не успела возразить, сделал несколько хороших глотков и взрослым умением напряг верхнюю часть глотки, когда взбесившаяся жидкость рванулась обратно. На глазах выступили слезы. Он стер их ладонью, которая все еще пахла неистовым танцем рыбы, и потянулся к еде. Правой рукой держа ложку, он в левую умудрился взять, зажав между пальцами, хлеб, сало и светлую хрупкость молодого чеснока. Вера с удовольствием смотрела, как он ест. Ей нравилась эта жадность к жизни, ко всем ее проявлениям, словно он точно знал, сколько ему отмерено, и спешил впитать в себя как можно больше солнца, дождя, воздуха, травы, слов и звуков, красок и прикосновений. Она сама была такой же, лишь с легкой поправкой на женскую осторожность и внимательность. Ему же целый мир был мал, мил, недостаточен. Он выпивал еще, ел, шутил, что-то рассказывал, а она просто сидела и любовалась его трехдневной щетиной, плечами, донельзя натянувшими старый дырявый тельник, светлыми выгоревшими бровями, которые иногда исчезали совсем, когда он, во время душевной дрожи, выщипывал их напрочь, с кровью, чтоб только унять злую силу безумных рук. Больше всего ей нравилась та ямка под кадыком, куда так удобно помещался ее нос, когда они спали вместе. И пахло там по-особому, щемяще и ласково. Поэтому опять не сказала ему ничего. Август был совсем близко.

Федор быстро стал клевать носом. Глаза его то и дело застилала сладкая пленка сна. Усталость от долгой езды в правильных пропорциях смешалась в нем с лесным воздухом, который душисто расправил его скукоженные городские легкие, и с радостью бесконтрольной выпивки. Они быстро разбили палатку прямо на зыбком, словно женское непостоянство, черничнике. Внутри ее воздух сразу нагрелся, стал таким горячим, что даже самые ловкие из комаров, протолкнувшиеся внутрь, сидели теперь в затененных углах и тяжело дышали. Вера расстелила простыню, и он ухнул в сон, голой спиной ощутив всю подспудную ласковую неровность лесной подстилки. Несколько раз до него доносились легкие мыльные звоны железных мисок и кружек. А потом он почувствовал ее нос, прилаживающийся у него между ключицами, да благодарную, нежную колкость на своем бедре.

Когда проснулся, еще несколько минут полежал в томительном блаженстве. Жара спала. Был тот редкий и кратковременный момент, когда север дает почувствовать человеку простую, незамысловатую благодать, когда не нужно надрывать силы, чтобы согреться, насытиться, выжить. Когда природа учит новым, непривычным на вкус и чуждым ей словам, таким как «нега» или «комфорт». Солнце походя, ленивыми скользящими прикосновениями ласкало туго натянутый тент, длинные сосновые тени были рассеянно нежны, слух благодарно впитывал добродушное мурчание реки. Даже гнус куда-то исчез ненадолго, а на палаточном брезенте медленно колыхались тени травы, и было видно, как на одной из них осторожно ощупывает усиками путь неторопливый муравей. Потом от костра донесся запах свежего кофе, и Федор вылез на воздух, еще млея всем отдохнувшим телом. Вера улыбнулась ему навстречу, а он вдруг почувствовал, как в ступню вонзилась затаившаяся в сапоге сосновая игла, резко и неожиданно, словно ждущая в засаде обреченная оса.

«Я не хотела говорить, не могла. Знаешь, страшно это все. Мне хорошо с тобой, очень хорошо. Ты даже не можешь представить, как. Мы уезжаем куда-нибудь, и я забываю обо всем. Чувствую, что ты мой. Забываю обо всем. Я люблю тебя, очень люблю. Но ты ведь знаешь, что мы не одни, что нельзя так. Не принято, не положено». «Кем не принято и куда не положено?» — он пытался ерничать, но видел, что бесполезно все. «Я люблю твою жену, и детишек твоих люблю. И не могу разрушать, понимаешь, не могу! Я сама была такой же, когда ждешь, а человек не приходит. Или приходит с безумными глазами, и ты знаешь, что они видят не тебя. Ты говоришь с ним, а он сквозь тебя смотрит и улыбается. Поэтому ты не должен сердиться. И разубеждать меня не нужно. Я все решила. Мне нужна семья, только моя, ни с кем не деленная. Чтобы кормить своего человека, чтобы стирать ему. Чтобы ужинать вместе и просыпаться вместе. И сыну моему нужен мужчина. На рыбалку чтоб его брал, какие-то штуки чтоб мастерили. Я не знаю, как это у вас получается, но одного присутствия мужского порой достаточно там, где мы вывернуться готовы и не получается ничего. Вот и все. Только не сердись и не обижайся. Пойми меня. Ты знаешь, я ведь не представляю, как это все будет. Я не знаю, как без тебя. И во всем моя вина. Если хочешь, я буду спать с тобой, когда только скажешь. Я смогу, выдержу. Но ты не мой...»

— Ну и кто же сей счастливец? — Осиный яд из пятки добрался до сердца, но показывать этого было нельзя.

— Георгий, ты его видел. Он хороший. Он меня любит, давно уже. Я уже согласилась.

— Он-то любит, а ты? — Федор знал, как сделать больно.

— А я люблю тебя, — стерла испачканной в саже рукой каплю с ресниц, и под глазами легли черные боевые полоски.

— Когда все состоится?

— Он приезжает в августе, в самом начале.

— Через два дня, — уточнил и налил себе полный, хороший, успокоительный стакан.

И в ту недолгую секунду, пока не успел еще обезболить мысли хмель, вдруг сам понял: «Ты все говоришь правильно. Так и должно быть, я предчувствовал. Но только нет ли чувства, что мы будем делать разумные, положенные, принятые вещи, и тем самым шаг за шагом будем приближаться к трагедии. Нет, скажу как есть — к хаосу. Полному и для всех. Нет такого чувства?»

Она молча, бестрепетно мыла посуду, а он опять спустился к реке. Сел на бревно на берегу и стал смотреть на воду. Ничего не изменилось. Все так же извивалась Сума своим черным телом, так же балансировала на грани изменчивости и постоянства, лишь в шуме ее он стал различать какой-то металлический, скрежущий отзвук. Гнусило комарье, облеплявшее, словно мокрая, надоедливая пыль, его голову и шею, а он не отмахивался суматошно, лишь иногда проводил ладонью по лицу, размазывая кровь и мелкий прах. Кругом стояло светлое вечернее марево. Было тихо. Лишь иногда доносился откуда-то издалека то ли взлай, то ли вой. Он вспомнил, как недавно видел передачу о странных животных — австралийских сумчатых дьяволах. Ничего в них не было страшного — короткое, толстое тело, неуклюжие лапы, мелкая зазубренность рта. Питались они в основном падалью, изредка прихватывали какое-нибудь вкусное животное, но и самих их часто убивали такие же голодные сородичи. Поразило его тогда одно — их любовь. Самец за шкирку волочил самку в нору, она верещала и сопротивлялась, кусала его за все места, и тогда выли они оба от боли и страсти, рвали душу и тело в нелепых объятиях, словно сами чувствовали, как близко, рядом стоят их смерть и любовь. Словно мучила их нераздельность, слитность счастья и беды, и совсем нет зазора, нет места для отступления или раздумий, все серьезно и разяще. Потом они расходились, окровавленные и измотанные. Иногда же он убивал ее. Бывало, что и наоборот.

А неподалеку бродил, прислушиваясь к их воплям, старый мудрый кускус. Он был не настолько глуп, чтобы подать себя на ужин. Но и не настолько боязлив, чтобы прятаться в голодном лесу. Он знал, что бывает иногда удача, и не прочь был поживиться свежим мясом чужих страстей. Длинное рыльце в редком пуху осмотрительно ловило ветер, и не было мыслей о любви или смерти, а лишь о спокойной поживе. Кускус не любил рисковать и платить по счетам.

Федор встал и пошел к разрушенному мосту. Между опорами еще кое-где лежали бревна перекрытий, и он захотел вдруг перейти на тот берег. Вода под ним шумела сильно и зловеще, и он старался не смотреть вниз. Перескакивая с бревна на бревно, каждое из которых было опасно подточено временем, изъедено в коричневую влажную труху, он старался балансировать, хотя знал, что не успеет понять — дерево под ногой или форму его хранящая пыль. И все равно неведомая жажда узнать высший жребий толкала его вперед. Так добрался до середины, и тут оскользнулся, руки хватанули пустой воздух, по спине многоножкой пробежал страх. Лишь изогнувшись до поясничной боли, сумел устоять на месте и в сгустившемся времени увидел, как медленно и величаво поднимаются из глубины воронки водоворотов. Он сел на бревно верхом, все еще со сведенным дыханием и колотящимся сердцем, и тут же вспомнил, увидел опять, почувствовал тот узкий крутой трап из корабельного кубрика наверх, на палубу, на воздух.

Он соскользнул тогда обратно, коленями пересчитав все ступени. Но анестезия физической болью была краткой. Вокруг, в тусклом свете тесного кубрика, все расположились по интересам. Справа, в узком пространстве между двумя рядами железных шконяр, устроена была «битва гигантов». Двое самых щуплых из молодых бойцов лупцевали друг друга по лицу, подбадриваемые пинками веселящейся публики. Слева, в глухом углу, «отбивали клинья». Крупные, дебелые «караси» послушно принимали позу бегущего египтянина и получали по женственно круглым задам по десять ударов деревянными, выкрашенными «шаровой» краской в мертвенно-серый цвет обрубками. Предназначены они были для «борьбы за живучесть» в случае пробоин, но применялись для решения более насущных проблем. Азартные игроки состязались в искусстве точного и сильного удара, после которого испытуемый падал на колени. В центре, на самом свету, происходило наказание особо провинившихся. «Залупу достань, сказал, будешь теперь робишку лучше стирать, сосатель мамин», — и чайной ложкой по достоинству, раз, еще раз, до голубиной синевы. Внизу, под ногами, ползало по палубе полудобровольное «чмо», с ветошью и обрезом, замывая следы крови. Оно уже получило свое, и было никому не интересно.

Весь этот жадный, чужой муравейник казался какой-то нереальной, но хорошо отрепетированной пьесой. Все персонажи хорошо знали свои роли, и не было мысли ни в ком, что, может быть, надо как-то иначе, не так. «Нас гнобили, теперь мы хоть оторвемся», — и так по кругу, по цепи, по гладкому железному кольцу. Так принято, заведено, освящено традицией, и зачем рассуждать. Легче бежать со всеми в одной упряжке.

— Что, свалить хотел, отец? — подступил тогда к Федору молдаванин Ваня. Был он мелкий, кривоногий, носатый и могучий в знании того, что ему положено.

— Не выйдет бежать. Вместе со всеми, родной. Сымай штаны и на клинья.

— Не буду, — Федор очень боялся, его трясло, бегающий взгляд метался повернувшимся к нему лицам, лишь упрямый голос говорил свое.

— Не будешь, — радостно удивился Ваня, — тогда твоим всем еще по пять клиньев.

— Пускай, — когда блудит логика, остаются чувства.

— Они сами согласились. Они участвуют. Я — нет.

И резкая пощечина сразу. И горячая горечь стыда на щеке. И вольная радость бездумного кулака. И нет жалости к покатившемуся тщедушному тельцу. И прочь, прочь, из духоты на воздух. И в спину вой:

— Вешайся теперь, падла, вешайся!

Вентиляшка была маленькая и в чем-то уютная. Тесно навешанные на переборки приборы под корпусами своими таили внутреннее, умное и спокойное знание. Тихо, кап-кап-каплями падала вода из надтреснутого кожуха громоздкого насоса. «Что за странные зверьки, — спокойно уже и отстраненно думал Федор, — что за странные понятия. Жрать то, что найдут, делать то, что положено, вести себя в соответствии. А если почувствуют вдруг чутким своим носом, что где-то поживиться можно безнаказанно, то живятся запредельно. Потому что и так тоже положено. Есть ли у них имя, безнадежных?» Глаза давно уже нашли печальный, одинокий крюк на высоте человеческого роста. Рука сама, сначала нерешительно, а затем уже уверенно потянулась к заготовленному загодя мотку надежного, верного шкерта. Но натолкнулась на что-то странное в глухой щели между прибором и переборкой. Там лежала книга. Дешевая бумажная обложка и незнакомая фамилия на ней. И сразу, с готовностью, словно отдаваясь, открылась она на бестелесной, слабой странице, где, кем-то подчеркнутые, ждали его слова: «Любопытство, приязнь к человеку есть не свойство отдельного характера, а какой-то изначальный, главный закон, без которого не работают все остальные, самые благовидные, устремления».

Он долго сидел над водой. Не слышал больше бурления, не видел торопливости струй. Пальцы сами находили, один за другим, волоски на бровях и выдирали их с влажным хрустом. Там, в глубине кожи, прятались сочные луковицы. Они были прозрачные и прохладно-нежные, с темными кровяными точками на концах. Он прикасался ими к губам, и это были словно крошечные, родные и стыдные поцелуи. А потом выпускал волоски из пальцев, бросал вниз, и долго видел, как они летели, бездумные, во тьму.

«Не зарекайся от Сумы, — и больше не было бровей, — Не зарекайся от Сумы, — лишь кожа голая остра. — Не зарекайся».

А после пришел железный лязг и прогнал лесные тихие шумы. На дороге показался огромный и неуклюжий — на сушу вылезший корабль — задерганный бульдозер. Остановился у моста, из него вылез человек. Долго смотрел на Федора, потом крикнул:

— Слышь, ты. Где здесь гуцулы лес валят?

— Не знаю. Езжай себе, слышь. Не знаю куда.

Когда вернулся, увидел, что ждала его. Залез в палатку и на спину лег. Она в углу сидела настороженно, с каким-то испугом из сумрака глядя. Боялась не его, но больней — себя. Тогда сказал он: отпускаю, сказал: тебя, сказал: совсем. Ты так хотела, на, бери теперь. Теперь бери себя. Не сомневайся больше. Есть закон. Здесь есть закон — всем, каждому по дратве, и по штыку, и по стыду еще. А после — по любви, по самой, по больной, с размаху, чтоб размозжить, чтоб кончен бал. Чтоб жить потом как все, быть одиноким и боязливым, словно пестрый пес, который тянется к руке, ее желая, готовый ласку на спину принять, но вдруг отпрыгивает в сторону, не веря и не решаясь обмануться вновь. Бери любовь как кость, как данность, тащи ее в уютный уголок, и там грызи, в кровь раздирая десны об острые дробленые края. Не верь и не жалей, не бойся, не зови, не плачь.

Она целовала его мелко-мелко, и часто, словно крестила — лоб, плечи, шею, грудь. А он бездумно лежал под мелким градом ее губ, где каждое прикосновение было как укол, легкий, болезненный, острый. А после, когда она ободранно казнилась, и даже пальцы ног его своим орудьем сделала предсмертным, и криком разрывая ночь на клочья, зверей лесных под землю загоняла, он лишь лежал. Потом услышал, как вдалеке раздался вой такой же, заблудший, одинокий, никакой.

Утром машина никак не хотела заводиться. А когда завелась, то за шумом мотора он услышал давешний вой. Он оказался визгом далеких бензиновых пил.

Приехали в город засветло. «Прощай-прощай» — и вся недолга. И начал жить без нее. Он постригся и побрился, стали отрастать брови. Он прожил так день, и другой. И однажды увидел их с кускусом. Тот был в праве своем и держал ее за руку. А у Веры по лицу пробегали облака. Хорошо, что она его не заметила.

Многие сейчас говорят, что не знают ревности, мол, проще без нее и лучше, все свободны, как птичьи перья на ветру. Глупцы, у них просто слабое воображение. Или плохая отметка по геометрии в аттестате зрелости.

Вечером того же дня он напился водки. «Я за пивом, догнаться», — это жене, чтоб не знала ничего, не тревожилась. А у самого душа наразрыв, грудь нараспашку, чистый весь, аккуратный. И пошел, аист, пошел, как со штыком — на танк, как наугад — на паперть, как на царя — с горохом. И одно только слово твердил: Лимпопо, Лимпопо, Лимпопо. Говорил себе, уже зная — не зарекайся от Сумы. И тут же — не навреди, не сломай, не участвуй. Но крови хотелось красной, и мозгу в башке было тесно. А кускус — тоже, в общем-то, несчастное животное. Не виноватое. Сумчатое. Другое. И сам себе — не сломай. А руки чесались сильно. И кулаки гудели глухо. Но не участвовать, нельзя подписаться на злое, нельзя, не сейчас, никогда. Но в голове — не сумливайтесь, вашбродие, стреляйте. Но в голове заклятие — бир сум, бир сом, бир манат. Но неистовая нежность к безумной стране. И повстречал на улице темной ватагу молодых бойцов-удальцов и гикнул радостно, и побежал навстречу. Но руки при себе держал, словами хлестался, кичился, крошился. Тогда кастетом по башке по глупой, рады услужить тебе, самодуров, сумароков ненаглядный. И разбежались молодцы, потому что страшно упал, головой в асфальт нырнул, как в перину. Но хоть бы что — поднялся, пол-лица снесено, кровь хлещет, улыбается. Пошла, родимая, пошла реченькой, своя пошла, не чужая. Спасибо, господи, легче стало, ушла дурь немножко. Но не вся ушла. Чуть осталося. Чуть осталося, затаилося. А потом опять стала множиться — копировальной техникой называется. И добрел до дома ее, светла терема. И позвал кускуса на побоище, выяснение отношений, на простую битву словесную, без оружиев применения.

— Ты пьян, — сказал Георгий. — Уходи.

— Ты не понимаешь, — сказал Федор, — ты брат мой. И я с ней говорить хочу.

— Я тебя не пущу. Уходи. Сейчас милицию вызову. Я права знаю.

— А я много плавал. Я видел небо. В сторону отойди, — и видел, как она в окно смотрит только на него, на лицо его, с сомнением смотрит, с надеждой, с болью.

— Все, пошел прочь, — ощерился кускус в норе.

— Сам пошел прочь, брат, — и опять — прямым курсом, к подъезду ее, к окну.

Сзади заверещали, завизжали, на спину прыгнули. А он руки свои внимательно держал, не дай бог, а ногами шел, переступал шаг за шагом. А сзади царапался, кусался, мелким бесом вился Гоша, Георгий, дружище. Тут соседи набежали, сначала толкаться стали, отпихивать, потом рубаху порвали, тельник до пупа полоснули. А он шел, уже в подъезде был, кровь текла старая, новая ли — не важно, не замечал. Тут мигалками замигали, дубинками застучали — приехали порядки наводить. А он шел, лишь руками за перильца хватался, помогал себе. Тяжело шагал, свинцово, одна ступенька, другая — медленно. Один раз свалили его, замелькали кулаки, рук и ног сплетенье. Запыхались немного все, но держат. А он трезвым голосом:

— Мужики, что за групповуху тут устроили? — и лишь хмыкнули чуть-чуть — поймал момент, вырвался, и вперед и вверх, через три ступени, через четыре. Следом бросились, ведь азарт уже, уже слюна капает. А он впереди своры, голова битая, руки чистые, в мелком серебре, уж догнали было, тут она дверь распахнула, светлая:

— Пустите его. Он мой! Мой! — слышите?

ЖАБЫ МЕСТИ И СОВЕСТИ

По вечерам к костру приходили жабы. Они были пупырчатыми и противными на вид, какими бывают комья неясной морской грязи, приливом выброшенные на берег. Хотя происхождения они были земного. Но не совсем, потому что жили у Белого моря, и черт их знает, где они на самом деле родились. Жабы молча сидели вокруг костра, грелись и о чем-то думали. Яркое пламя отражалось в их выпуклых, нечеловечески мудрых глазах, а когда костер затухал, они почти залезали в теплую золу. Ночи в августе были уже холодны.

Омерзение, которое охватило Жолобкова при первой с ними встрече, с течением дней сменилось искренним интересом и даже симпатией. Уж больно ненавязчивы и неуклюжи они были, совсем не умели прыгать, а когда попадались на узкой лесной тропинке, — медленно отползали в сторону, попеременно переставляя все четыре лапы и волоча по земле грузный живот. В них не было лягушачьей тревожной прыгучести, опасной и холодящей душу приземленности змей. Словно ручные, жались они поближе к людям, будто изо всех сил желая донести до них какую-то молчаливую, важную правду.

Сначала Жолобкова с братом его, Ваней, высадили в совсем неудобном месте. Голая скала возвышалась невысоко над уровнем серой морской воды, вокруг простиралось небольшое топкое болотце с хилыми, чахоточными соснами, а крики слетевшихся тут же на возможную поживу бакланов нагнали такую тоску и тревогу, что, лишь разведя скороспелый костер и быстро пообедав наскоро сваренными макаронами, смогли они успокоиться и осмотреться вокруг.

Залив морской был довольно узким, плавно изогнутым и сияюще-синим посреди серых высоких скал, покрытых легкой небритостью седых мхов, чахлых деревьев и курчавых кустарников. Словно бесстыжий клинок, рассек он дремотный покой камня и замер в нем в бессильной истоме, что приходит на смену опустошающей ярости. Легкий ветер с моря гнал чуть заметную рябь по каленой поверхности стали, а солнечные блики резали зрачки непристойной зрелостью и совершенством света. Ни следа человеческого не было заметно вокруг, лишь на недалеком взгорке кренилась на последнем издыхании старая, трухлявого серого дерева триангуляция. Вдруг поняли оба, что все это спасительно красиво, и посмотрели друг на друга улыбчиво. А когда Жолобков шагнул пару раз в сторону от живой, легким плеском шепчущей воды, то нашел топор. Был он крепко вогнан в железную, морем выбеленную ткань толстого, в обхват, плавника. Небольшой, кованый еще, с длинной, в метр, рукояткой, он казался прижившимся здесь, спокойным и равнодушным. Но лишь Жолобков с натугой вытащил его из звонко скрипнувшего дерева, сразу ощутил всю скрытую силу в широте размаха, ладной убедительности и выверенной точности орудия.

— Смотри, подарок мне, мечта канадского лесоруба, — он показал Ване топор, и тот завистливо крякнул — ложка к обеду была хороша.

— Слушай, хорошо, что поехали, хоть помиримся окончательно, — брат напористо посмотрел Жолобкову в глаза, и тот на секунду поверил в такую желанную возможность.

Быстро наступившая жажда под палящим солнцем вдруг притушила закипавшее в душе восхищение окрестной красотой — пресной воды рядом не было. Тогда быстро решили — нужно дальше искать, накачали резиновую лодку и принялись носить в нее несметные сразу пожитки — палатку, спальники, удочки и спиннинги, сетки, котелок с чайником, коптильню для рыбы, полиэтиленовый тент и запасную одежду. Жолобков стоял по щиколотку в жидкой глинистой грязи, что приливом превращается в морское дно, и держал верткую, вплавь рвущуюся «резинку». Ваня носил вещи от костра и подавал их ему, и он каждым разом присмирял вертиноску, погружая ее все глубже в воду. «Смотри», — вдруг тихо и восхищенно сказал брат. У потухшего уже костра, прямо из котелка с остатками пищи обедал небольшой красивый зверь. Гибкий и точный в движениях, он, очистив посудину, заботливо подбирал с земли упавшие макароны и, не торопясь, искал новые. Размером чуть меньше кошки, с лоснящимся, словно мокрым, коричневым мехом, зверь насыщался с видом туземного божка, которому испуганные люди поднесли очередную лакомую жертву.

— Эй, — негромко сказал Жолобков, и зверь нехотя оглянулся, потом убедился, что доступной еды больше нет, и не спеша удалился.

— Это кто был? — Ваня удивленно смотрел вслед почетному гостю.

— Не знаю, норка или соболь. На хорька вроде не похож. Пусть будет просто — макароновый зверь.

Жолобков осторожно сел на скамейку утлого плавсредства, оттолкнулся веслом от близкого дна и стал медленно грести. Сидеть было неудобно, горой наваленные вещи не давали вытянуть ноги, и согнутые колени мешали движениям весел. Сразу заломило спину. Солнце пекло тяжелый, чугунный после водки затылок, а ветер с моря был обжигающе холодным. Как-то вдруг, неожиданно для себя, он понял, что опять очутился на границе. Так явственно она не являлась ему нигде — нестерпимый, пот вышибающий солнечный жар со спины и ледяной почти, жалящий ветер в лицо и грудь. А посередине был непонятно кто — человеческое, разумное существо или слегка отесанное, привычно жующее животное с неясными всхлипами о несуществующей душе. Потом Жолобков посмотрел на бодро шагающего по берегу Ивана, перепрыгивающего с камня на камень, а иногда вброд переходящего неглубокие заливчики перед высокими скалами. Он шел параллельно движению лодки, с такой же скоростью, с такими же сомнениями на лице, но все же более напористо, уверенно, чем двигающийся рывками нелепый резиновый пузырь. Никого больше не было в округе, их было двое в этом большом мире, два представителя одного вида, и по ним только дремучие скалы и соленая вода могли судить об остальных, оставшихся и отсталых. Предчувствие какого-то невероятного, чудесного счастья охватило вдруг Жолобкова, и обещанием беспечной и вечной красоты забурлило море вокруг «резинки», стремительным серебряным блеском заюлили в воде решительные рыбные тела — шел косяк беломорской мелкой сельди. Шел первый в жизни и мире косяк. Жолобков хотел крикнуть брату, поискал его глазами и увидел, как вкопанно тот стоит на последнем заметном мысу. В несколько спешащих гребков он доплыл туда. За мысом был рай. Залив кончался клином, на острие которого неистово билась порожистая речка. Скалы резко обрубали ветер с моря, и жидкое стекло светлой воды благодарно нежилось под солнцем. Расступившийся лес являл светлую, веселую, словно дебелая девица, поляну у самого берега. Резкий крик одинокого баклана лишь оттенял стоящую кругом тишину, как черный кофе оттеняет молочную спелость фарфора. Замерев у входа в рай, люди ждали. И тогда, приветствуя их, свечой взмыла из воды большая игривая рыба. С гулким пушечным звуком упала она обратно в воду, и скальное эхо восторженно выдохнуло вместе с ними: «У-ух».

Все это было настолько ожидаемо, лелеемо и потому неожиданно, что на секунду поверилось в возможность счастья. Поверилось, что удалось, нет, не бежать, но хотя бы на время вырваться, отдохнуть от внешнего, людского мира. От амбиций, крови, борьбы за живучесть, убежденности убеждаемых, символов веры и верности идолам. Спеша и подгоняя друг друга восторженными криками, они быстро добрались до поляны, наскоро разбили лагерь и отметили свою удачу хорошей водкой с живительным названием «Исток», произведенной в городе Беслан.

Хотелось очень многого и сразу. Перебрав сети, они сразу поставили их. Через пару часов, едва успев пообедать и слегка отдохнуть, поехали проверять. Жолобков был на веслах, а Иван похожал. Рыбы было столько, что первоначальный восторг быстро сменился сначала сосредоточенностью, а потом и усталостью. Разнокалиберная треска, быстро засыпающая в сетях; зубатка, словно бешеная собака изгибающаяся в руках в попытке укусить обнявшую ладонь длинными, желтыми клыками; вечно живая камбала; тугие и нежные сиги; жиром сочащаяся беломорка. Не было только семги. Вместо нее в нескольких местах жилковых сетей зияли большие дыры.

Иван выпутывал рыбу, приталивал ее, пищащую, курил. Залившуюся безжалостно выбрасывал прочь. У него устали руки, и неловко выгнутая шея ныла. Разболелась голова. Лодка быстро покрылась чешуей, илом, подводными запахами.

— Есть таблетка от головы? — спросил он брата.

— Лучшее средство от головы — топор, — глупо пошутил тот. — Все, хорош на сегодня. Бросай все.

Рыбы было столько, что предстоящее чистилище нагоняло тоску. Все же взялись вместе, дружно усевшись не берегу моря. Неподалеку сразу устроился одинокий дежурный баклан, внимательным взглядом оценивая количество требухи.

Когда чистишь свежую, только что пойманную рыбу, по преодолении первой тошноты начинаешь находить какое-то даже удовольствие в процессе. Острое лезвие в анальное отверстие — вжик — единым движением рассекаешь брюхо до головы. Затем двумя пальцами ухватываешь интимно-розовые жабры и вырываешь их вместе со всем пищеварительным трактом. Это — если повезет. Иначе долго елозишь пальцами в непоэтичном сплетении кишок. Остальное все очень красиво. Блестящий перламутром воздушный пузырь. Тугая и гладко-бордовая печень. Пронзительно яркая, животворящая икра. Аспидно-черная пленка брюшины. Это у трески. Зубатка же, несмотря на свой зловещий вид, внутри мила и симпатична. Никаких пленок, все компактно и младенчески чисто, словно вульва незамужней красавицы. Камбале же вообще делаешь косой надрез поперек головы и одним пальцем выбираешь неприятную слизь, оставляя в руках плоское упругое тело. Для копчения — с чешуей, если хочешь ухи — тогда во все стороны весело летит сухой пластинчатый дождь, и то и дело сплевываешь мелкие гибкие лепестки, языком ощущая легкий и пугающий вкус чужой жизни. Убирать отходы не нужно — чуть отойдешь в сторону, и тот, кто пернатый дежурный тудэй, неосмотрительно и восторженно крикнет во всю глотку и не успеет в одиночку насладиться пахучими яствами. Истошно орущие ангелы налетят со всех сторон и продолжат круговорот веществ в природе, голодом смерть попирая.

Они вообще были разными, братья. Одна кровь зачастую творит чудеса. Без определенных занятий Жолобков важнейшим для себя полагал поиск различных, иногда пугающих истин. Разнообразная жизнь сделала его ленивым и наблюдательным. Часто ввергая себя и окружающих в различные катаклизмы, он втайне гордился тем, что стал очень чувствительным ко многим проявлениям жизни и смерти, зачастую предчувствуя, а то и предвкушая общественные и личные беды. Хроник пограничных состояний, он с возрастом добился того, что теперь еле выживал в жизненных коллизиях, но иногда это давало ему право и редкую возможность сложить несколько слов в сочетаниях, от которых порой замирало сердце. Делатель красивых иллюзий полагал это самым важным в жизни, и близкие рыдали частыми и кровавыми слезами от испытаний ядерных: на прочность — жизни, на не-страшность — смерти, на честь и верность — разрушительной любви. Зато деньги легко приходили и уходили от него. Их наличие было радостно, отсутствие — гнетуще, но не более того. Брат же Иван жизнь проводил в тяжелом и правильном труде. Железный дорожник, он медленно делал рабочую карьеру, послушно участвуя в логичной транспортной системе. Твердость давно приобретенных убеждений давала ему право надежно судить других и мир делить на парные цвета — зеленое и серое пространство, бесчестное и доброе начало, веселое и злое вещество. Всегда раз-два. Он был хороший человек, Иван, и работящий, и в семье умелый — просто заяц. Зато не знал полета, кроме прыжка. И деньги доставались тяжело.

Долго вместе находиться они не могли — начинали ссориться. Входя в раж, брат обвинял Жолобкова во многих грехах. Тот же пытался отделываться шутками:

— Помнишь, ехали на поезде вместе куда-то. Так у тебя на билете игольчатым принтером было выбито внизу — «льготный ЖД6». А мне казалось — «льготный ЖАБ».

— Сам ты «жаб», — обижался Иван и растекался обвинениями снова в нечестной хитрости и неспокойности ума.

— Зато ты не пожрал свободы, — обычно ставил кочку Жолобков, и Ваня спотыкался в этом месте.

Когда едешь на Север, то ожидаешь какой-то спокойной ясности: светлых задумчивых озер, еловых и сосновых лесов, снега и камня, прочего умиротворения. Но Север правдив и жесток. Если внутри у тебя покой, если не волочится следом кровавый след беды, то не тронет тебя ни один зверь, холодное море даст пищу, а дикие леса — кров. Но вдруг ты болеешь душой — любая скрюченная сосна на скале перед тобой изогнется петлей и напугает древним проклятием; любой камень на берегу сделает подножку, и будешь лететь вниз головой в спокойную светлую воду, наивно вопрошая «за что?»; а говорливая речушка в ночи будет неустанно спрашивать тебя голосами обиженных тобой или обидевших тебя, и будешь на один с пытливым, важным, безжалостным и ласковым судьей. Не езжайте, дети, просто так на Север.

С утра Жолобков решил прогуляться по лесу, поискать грибов. Удобная тропинка легконого бежала вдоль берега. Солнце узорчато светило сквозь высокие кроны, и на земле весело скакали солнечные зайцы, мыши, бурундуки и лисы. Нелегко было в их бурной игре увидеть притаившийся гриб, и первый

Жолобков нашел, наступив на него ногой. Тот издал свежий яблочный хруст, и печально человек присел над раздавленным боровиком. Потом поэтому стал медленно, внимательно ходить, в минуту делая шагов пять, не больше, и стал их много находить вокруг — все в разных позах, спрятавшись умело, они над ним смеялись, а найдясь — спокойно отдавались прямо в руки, как дети, доверяющие взрослым, пока не видели от них худого. И Жолобков их радовался играм, увлекся и азартно собирал, пока не вспомнил. Не вспомнил ту, которая недавно еще ему смеялась и дарила улыбку, тело, счастье обладанья и искренность доверчивой души. Не вспомнил, как потом вдруг оказалось, что все рассчитано ею было в злые сроки, и строго соблюдалось это время, когда все можно, и другое, немного позже, когда все нельзя, и можно резать по живому, превращая надежду в злую веру; что знала — как положено; в неправду — искренность, в награду — память; речь другой вдруг стала и слова померкли, как на лежалой рыбе чешуя. Он долго сам держался, только пил, внутри строжа мужскую злую жилу, что требовала мести и обиду желала смыть парной горячей кровью. Одной любовью в мире стало меньше, и он заметно потускнел, осклиз, весна была холодной, а лето — вялым и дождливым, как слизняк, упавший с ветки дерева больного. Он вспомнил это и не выдержал, запел фальшивым голосом фальшивые слова на музыку, тягучую, как деготь: «Морщинистая тварь, минетка ложной сути...» Зашло за тучу солнце, и посерьезнел лес — мир не спасала больше красота.

Когда он немного отошел от боли и смог снова различать окружающие звуки, то почти сразу услышал какое-то веселое чириканье. Сначала подумал, что птицы, но, приглядевшись, увидел, как по самому берегу моря, переговариваясь между собой, идут два зверька, похожие на давешнего поедателя макарон. Шли они от места первой стоянки явно по направлению к нынешней. Смешно чирикая, настолько увлеклись беседой, что не заметили Жолобкова. Были они похожи на двух девчонок, сестер или просто подружек, вышедших на приятную прогулку, в конце которой их ожидают вкусный ресторанный ужин и вожделенные танцы. Дела им не было до взглядов окружающих, и остановились, только наткнувшись почти на стоящего человека. Да и здесь подняли смышленые мордочки и разглядывать стали — что за пень такой нестроевой.

— Эй, — негромко сказал Жолобков, и они слегка насторожились, по крайней мере чирикать дружелюбно перестали.

— Эй вы, смешные, — еще раз сказал он, и тогда только одна юркнула под навал камней, вторая же бросилась наутек, возмущенно вскрикивая и оборачиваясь порой гневно. Жолобков сбегал в лагерь за фотоаппаратом, но девчонок уже не нашел.

Когда он вернулся из леса, Иван стоял на берегу со спиннингом в руках. За несколько дней, что они были тут, семга строго устраивала свои яростные танцы с утра и ближе к вечеру. Свирепым серебряным веретеном, в невероятном каком-то вращении выстреливала она из воды в единственно необходимом направлении — прямо в небо. Тучи сверкающих брызг вздымались вместе с ней, но отставали сразу, оставаясь далеко внизу, успев на солнце высечь высверк радужного нимба. А семга в высшей точке изгибалась отчаянным изгибом беззаветно и, не сумев достать до неба, устало плюхалась обратно в злую воду. Чтоб через две минуты, три, четыре, пять безумную попытку сделать снова.

Вначале они каждый раз бросались к морю и суматошно кидали блесны в самый, казалось, центр расходящихся по воде, безнадежных кругов. Но семге не было дела до наживки, она не питалась, она просто пыталась. Жолобков первый уставал от бессмысленных и резких движений, а Иван долго и методично вылавливал близкое счастье. Вот и сейчас он снова и снова забрасывал спиннинг, но тот приходил лишь с травою морскою. Жолобков же теперь даже пытаться не стал. Зачем насиловать судьбу, когда она лишь, благо, посмотреть дает, но прикоснуться — никогда. Поэтому он взял топор и стал рубить дрова на вечер. Это тоже было большое удовольствие. Удобное, хваткое топорище само ложилось в ладони, а острое жало, разогнанное жалобной силой, со стоном входило в молодое, сырое дерево и в труху крушило старое.

Утро последнего дня впервые было пасмурным. Низкие тучи рвались в припадке ярости, жадной до боли, клочьями низко летели с севера и сыпали мелким, душу саднящим дождем. Мокрый воздух полнился предчувствием медленного осеннего гниения. С трудом поднявшись после ломотного сна во влажных спальниках на сырой земле, братья покурили и принялись готовить завтрак. Третья натощак сигарета превращает человека в волка. Тот может отрыгнуть отравленную пищу. Жолобкова этим утром тошнило от любой.

Радостное сначала безлюдье начинало сильно тяготить. Природа уже так насытила благостной сладостью, что захотелось человечьего перцу. Отношений захотелось, общений, конец которых неизбежен — все люди враги, но зато как интересны извилистые пути. Друг на друга братья тоже поглядывали с неудовольствием.

Пока завтракали, вокруг стояла мертвая тишина. Даже семга сегодня затаилась и не плясала. Птицы молча сидели по дуплам. Но только закончили есть и стали варить кофе, как из высокой травы, что стеной окружала лагерь, раздались яростные визги. Братья вскочили и осторожно заглянули в гущу ее. Совсем рядом с палаткой сплелись в пищащий клубок две вчерашние норки, что так весело гуляли по лесу. Одинаковые как сестры, они давно сидели в засаде и дружно подсчитывали упавшие куски. На каком-то сбились, не сошлись в предвкушениях и стали биться. Летела шерсть, летела во все стороны звериная злоба. Увидев братьев, норки на секунду расцепились, сделали несколько прыжков в сторону и там снова вонзились друг в друга. Иван с Жолобковым пытались подойти, но те опять бежали и продолжали бой. И долго еще из леса доносился все удаляющийся, но до смерти резкий визг.

Он уязвим и слаб был в этот день. И существом всем дрожал, и нутром кровоточил. И совесть, незнакомое, чужое чувство с трудом справлялось с дикой жаждой. А в запекшейся крови его некому было увязнуть. Потому что. Потому. Что бессмысленно все. И кому дело. Что осталась осень в дубовых лесах ненужным пасквилем. Что отжаты в губку слезы, непосчитаны. Что зачем мертвым подсолнечные семечки. Непонятно как, вусмерть, впроголодь равномерные нарядные амбиции. Только раз-два-три — штуки разные, а семь-девять-одиннадцать — очень близкие, чтобы можно так — автомат харкнул раз — непонятно, красиво даже — ствол-огонь, мощный выброс, физиологично. Волоски только мешают, что вкусно пахли, душистым мылом или водой просто, кожей. Чих-пых, здравствуйте, сила есть, испугались все. Я все могу: топором — старуху, пулей — свиненка этого грязного, с волосками, меня не любят — я в ответ. Убивать всех, тварей этих, выкормышей их, приятно, кровь бурлит в жилах вежливо, барак-амбал, чистота пламени, верный смысл. Сила в кольцах, радость в перцах. Симбиоз завязан на стезе. Я верю в барак-амбал, нет веры моей сильнее. Безлюбие барометру сродни. Бартоломео Тоцци завещал нам всем тревожиться о чистоте. И снова в копошащихся червей с телами, что противно так похожи на детское мое — огнем суровым — пли. Возмездие и вера — есть резон. Трезвон разора застит злую забыль. Я ей писал, любовь, быть может, вчуже устройству неподвижному ее.

Ссора возникла незаметно, как проскользнувшая сквозь щель змея. За слово — слово, ум за разум, порча. Только что были братья — теперь орали изо всех сил. На друга друг, какое дело. Вокруг не было людей, только деревья, а они молчат. Ты виноват во всем — позиция одна. Другая — люди разные, тогда свободен каждый. А мер — хотелось бы — любовь-граница — ложе для свободы. Но глупо получается — свобода — размытая граница для любви.

— Ты виноват.

— Нет, ты. Ты хитрый и ленивый.

— А ты — глупый.

— Не любишь ты. Ты никого не любишь.

— Люблю. Но только как могу и сам желаю. По-своему, по-братски, потому, что хочется мне так, имею право и свободу вопреки сам делать, то, что сам считаю нужным.

— Сейчас заряжу по морде, — медленно сказал Иван, — еще только слово скажи.

— Раз слово, два слово, три, — Жолобков проерничал момент, когда можно было шутить или, резко дернувшись назад и чуть вбок, — избежать. Челюсть ожгло ожогом боли. Он на зубах почувствовал ошметья губ. Зарница высветила все: обиду, зависть, месть, несчастье, совесть. Заверещала в крик ногой отброшенная жаба. Рука сама легко легла на топорище.

Вдруг, совсем рядом, гулко и надежно скакнула семга именем Его.

СМЕРТЬ СТАРУШКИ

«Гораздо больше, чем на озеро, — река непохожа на море. В озере она может родиться, но никогда — умереть. В море же — умирает всегда. Море торопливо, жадными чужеродными губами глотает сладкую воду земли, превращает ее в свою соленую кровь. И тогда начинается другая, потусторонняя жизнь рек, обреченных на зависимость и растворенность в целом», — а красота вокруг была такая, что совсем не располагала к размышлениям. Он стоял на пологой, гладкой скале, которая была берегом непонятно чего — то ли еще реки, то ли уже моря. Немного выше по течению был шумный рокочущий порог — то есть еще река. Немного дальше в другую сторону берегов не было вообще — открытое спокойное море. Темно-коричневая, масляно-шоколадная река вливалась в него, растворялась, светлела и становилась свободного, неправдоподобно голубого цвета. Еще был ветер, вкусный, как теплый хлеб на разломе, как пивной пар в русской бане, как нагретое солнцем багульниковое болото. На другом берегу реки, тоже на скалах, гнездилась пустынная деревня. Серые бревенчатые дома, нахохлившись, прятались в расщелинах, не веря в недолгую благостность угрюмых стихий. А день задорно блестел, подобный кратковременной праздничной мишуре, чей конец известен и неотвратим.

Он стоял на одном месте уже целый час. Никаких сил не было, чтобы уйти, покинуть это дремотное пограничье. Каждая морская волна была новой, непохожей на предыдущую, каждый взрык речного порога нес в себе иной оттенок горделивого бахвальства. Смерть реки была яркой и праздничной.

Потом вдруг пришла тишина. Как-то разом порог умолк, перестал биться и ворчать. Удивленно, сначала нехотя, а потом все с большим желанием вода повернула и пошла вспять. В растерянности закружились утратившие веру щепки, попадая в маленькие, нестрашные водовороты, скрываясь с поверхности и тут же выныривая обратно. Море вошло в реку. И теперь уже его светлость вливалось в насыщенную пресную черноту. Теперь уже оно изо всех сил вытягивало обветренные губы, и от глубины этого пронзительного поцелуя у человека закружилась голова.

Я спустился к воде и зачерпнул ее ладонью. Еще полчаса назад с удовольствием пил ее, теперь же поперхнулся и закашлялся от неожиданной горечи.

— Что, мусокая? — раздался сзади насмешливый голос. На высоком месте, откуда я только что озирал окрестности, стоял и улыбался небольшой человечек, почти карлик. Сразу трудно было определить его возраст — молодое, обветренное лицо и лишь черные останки зубов в широко растянутом, улыбчивом рту.

Я поднялся к нему, поздоровались. У ног гнома стояла объемистая двухведерная корзина, полная неестественно крупной, глубоким темным светом сияющей черники. Бывает редкий черный жемчуг, одна жемчужина на миллион. Здесь их было два ведра с горкой.

— Издаля приехал? — спросил не то мальчик, не то старик.

— Да нет, не очень, — а сам подумал, что каких-то пятьсот километров могут стать неодолимой преградой и никогда не позволить увидеть тебе другой мир, непривычный, радостный, морской. И дело не в транспорте, не в отсутствии свободного времени или денег — дело в тебе самом, в том маленьком, секундном и первом усилии, которое всегда так трудно сделать.

— А я здешний. Видишь, чернику щас берем, — гном с удовольствием общался. — Восемь ведер сегодня взял, — руки его чуть не по локоть были сиреневыми, измазанными ягодным соком.

— Руками собираешь, не комбайном? — не верилось в такую запредельность лесного дара, редкого в прочесанных двуногими пригородных лесопятнах.

— Какой комбайн, все руками, — он смахнул со щеки комара. — Тинду не купишь?

— Тинду не куплю, не знаю, что такое? — Я вдруг почувствовал, насколько смешно это — стоять здесь, одетому в яркий дождевик и новые еще джинсы, и спрашивать у местного, пусть в фуфайке и старых кедах, но ловкого и делового гнома про тинду.

— Ну ты даешь, тинду не знаешь. Рыба это, семга, молодая только. Трех кило не весит, — веселился собеседник.

Я тоже улыбнулся невольно:

— Все равно не надо. Скажи лучше, где тут у вас грибов можно поискать?

— А чего их искать — вот по этой тропке иди и бери, — гном махнул рукой вдоль реки. — Ладно, пора мне, пока сезон. Бывай.

Он шагнул в сторону и вдруг исчез среди густого подлеска. Несколько минут я мог слышать треск веток под его ногой, потом все стихло. И опять стало мирно и беззвучно так, как бывает только в лесу, у моря, у реки, когда плеск волн о берег, шум листвы, мелкая поступь внезапного маленького дождя становятся твоим собственным дыханием, и ты не слышишь их, а только чувствуешь, как сладко постанывают до предела наполненные животворным эфиром легкие.

Внезапно я понял, что меня отпустило. Что меня очередной раз отпустило. Что я опять буду жить, потому что дождался, выстоял, перетерпел. Потому что душевная боль — это не ума лишенность, а лишь бездонная беда внутри, когда, качаясь на краю, ты пальцы ног бессмысленно, бездумно, отчаянно и жалко напрягаешь, чтоб не свалиться, чтобы устоять.

Еще немного постояв и прощально оглянувшись на море, я пошел по тропинке, указанной гномом. Экипирован я был по-взрослому — большая корзина для грибов, спиннинг с набором блесен, компас, карта-двухверстка, да еще чехол от резиновой лодки прихватил на случай полного изобилия. Если уж собирать, так все что попадется, с корнем, подчистую. Всегда у меня так — выбираешься в лес нечасто и всегда думаешь, что свалится на тебя столько даров — не унести будет. Но обычно выходишь полупустой, находившийся и надышавшийся, и деревья хитро посмеиваются за твоей спиной.

Тропинка была не из легких. То круто поднимаясь на сосновые горки, то спускаясь в топкую болотину, она порой совсем теря-

лась под огромными, в корчах застывшими
коряжинами, среди грубого побоища бурело-
ма или в высокой траве небольших светлых
полян. Но радовало глаз и дух полное отсутствие следов человеческих. Не валялись нигде
пустые бутылки и консервные, ржавой жести,
банки, не белели издалека стыдные бумажки,
не чернели болезненно плоские костровища.
Лес стоял важный, девственный, величаво-
спокойный, и не было под его ногами людской
помоечной суеты. Не хотел я об этом думать,
но само собой вспоминалось чадящее марево пригородных пикников, когда посреди раз-
бросанного повсюду мусора, в центре свалоч-
ного мироздания сидел венец его — пьяный
отдыхающий — и на собранном из подруч-
ных обломков костре жарил свою вонючую
сосиску, плюясь, сморкаясь и отправляя прочие надобности тут же, под ноги себе и бра-
тьям своим.

А еще было радостно мне оттого, что тропинка не отходила далеко от реки. И каждый
раз, когда она подбегала к самому берегу, я
останавливался на несколько минут и стоял,
восхищенный. Я давно не видел таких красивых рек. За каждой излучиной она менялась. То
это был бурный порог, где вода туго и пластично переваливалась через отглаженные, отшли-
фованные ладони скал, и тогда издалека был
слышен низкий, спокойный и властный рев —

так в далекой саванне радуется жизни сытый лев. То вдруг течение замедлялось, и жидкая смола воды медленно текла среди низких, в густой траве, берегов. Иногда на реке попадались узкие и острые, словно индейские каноэ, острова, и было видно, как на песчаных отмелях между ними блещет иногда что-то, воображением охотно принимаемое за рыбу. Тогда я разматывал спиннинг и усердно забрасывал во все стороны разноцветные модные блесны с вертушками, перьями и прочими радостями, надеясь поймать таинственную тинду, о существовании которой сегодня узнал. Но река смеялась надо мной мелким раскатистым смешком перекатов, и в сотый раз приходила пустой моя снасть. Только однажды темная тень долго шла за манящим металлом, но, понюхав его и распознав обман, резко ушла в сторону.

Комаров, прочей летучей нечисти не было совсем, и с пустопорожним отчаяньем перекатывались в карманах испуганно припасенные репелленты. Несколько раз я сходил с тропинки и пытался отойти от реки в глубь леса. Но никакой глуби там не было — через несколько сот метров начинались пахучие, солнцем прогретые болота с корявым редколесьем, и я возвращался назад. Поэтому не нужны были ни компас, ни карта — лес ласково встречал меня, вел роскошными анфиладами многочисленных преддверий и готовился накрыться волшебной скатертью, полной веселых даров.

Идти, однако, было нелегко. И наполненный запахами и вкусами воздух, вливавшийся в легкие и распиравший грудную клетку до ощущения физической какой-то прозрачности, наполненности во всем теле, все же не мог заглушить упрямую боль в колене. То и дело наступая неудачно на массивные корни, а иногда оскальзываясь на влажных камнях, я не мог сдержать стона, часто замешанного на коротком ругательстве — болело сильно. Не так, конечно, как месяц назад. Месяц назад все было по-другому, гораздо хуже. Нога скрипела, как у пирата Флинта, болью взращенная осторожность заставляла неестественно изгибаться при каждом шаге, и тогда отдавало пронзительно в поясницу и крестец, а внутри были холод и страх. Хорошо, что этот страх был не первым в жизни. Хорошо, что я знал — он может когда-нибудь кончиться. Хорошо, что у меня к тому времени был уже опыт.

Немного, километров двести к северу отсюда, мы тогда пробирались к морю. Все дороги кончились давно, машину пришлось бросить в каком-то лесном тупике, а за спиной моей, испуганно озираясь на царящую кругом дичь, шли женщина и ребенок. В рюкзаке перекатывались буханка хлеба, банка тушенки и бутылка водки — сухой паек для пожилых матросов. Из оружия — перочинный нож. Из знаний о здешних местах — рассказ знакомого москвича, охотника и лесного любопыта, о прекрасных дорогах, ведущих в волшебные кущи, где тюлени, белухи и дельфины подплывают к берегу и доверчиво, лошадиными губами, берут корм из рук. Немного позже я понял, что мой друг не мог устоять перед мощью своего талантливого воображения. Сам он здесь никогда не был.

Дорог не было, не было и тропинок. Мрачный еловый лес сменялся густым, щетинистым лиственным подлеском. Продираться сквозь него приходилось как через русскую вековечную действительность — руками прикрывая лицо от ударов и грудью раздвигая подлое прутье. Чуть расступаясь, заросли сменялись мрачными болотами с оконцами стоялой, тухлой воды, застывшей в бесстрастном ожидании. Вокруг вились тучи комаров, мелкий гнус лез во все щели, тяжелыми бомбардировщиками по-хозяйски садились на кожу оводы и слепни.

Мы шли долго, и уже кончались силы. Кончалась вера — себе, компасу, карте. Оставались надежда и любовь. Надежда, что ребенок сегодня увидит, узнает, какое есть тяжелое, неприступное, долгожданное Белое море. И любовь, в которой стала сомневаться женщина, когда в вялом, спокойном течении жизни ей вдруг померещилось, что нет ничего важнее статуса, что кому-то и зачем-то могут быть нужны оправдания, и что-то может мниться положенным по закону, обряду, привычке, только непонятно, кем оно положено. А забыла она — где находится та трудная свобода, что важнее всех правил, чьи границы чувственны и любовны, чья широта пугает лишь слепых и вялых.

И когда уже подступило отчаянье, когда глаза ребенка стали полны слез, а женщина усомнилась в себе, в земле, в полюсе и магните, в севере и юге, сквозь шум деревьев донеслась игра волн с прибрежными камнями. И тогда продрались через заросли тростника, то закричал кулик, слабый береговой охранник. «Уйди, уйди!» — надрывался он смешно и напрасно. Потому что вдруг исчезли усталость и страх, и встали из волн слева Сон-остров, а справа остров Явь, и между ними в далёкое далеко простерлось трудное море, безбрежностью своей выгнав муть и сомнения с души. А потом наступила сказка для них троих, для всех вместе — соленые, вкусные шишки фукуса и неустанными морскими ладонями обласканные камни, залежи мидий и ярко-багровые медузы, морская звезда, неосмотрительно выбравшаяся на отмель, и юркие песчанки, в панике снующие возле ног. Словно старый и блудный друг, бродил человек по берегу и показывал своим спутницам все новые и новые чудеса. А девочка погрузила в море ладошки, и в лодочке теплых рук испуганно засуетился мелкий рачок с большими печальными глазами. Слишком маленький для обычной креветки, он явно был ее родственником. «Плыви на свободу, младший брат креветки», — немного торжественно сказал ребенок и разжал пальцы.

Стало быстро смеркаться, и никаких сил не было, чтобы идти обратно. Совсем рядом журчал большой ручей, впадающий в море. На берегу его стояла заброшенная, обгоревшая то ли изба, то ли баня, без крыши, окон и дверей. Была она черная и страшноватая, как незнакомая древняя старуха, бредущая по дороге из неизвестного края. И лишь подойдя поближе, они ощутили тяжелую надежность морщинистых, годами и ветрами изрезанных стен, умную хватку друг за друга толстых бревен и не чуждый ласковой внимательности выбор места. Мягкий берег ручья был усеян звериными следами — лосиные он узнал сразу, большие собачьи показывать никому не стал.

Развели костер прямо внутри сруба. Уже в густых сумерках, ощущая на спине быстрых и проворных мурашек, он быстро нарезал лапника, устелил им угол избы. Ребенок быстро и доверчиво заснул, не доев бутерброд. А взрослые сели около костра, открыв единственную банку и бездумную бутылку. Дым бесплотным водоворотом крутился внутри сру-

ба, ел глаза и выгонял мошку. Они молча сидели и отхлебывали по очереди из горлышка. Он
знал, о чем думала она. О мужском предатель-
стве, о нелегкой женской доле, о прочих подобных вещах, которые давно названы и опре-
делены определениями, а потому неполны,
ложны, неискренни. Он знал, что сегодня она
будет плакать, и бояться, и говорить злые, резкие слова, строить обвинения и находить горь-
кую радость в своем отчаянье. Он знал, что это
нужно ей сейчас, и потому молчал. Ведь никак
было не объяснить другому человеку — независимо от затверженных норм и правил, за-
ученных мыслей и уверованных обрядов, —
вокруг расстилается северная ночь позднего
лета, и Белое море уже раскинуло свои ласко-
вые сети, в которых запутываешься навсегда, потому что зависимость от этих мест делает тебя сильным и свободным. Потому что
эта ширь, этот воздух, эти древние деревья
дают тебе право самому решать, думать, чувствовать, словно ты первый на земле человек,
и тебе не за что прятаться в своих ошибках,
заблуждениях и открытиях. И каждый дошед-
ший сюда берет это право или отворачивается
в испуге, пытаясь после оправдаться нелетной
ли погодой, нехоженностью ли троп.

Он сидел и смотрел, как в слезах, но
с успокоенным уже лицом заснула первая
в мире женщина и рядом сладко посапывал

первый в мире и самый мудрый из живых — ребенок. Он смотрел на них и допивал упругую жидкость, а вокруг избушки, хрустя ветками, бродила какая-то лесная доброта.

Утром море бросило в них злобный ветер и холодный осенний дождь. Там, где познаешь хоть маленькую толику истины, нельзя оставаться надолго — вместить всю не хватит души, а приоткрывшей ее ничего не известно про добро и зло. Утром у него распухло колено, и он еле шел через нахмуренный лес, опираясь на скользкий, словно дохлая рыба, самодельный костыль. Утром гора, в которую они полезли, чтобы сократить путь, стала высотой с Килиманджаро. Утром, посреди гнилого, ржавого болота мягко спустились отчаянье и бессилие. И когда он готов был проиграть — среди деревьев вдруг ярко сверкнула дорога. Там очень красивые дороги, из розового, нежного цвета камня. Там красивые дороги...

Где дорога есть свидетельство человечьих побед, там прихотливая, робкая тропа показывает общую, любовную зависимость друг от друга, брат от брата, лес от леса. Старательно обходя мельчайшие препятствия, она неуклонно проскальзывает сквозь самые лесные места, и по изменчивым изгибам ее сразу видно, куда тянул человека, другого, третьего, — до прелести природной жадный взор. Но мне было мало пустых и ярких обещаний. Подхлестываемый странным, каким-то утробно земляным, грибным запахом, я все быстрее шел вперед, и бесплатное зрительное наслаждение все больше сменялось охотничьим азартом. Дальше всего грибное собирание отстоит от убийства, которое неизменно присутствует при всех других видах общения человека с лесом. Даже ломание березовых для веников ветвей, даже сокоточивый сбор ягод несут в себе немалую толику разрушения. Срезая же гриб, этот странный пришелец из иного царства пенициллинов и прочих плесеней, ты как будто дружишься сразу с ним и берешь в попутчики в своем путешествии по привычному тебе миру.

Лес стал меняться потихоньку. Все чаще посреди густых зарослей елей появлялись светлые поляны, искусно обрамленные деревьями лиственными. Иногда же все свободное от щетинившейся темной хвои пространство образовывалось лишь одним кряжистым титаном, широко раскинувшим свои корявые, узловатые руки с чуткими, малейшего дуновения трепещущими ладонями. На такой поляне я увидел первый гриб. Траурно-торжественная шляпка и толстая пузатая нога — весь он был гордое и величавое смирение. Нереально большой, но крепкий и свежий — издалека было видно, что наклоненная в легком поклоне голова его снизу состоит из светло-желтой, тугой и плотной мездры. Кругом стоял сильный, свежий и пряный запах, легко заглушающий не только другие запахи, но и звуки. Сам лес застыл, казалось пораженный великолепием своего создания. Еще не веря удаче, еще медля, еще предвкушая многочисленные ощущения — от чувства плотного, благодарного тела в руке до тугого, обворожительного скрипа разрезаемой мякоти, — я медлил, и сердце гулко и азартно билось. Первый гриб, да такой, что делал незряшним все предыдущее долго хождение, — я кинулся к нему и тут же услышал под ногой влажный хруст, похожий на всхлип. Отдернул сапог и увидел раздавленный грубой, невнимательной ногой еще один, маленький и твердый, чья мякоть на разломе казалась яблочной. Огляделся внимательно — их много вокруг — разных размеров, то открыто стоящих среди травы, то лукаво выглядывающих из-за деревьев, из-под листьев, между коряг. Они, казалось, радуются моему удивлению. Столько белых грибов я не видел никогда в жизни. Тридцать, сорок, пятьдесят на каждой поляне, они торжествовали могущество живой плоти и роскошеством своим останавливали мое время. Сначала мечась от одного к другому, затем, устав и переходя от семьи к семье уже более степенно, я за полчаса наполнил чехол от лодки, семь раз опорожнив в него корзину. Затем до отказа набил ее. Только тогда немного успокоился и сел перекурить.

Я курил рассудочно, отдыхая. Как ни крути, а табачный дым вкусен. Любой дым вкусен. Даже воспоминаний. Даже худых. Я, видимо, сильно устал от красоты. От постоянной, часами длящейся благости устал я. От моря, от реки этой, от леса. И сам по себе, нежданный, пришел вдруг дым. Гарь взросления. Этапы воспитания чувств.

Школьная раздевалка. Я — октябренок. Верю во все и всем. Думаю, что война была давно. Умею задорно толкаться ладошками. И удар в пах. Резвый, как конь. Такой же резкий. Морским коньком лежу я на полу, а в карманах чужие руки. Мне не жалко было рубля. Я заплатил его, чтобы узнать, что такое «пах».

Следующий этап не буду вспоминать. Насильно. Мне страшно до сих пор. Потом я читал про зубы, которые вылетают при ударе с большой высоты об асфальт. У других, более сильных. А я слабый, я — пионер. Уже меньше веры. Зато кругом весна. И тайное чувство знания — почему-то еще идет война. Кругом. Всех со всеми. Еще.

Хорошо курить. Хорошо думать. Ведь дальше — армия. Я уже многое умею и ни во что не верю. Я — зольдат. Умею колоть и юлить. За лишнюю порцайку поделаю многое. И как отлично ничего не решать. Я люблю войну.

Потом еще было многое. Ладошка трехмесячной дочки, которая слабо сжала мой палец, когда я пощекотал ее, уходя навсегда. Пустая бутылка и магнитофон с кассетой заразного Башлачева на крыше девятиэтажки, у корней которой — смешное тельце былого друга, вечного подростка. Маргинальная ванна с десятком бесстыже, вперемежку плавающих мужчин и женщин. Питерские кладбища с бетонными квадратиками в ногах неизвестных, многочисленных, чужих. Я не удивлялся. Я уже хорошо знал — не кончилась война.

Уже много позже я ехал в вагоне холодном, зимой. И в тамбуре молча курил. Чужие мне люди, почти что враги, дымили здесь тоже, потом уходили, и спали на полках, в свои одеяла завернуты чутко. А я все курил, мне спать не хотелось. Ко мне рядовой подошел, небольшого росточка. Я сам был таким еще лет немного назад. Стрельнул сигарету, другую. Его я своим угостил коньяком. Он стал говорить про деревню свою, куда едет в отпуск, про веру свою, про родню. Потом про армейскую службу свою, уже сильно пьян. Он был из опущенных — война не кончалась. И очень уж пахли его сапоги, вернее, гнилые все ноги сквозь кирзу, шинель, гуталин. Мне стало противно, я стал уходить, а он все сопливил вослед про то — где, когда, сколько раз. Мне не было жалко — война, всех со всеми, всегда, навсегда.

Я долго не спал, не хотел. Еще через час вышел в тамбур. Там, в лужах своих, спал мой гном. Лицом в харчуваньях своих. Открытым, веселым лицом.

Я не знаю, зачем я позвал проводницу, мать, наверное, чью и жену, дал ей денежку, чтоб не ворчала, и вдвоем потащили его, обтерев лишь слегка — в теплоту. Чтоб проспался до нового ада. Завтра должен был снова наступить день.

Я сидел и курил и незаметно накурился так, что расправившиеся было легкие снова сжались в боевой готовности. Захотелось пройти еще немного, чтобы стряхнуть как-нибудь эти печальные мысли. Но есть интуиция, есть, что бы ни говорили прожженные скептики и атеисты. Сразу, чуть только я начал свое новое, вялое движение — открылась огромная поляна, вернее, даже проплешина. С первым же моим шагом неспешно, с нехорошей гибкостью уползла с ближайшей кочки большая серая змея, и я остановился, испуганный. А потом пригляделся внимательней и понял, куда я забрел, любуясь красотами рек. Прорастали мелкие деревья сквозь обрушившиеся деревянные строения барачного типа. Неприкрыто плешивел посередине большой пятак утоптанного плаца. И даже, о незамысловатость, стойким остовом высилась в далеком углу покосившаяся бревенчатая тренога о четырех ногах. А из далекой деревни все доносился удивительно слышимый на расстоянии собачий лай...

Скучно и муторно стало мне, и я ушел, повернувшись. Шел обратно по той же тропинке, но не радовали уже фальшивые, нарочитые красоты. Шел и не думал уже, а просто тупил в сумеречном чувстве бесполезности. Шел и вспоминал, про прадеда своего, шпиона и счетчика Сбербанка, лежащего где-то в этих местах в пределах километров пятиста, и про деда своего, капитана смершевого, тоже вспоминал. И понимал, чревом своим чувствовал, что действительно бесполезно все, что не истребить в себе даже желания войны, потому что глубоко оно в сердце моем. Потому что очень близко, сросшись намертво, сидит оно с тем, что называется верой. Что не нужно бояться этого и противиться, дергаться в попытках понять и объяснить. Что если кричит любая-первая старуха: «Распни», то так и нужно, это дело твое. Так шел я бессмысленно и бесчувственно, все приближаясь к собачьему несмолкаемому лаю, шел к детям своим, к реке, тонущей в море, и лишь вспоминалась смешная надпись на вчера увиденной могиле местного погоста. «Здесь похоронена старушка, — было написано кривыми, масляной краски буквами на серой доске. — Ее звали Любовь».

БЕЛОМОР

Я все-таки бросил курить — и многие месяцы радовался. И скрывал, что хочется. Говорил всем, тянущим нелегкое бремя, — ну вот, я же смог. А на языке, в голове, внутренностях, чреве, слюнных железах было одно слово — дым. Который сладок и приятен. Который все же навсегда. Который память. Вкус. И боль воспоминаний о танцах радостных и безнадежных победах.

Когда мнешь непослушными разуму пальцами тугую папиросу, когда из нее сыпется мелкая труха, несмотря на все усилия скрутки и прижима попадающая на язык, — понимаешь: ты опять попался. В который раз.

И с облегчением и веселым отчаяньем произносишь слово: «Беломор».

Я люблю эти первые минуты, которых ждешь целый год, трепещешь ими, боишься, а наступят они — и вроде бы никаких резких восторгов сразу. Обыденно все. Море такое, островами загороженное от широкого взгляда. Запах еле-еле слышимый. Не морем даже пахнет, а мокрой древесиной от бревен причала. И немного — вон тем фукусом, на берег выброшенным. И дымом, курящимся из топящихся баинок. И рыбой чуть-чуть. И счастьем. Так стоишь на причале, смотришь невольно в светлую воду, в глубь ее. И там тоже все обычно — мольга какая-то снует, водоросли колышутся. Ну и что — морская звезда. И вдруг замечаешь, как из тени длинной от низкого ночного солнца выплывает яркобордовая, огромная медуза и колышется величаво, никуда не торопясь. И после, от цвета ли этого неистового, на севере невозможного, от запаха ли подспудного, вкрадчивого, как первое женское прикосновение, чувствуешь внезапно, что душа твоя уже распахнута до горизонтов, что, не заметив как, ты уже попался в нежные сети, что в глазах твоих слезы, а в голове гулкость и пустота, и только сердце восторженно стучит торжественный марш — здравствуй!!!

В такие минуты лучше притвориться суровым, грубым, жаждущим выпить и покурить серьезных папирос. Поэтому сразу на заброшенные доски — газету, на нее хлеб ломтями, сало, луковицу хрусткую, бутылку. И делаешь вид, что проголодался, что жить не можешь без водки, что все не важно остальное. И крепкий дым-горлодер на все эти запахи — чтобы не опьянеть, не сойти с ума от них. Только почему-то не клеятся разговоры, а если и вырвется фраза, то в конце обязательно прозвучит какой-нибудь сдержанный вопль сдавленного восторга. И еще — хочется смеяться. Радоваться хочется, что живой, что все вокруг живые, что соленая кровь в жилах сродни соленой воде под тобой. Вот в этот момент мужик местный в телогрейке и подошел на катере. Слово за слово, его угостили, сами выпили, про путь до Керети он рассказал:

— Старика Савина найдите. Он там все знает.

— Как правильно — Савин или Саввин? — я редко умные вещи могу спросить, все на каких-то ассоциациях ненужных, полувздохах.

Мужик заинтересовался:

— Одно «в» вроде. А чего спрашиваешь, знаешь кого?

— Да нет, глупости. Подумалось чего-то — Савин, Саввин, авва отче, чашу мимо пронеси. И прочие радости.

Мужик вдруг оказался Ромой, старшим научным сотрудником с биостанции на мысе Картеш. И официально заявил об этом. И мы еще выпили. И потом еще немного. И так увлечены были разговором, что позже лишь заметили — на соседнем причале сидит женщина одинокая. Сидит, вся в черном. Нестарая еще. Неподвижная. Вдруг вспомнилось, что подъехали только, два часа назад, она так же сидела, в такой же позе сгорбленной. Вот и спросили посреди дыханий и восторгов у нового друга — что сидит так? Он посерьезнел сразу:

— Мужа море вчера взяло. Нырнул после бани, и с концами. До сих пор не нашли.

Ветерок зябкий с севера подул. Засобирались мы. С Ромой попрощались благодарно, в машину сели. И последний взгляд — назад, на черную женщину, на Белое море.

На широком косогоре, у самого устья бурливой Керети раскинулась деревня Кереть нежилая. Раскинулась и лежит. Лежат на земле останки домов, еле угадываемые уже в высокой густой траве, разнузданно расцвеченной желтыми, синими, белыми пятнами роскошных луговых цветов. Лежат на погосте старые поморские кресты, сквозь белесое древнее дерево которых проросла уже многолетняя брусника. Лежит тихо, незаметно фундамент большой церкви, что раньше гордой белой птицей, вот-вот готовой взлететь, окрыляла всю округу восторгом светлой радости. Неясными, размытыми террасами лежат бывшие улицы — верхняя, нижняя, средняя. Внизу синеет равнодушное Белое море. На том берегу залива развалились останки судоверфи. Над всем этим носятся ласточки.

Мы сидим на поляне у самой реки. Порог уже морской, в самом море вода кипит и шумит так, что приходится кричать. У нас костер, палатка, сумки брошены рядом — успеется. Рядом с костром мангал, в нем уютно жарятся шашлыки. Запах стоит такой, что по всей округе ордами дуреют комары. Кусают — нас. Понятно — живое мясо слаще узкому носу, печеное — горячо.

Уже хорошо принято на грудь. Без этого никак. Иначе боль, которая радость, которая счастье, которая беда, разорвет на мелкие ошметья. Вот и стягиваем голову и торс обручами спирта. Ноги остаются свободными и бродят везде. Но в основном неподалеку — держит запах. Кругом безлюдье, стрекотание цикад. «Сам ты Цыкад, иди вон за дровами!»

По дороге, что идет от деревни к рыбзаводовскому домику невдалеке, шествуют двое. Один помоложе, в камуфляже, с независимым видом. Другой — плюгавый дедок в толстых очках и кожаной кепке набекрень. Идут неспешно. Видно — нюхают.

— Мужики, давайте к нам, — восторг переполняет, хочется кого-нибудь обнять.

Те осторожничают:

— Нет, ребята, спасибо, мы спешим.

Медленно спешат, не торопясь.

— Да ладно, чего вы. Расскажете нам, как отсюда на Летние озера попасть.

Подходят. Совсем медленно. На лицах борьба. Рядом с едой солидно восседает белая канистра, почти под завязку наполненная кристально-прозрачной жидкостью. «Спирт медицинский этиловый» — мужикам знакома и приятна надпись. А доктору, подарившей канистру, знакомы мужики. Снаружи, изнутри. Она — прозектор.

Вот нет нигде уже достоинства и чести. Даже слова почти забыты. На помойках в городах роются крепкие парни с опухшими лицами. По телевизору маслянисто пластают правдивые слова люди с тревожно бегающими глазками. Даже поэты норовят напиться на халяву, а уж потом читать стихи. Даже у приличных женщин пальцы на руках постоянно шевелятся, словно нажимая кнопки невидимого калькулятора. Нигде нет достоинства и чести. А здесь — есть. Медленно-медленно подходят мужики. Много рассказывают про недавний ужин. Сопротивляются, но не уходят. Наконец сдаются:

— А вы сами откуда будете?

— Мы почти местные, из Петрозаводска, — отвечаю за всех, хотя Горчев — сутулый, горбоносый, в маленьких очочках, никак не тянет ни на русского, ни на карела.

— А, тогда ладно. Хорошо, что не москвичи. Те наглые — сразу рыбы требуют. А так ладно — свои ребята. Присядем начуток.

Через полчаса мы уже хорошие приятели. Степаныч, тот, что постарше, на голос берет:

— Я еще ого-го! Мне семьдесят пять, а я ого-го! Золотой корень знаешь? Родиолой розовой еще зовут. Я его собираю, сушу. Потом пью круглый год. Я и свою бабку ого-го. И чужие приходят. Тоже ого-го.

— Степаныч, а рыбы-то, семги много в реке?

— Да куда много. Дикой нет совсем, повывели всю. Что рыбзавод выпускает, та и осталась. А раньше такое стадо было! Старики говорили — пойдет — воды не видно. Да не брали ее на нересте, в реке, все по морю тони стояли. А сейчас — тьфу...

Молчаливый напарник его курил, согласно кивал мужской своей головой.

— Ладно, Степаныч, а как на Летние озера отсюда пройти? Говорят, дорога какая-то есть.

— Дорога была, старая, заросла поди. Да вы лучше завтра старика Нефакина найдите, он знает. Только человек он сложный.

— Нефакин? — сразу заинтересовался Горчев, известный любитель двусмысленностей. — Что это значит?

— Это значит — не far king — не далекий король, — спирт внезапно вызвал у брата приступ любви к английскому языку. Мужики понятливо промолчали.

— А вот озера... — я из последних сил чувствовал себя ответственным за маршрут и выживаемость.

— Да что озера, вот корень золотой...

Солнце наполовину спряталось за еловый зубчатый край ближней сопки. Наступили светящиеся сумерки белой ночи. Небо отливало тяжелым золотом. Море потемнело — до него не дотягивалось солнце. В воздухе повисла ясная, саднящая душу прохлада. Приятели засобирались. Степенно попрощались, пошли. Напарник уважительно поддерживал расходившегося Степаныча под локоток. Они скрылись за деревьями. «Я и так ого-го, и этак тоже — ого-го», — долго еще доносился из лесу нескончаемый Степанычев бахвал.

Мы стали готовиться к отбою. Поставили палатку, попили чаю, добрали оставшейся разведенки. В это время по тропинке, бегущей вдоль черного моря в лес, со стороны погоста тихо проскользнула вся в белом старушонка. Строго окинув нас неласковым взглядом, она юркнула вслед за нашими друзьями.

— А Степаныч еще ого-го, — сказал Горчев, и это было последнее, что я услышал перед сном.

Утро на Севере, помимо прочих красот, хорошо еще тем, что не бывает похмелья. Вернее, оно есть, но посреди острых страхов, чудовищных предвкушений и сладости окрестностей чего оно стоит? Лишь легкий смурной оттенок в потоке нереально мощной жизни, в который ты попал, попав сюда и ничего до этого не зная. Словно в прошлом, городском, южном, похотливом и плясательном своем существовании ты был куриное яйцо — гладкое, самоуверенное, незамысловатое. И только здесь твоя скорлупа начинает покрываться легкой сеточкой трещин, которые с небольшого отдаления можно принять за морщины — ты мудреешь на глазах, на ногах, на ноздрях — целиком. И через несколько дней, когда твоя тельняшка вдруг пахнет не гадким потом, а соленым ветром, ты вдруг поймешь всю цену слов, и запахов, и звуков.

Мы погрузились в машину и поехали в деревню искать старика Савина. Дорога здесь давным-давно была отсыпана мускавитом — веселым спутником слюды. Поэтому сверкала она под солнцем так, что больно глазам, а чуть солнце пряталось — становилась нереально, цвета любовной жути, розовой.

Подъехали к двум покосившимся, еле живым домам. По наитию пошли к нижнему, хоть и стоял подальше и выглядел поплоше. На стук в дверь вышел из избы старик. Лысая загорелая голова. Лицо, изрезанное морщинами, словно поморские скалы, треснувшие от мороза и солнца, взлизанные жестким языком

морским. В глазах — усмешка и внимательность. Я знаю — очень важны первые слова,
вернее отношение к другому, к людям, к нему
конкретно. Чуть уловит самоуверенность, любование собой, ложь — сразу замкнется и все
выводы будут сделаны наперед и окончательно. И не потому, что я знаю это, а нравится —
его взгляд, его одежда — выцветший брезент,
его походка — шарк-шарк, а бодро, здорова-
юсь изо всех сил уважительно:

— Здравствуйте!

— Здравствуй, коли не шутишь.

— Извините за беспокойство, машину хотим тут у вас оставить. Можно?

— Чего ж нельзя, земля большая. Из Москвы?

— Да нет, мы местные, из Петрозаводска.

— Машина здесь, а сами куда денетесь?

— У нас байдарка. Хотим до Летней губы
сходить, а там на озера. Дойдем, как думаете?

— Чего ж, дневной переход. Не страшно?

— Да страшновато вроде.

Старик кивнул, ему было понятно.

— И хотел вас попросить — за машиной
не присмотрите, вдруг чего.

— Да посмотрю, чего ей, пусть стоит.

Я сунул руку в карман и достал сторубле-
вую бумажку:

— Возьмите.

Старик подслеповато посмотрел:

— Чего это? А, нет, не нужно.

— Ну как, вам же беспокойство. Вдруг сигнализация ночью закричит или еще что.

— А ты не закрывай ее, чужих здесь нет.

Чуть не насильно я всунул в сухую ладонь деньги. Он постоял, покачался немного, раздумывая, и ушел в избу. Я понял — чтобы не спорить лишнего. Мы начали разгружать машину, мешки с байдаркой, рюкзаки с едой. Старик вернулся минут через пять. В руках он держал большую соленую рыбину, горбушу:

— Держите. До места дойдете, так сразу перекусить захочется. Чтоб не готовить.

И, видимо, какой-то сделал вывод. Как-то глаза теплее глянули. Достал папиросную пачку, угостил всех. На пачке по розовой карте северной страны тянулась синяя жила канала. Она как лезвием острым делило мясистое тело на равные части. На две. Понизу белели буквы. «Беломорканал». Внутри плотно, как в патроннике, лежали, тесно прижавшись друг к другу, бумажные гильзы тугих папирос. Их в юности было удобно забивать анашой, словно специально были сделаны. Дед это вряд ли знал.

На хлопотанье наше над байдаркой из дома рядом вышел человек. Прихрамывая и опираясь на кривую палку, подошел ближе. Молча стал смотреть. Надзирать. Лицо его казалось пыльным. Гладкий лоб был неприятно высоким из-за глубоких, почти до затылка, залысин. Остатки же бледных волос тщательно приглажены, словно не из деревенского дома вышел старик, а приготовился влезть на какую-нибудь трибуну. Маленькие темные глазки смотрели строго из-под нехорошего цвета бровей. Настолько строго, что становилось жутковато. Глазки словно искали врага. Постоянно. Ветхая клетчатая рубашка была явно выглажена. Брюки цвета боевой юности заправлены в кирзовые сапоги. На высохшей, птичьей груди старика болтался большой бинокль. На широком кожаном ремне висел узкий, изогнутый, словно коготь зверя, нож в лоснящихся ножнах.

— И куда собрались? — Голос тоже был по-птичьи высокий. Таким голосом хорошо задавать неприятные вопросы.

Отвечать отчего-то не хотелось, но пришлось. Хотя бы из вежливости, из робкого чувства чужака:

— Здравствуйте. Вот на Летние озера хотим сходить.

— На Летние так на Летние. Ловить чем будете?

— Сеток нет, — недружелюбно сказал Горчев.

— Ну-ну, — поверил старик.

— А вы, случайно, не Нефакин будете? — Я все еще пытался не замечать неприязни, сквозившей во взгляде, в голосе, во всей сухой, как хлыст, фигуре.

— Нефакин я. Откуда знаешь?

— Да рассказывали тут.

— Кто?

Меня начал утомлять этот нежданный допрос.

— Все рассказывали, что вы старожил, места хорошо знаете.

— И места тоже знаю. И людей знаю всех, — старик слегка оживился, как будто вспомнил что-то важное: — Много тут вашего брата было, рыбаков-охотников. Про всех все знаю.

Он внезапно повернулся и побрел к своему дому, не попрощавшись. Да он и не прощался, сел на крыльцо и стал курить, за дымом пряча жесткие глаза.

Мы закончили строить байдарку. По крутому травяному склону снесли ее к морю. Поставили на воду. Загрузили вещи.

— Ребята, я надеюсь, вы знаете, что делаете? — голос Горчева мужественно дрогнул.

— Не боись, дойдем, море нас любит, — приятно быть опытным помором. Мои трясущиеся руки крепко ухватились за весло.

Вышел попрощаться дед Савин.

— Чего, Нефакин подходил? Осторожней с ним, он человек сложный, — без улыбки сказал.

— А в чем сложность-то? — мне стало любопытно.

— Главным рыбнадзором долго был. А раньше два года за рыбину давали. Многих посадил, герой. А еще раньше... — Савин вдруг прервался и как-то слегка оглянулся. Помолчал. — Ладно, осторожно идите, вдоль берега. Море наше тоже непростое. — Он зашел в воду, подержал байдарку, пока мы садились, оттолкнул ее от берега. Мы суматошно замахали веслами, потом поймали ритм, пошли. С берега внимательно и серьезно смотрел дед Савин. С высокого крыльца — старик Нефакин.

Сначала вразнобой, потом приноровились и только в силу вошли и в скорость — по курсу прямо корга опасная, чуть не наскочили с разгону. Отвернули с трудом, опять веслами замахали, за мыс ближний зашли и в Узкую салму выползли, как черепаха нелепая. Грести тяжело с непривычки, дыхание сбивается, да еще и волна поднялась повыше, чем в устье Керети, позлее. И гребем, страху не показать стараясь, с борта на борт переваливаемся. Какие-то знания изначальные проснулись сразу, память тела, чувство моря — нос к волне держать стали правильно. Только успокаиваться начали — вроде нормально все, как в метрах в двух право по борту горбушина огромная выскочила. Летит и глазом косит. С метр пролетела и плюхнулась в воду, брызгами обдав. Я дернулся со страху, чуть лодку не опрокинул. Это уж потом смеяться начали, а сначала — жуть!

Идем по Узкой салме, а она как река, до берегов рукой подать, кажется, потому и не очень страшно. Волнение тоже небольшое, и ритм вроде поймали какой-никакой, дыхание приспособили. Уже и хорошо, прошел первый страх, и по сторонам красоту замечать стали. Там лес непроходимый, а там скала к берегу сбежит и прильнет к воде, соленой напиться. А здесь поляна, и ручеек прыгает, пенясь. Тут совсем уж себя мореходами бывалыми почувствовали, и я спиннинг размотать решил, подорожить. Распустил леску, воблера нового нацепил — рыбку серебристую, и за корму пустил, метров на двадцать от себя. Удилище между ног, и сиди — рыбачь, одновременно грести не забывая.

И ходко мы так пошли, сами себе удивляемся. Только что-то неладное стало твориться. Ветерок встречный пробежал торопливо. Потом на небо глянули — ползет туча, аж черная вся. И мы головами завертели, понять пытаясь, чудес дальнейших убежать. Да только две минуты, три, а издалека шум, как от поезда далекого. И все ближе, ближе, и грохочет уже. Оглянуться не успели — навстречу нам идет дождь стеной, не идет — катится, не дождь — ливень. И уже до берега не успеть. И впереди темно, а над нами солнце. И восторг вдруг такой безумный охватил, с ужасом смешанный, что закричали что-то громкое и вперед дали шороху, аж бурунчик за кормой появился, как от мотора лодочного. И гром, и дождь по лицу лупанул, и солнце отчаянное в спину еще бьет, и удилище вдруг задергалось бешено. Тогда вообще ни до чего стало, только азарт такой, что руки заплясали. Я весло бросил в байдарку, за удилище схватился, и катушку кручу, только бы не сорвалась — молю, и брату — помогай давай. А сзади вдруг свеча серебряная из воды, и опять в глубь ушла. Уже мокрые до нитки все, вода беснуется мелко за бортом, сверху хляби, а я тяну. Довел ее до борта, в воздух подымать боюсь. Тогда немного вперед, к брату поближе, он за поводок взялся и рывком забросил ее в лодку, сладкую девочку.

Мы сидели, словно в одежде искупавшись, вода ручьями текла по голове, плечам, рукам, и смотрели, и смеялись в голос от счастья. А она лежала на дне лодки, мертвая уже, — брат убил ее сразу, — и такая красивая, какой только рыба может быть, только что из глубин на свет божий вытащенная. Стройное и стремительное тело, маленькая острая головка с небольшим ртом, чешуя цвета начищенного, нового серебра. И радужные брызги по всему телу, к темноватой спине побольше, к светлому брюху — меньше и бледнее, внизу совсем уже сливающиеся с серебром. Небольшая, в килограмм или чуть больше весом. Семушка, тиндочка, морская косуля.

Тут и дождь кончился, туча, колесами грохоча, умчалась вдаль, и солнце заиграло яростными бликами на рябой поверхности воды. К берегу решили не приставать — от работы высохнем, и пошли дальше. И тогда вдруг расступились берега, и ветер подул упруго и властно, и открылась даль беспредметная. Мы вышли в море. И уже успокоившиеся было, вдруг почувствовали, как пошел морской накат. Огромные длинные волны мягко и неотвратимо поднимали утлое судно и опускали потом медленно и глубоко — так, что холодом заныл живот и новым ужасом — душа. Первая волна, вторая, третья, высокие и пологие, как холмы прерий из детских книжек. И, пластичное существо человек, мы опять взялись за весла, отдавшись и участвуя в этой медленной и тяжелой страсти — морском накате.

До Летних озер от моря идти недалеко, километра три. Из Нижнего Летнего вытекает речушка, тоже Летняя, и веселым бурливым потоком впадает в губу, Летнюю же. Сами озера между собой соединены тоже речками. Их три озера — Нижнее, Среднее и Верхнее. Вся эта синь, словно изогнутая сабля, вонзается в темно-зеленую глубь поморской тайги километров на тридцать. Места дикие — лебеди, куропатки, глухари, орлы живут своей жизнью и никого не боятся. Только опасаются слегка. Повсюду медвежьи следы — на деревьях метрах в двух с половиной над землей грубо кора подрана когтями да на мху среди черничника то и дело черные послеобеденные кучи. Лосиных следов тоже много, но мимо них с меньшей опаской проходишь. Дичь кажется первозданной и нетронутой, но лишь на первый взгляд. Потом начинаешь замечать, что бурлила тут и людская жизнь. Уровень всех озер искусственно поднят — на каждой реке полуразрушенные уже, но по-прежнему могучие плотины из огромных, в обхват, бревен. В лесах постоянно натыкаешься на дороги, из таких же бревен выложенные. Сама Летняя речка на всем протяжении своем забрана в огромный желоб из невероятных по размеру деревянных плах. Иногда этот желоб поднят высоко над землей, и река бежит вверху по акведуку. Когда рассмотришь все внимательно, открывается огромность древнего труда, творившегося тут. Я сначала думал — труда подневольного, массового, во славу светлых и несбыточных идеалов. Потому что и кладбищ безымянных тьма кругом, и ногами то и дело в колючей проволоке путаешься. А потом вспомнил, читал давно уже про деяния керетского купца, что рыбой занимался, и лесом, и строил много. На совесть было сделано все — через столетие видно. Как же его звали, фамилия такая простая, читал — помнил. И вдруг сверкнуло — Савин.

Был вечер. Солнце низко стояло над лесом, усталое и белесое. Небо крупным распластанным телом лежало в воде. Лес, казалось, умер — ни птичьего вскрика, ни шевеления листвы — ничего. Почему-то не было слышно журчания недалекой речки.

— Жутко, — хотелось сказать бодро, но голос сам дрогнул.

Брат кивнул, потом, усмехнувшись, взялся за спиннинг:

— Кину пару раз.

Он размахнулся и послал блесну далеко, к самой тресте. Тихо запела крученая леска, сбегая с катушки. Блесна летела долго, потом ушла в воду с негромким галечным звуком. Брат лениво стал крутить катушку. Все было как всегда — резала воду леса, пуская еле заметную рябь, чуть подрагивал кончик удилища. Блесна совсем уже подошла к лодке и готовилась всплыть на поверхность. Брат стал подымать удилище. Вдруг тихо и мощно прошла плотная, темная волна и, промахнувшись, разбилась о борт. На исходе ее разочарованно закрутился водоворот.

— Видал, — судорожно зашептал брат. Блесна испуганно выскочила из воды и заплясала высоко над головами. Ее тут же неумолимо бросили назад, в пучину. Я судорожными руками схватился за свой спиннинг.

У брата взяло сразу, лишь только тонкий лепесток ударился о воду. Казалось, рыба знала и ждала, куда он упадет. Громкий всплеск, и взвизг натянутой лесы. Брат подсек. Лесу повело в сторону. Он дернул и стал выводить. Она взрезала тугую параболу на густой воде. Время замедлилось и потекло киселем. В нескольких метрах от лодки воды расступились, и вверх взлетела яркая торпеда размером вполвесла. Раскрытая белая пасть. Красные, бесстыдно растопыренные жабры. Зеленое, изогнутое страстно тело. Напряженное брюхо цвета старого сливочного масла. Упав обратно в воду, щука сорвалась и ушла.

— Не бывает, не бывает так, — брата трясло, — щука не дает свечу! Не видел! Не бывает!

Время, как и вода, стало медленным и тягучим. Засвистели блесны, словно ласточки летая над водой. В рваном ритме древнего танца заплясали в руках удилища. Начался щучий жор.

Я знал, верил, что так когда-нибудь будет. Ради этого можно было проехать тысячи километров, проползти лесами и болотами, разведать, найти, дойти. Можно было рискнуть и попрыгать на короткой волне. Можно было, и мы сделали это. И теперь воздавалось.

Щуки брали одна за одной, мы продвигались медленно вдоль берега и через каждые двадцать метров уже уверенно ждали нового рывка во вспотевших от счастья ладонях. Половина рыбин срывалась. Они просто открывали свои костистые пасти и выплевывали колючий шипастый обман. Чуть затихало, минутная передышка, мы судорожно меняли блесны, и начиналось снова. Оно и не кончалось, просто страшно было думать, что рухнет горячий восторг. Но щука брала все — «вращалки», «колебалки», «окуневки» и «щучьи», блесны желтые, белые, красные, любые. Ей не было разницы, за что умирать. Сорвавшись, она снова бросалась на блесну, чтобы убить верткую тварь. Раза три казалось, что крючок цеплялся за топляк, мои руки вполдвижения останавливала темная сила, которая не могла быть живой. Я повторял смешную попытку поднять ее на поверхность — сила раздумывала. Я делал это в третий раз — сила, разочаровавшись в железном вкусе, бросала блесну и уходила в глубь. Пот и мурашки бежали по спине.

Вытащенным на борт мы ломали позвоночник, держа одной ладонью сверху за шею, второй плотно нажимая на нос. Последняя судорога прокатывалась по гибкому телу, и рыбина освобожденно ложилась на дно лодки, и, расслабившись, вольно раскидывалась там. Во рту ее, в ноздрях вскипала кровь. Смерть словно была ей в сладость.

Когда устали и мы, и рыбы, когда солнце стало жалобно глядеть на бойню сквозь деревья, когда сами поняли, что хватит — смерти и жизни через край, — смотали лески и медленно, молча погребли к берегу. Слов не было. Усталость сделала восторг тихим. Опустошенность — светлым. У победы был рыбный запах и чешуя на губах. Небо, лес, озеро. Удилище поперек лодки, блесна над водой. В метре от берега тишина кончилась — из воды прыгнула последняя щука, самая большая из всех. Она вцепилась в блесну и упала в воду. Я успел схватить удилище. Брат выскочил из лодки на отмель и подтащил ее к берегу. Медленно поплыло брошенное весло. Я с усилием, как толстый круг сыра ножом разрезая, повел жалобно согнувшийся спиннинг и под конец тяжелой дуги дернул и выкинул щуку на берег. Она заплясала в прибрежных камнях, уже без блесны, свободная. Я прыгнул к ней, ногами стараясь сломать ей спину. Она вывернулась из-под сапог, оставив на них чешую и напрягшись обнаженным боком. Руками пытался схватить ее за шею — та была толста, словно, локти вверх подняв, схватил бы сзади за шею себя. Упал на нее, животом к земле придавив, но она вывернулась, как сильная и злая женщина. Насмешливо хвостом пораненным ударила о камни и ушла в воду. У победы больше не было вкуса...

На поляне, где оставался ждать Горчев, творилась разруха. Костер погас, валялся горчевский спиннинг, повсюду были раскиданы блесны и другие мелкие снасти. Горчева нигде не было. Следов крови, насилия, впрочем, тоже. Никто не аукался в ответ на наши крики, повсюду стояла тишина, как и час назад.

— Вернемся к морю, — слабым голосом сказал брат, — если там нет, будем искать.

Куда делась усталость? Испуганными лосями пронеслись мы три километра по знакомой тропинке до моря. Там, где речка впадает в залив говорливым, заглушающим крики потоком, от лагеря пахнуло вдруг родным дымком. У еле живого костра сидел, нахохлившись, пропавший Горчев.

— Ты куда ж пропал, безумец? — стало легче дышать.

— Да я вас ждал-ждал. Потом в кустах что-то шмыргнуло. И я побежал!

На радостях был праздник. Печальный был он, но веселый. Сил не было на резкие движения и сильные поступки. На душе было устало и радостно. В сети прощальным подарком попался пинагор — редкая древняя рыба с шипастой кожей, волшебной икрой фиолетово-малинового цвета и присоской на передней части брюха. Небольшой косяк крупной ивановской сельди скрасил пинагорово печальное одиночество. Все они оказались в ухе. Сельдь была вкусна. Мясо же пинагора желейно и жалобно дрожало в котелке.

— Я уже пожилой человек, — слабым голосом говорил много переживший за сегодня Горчев, — меня даже алкоголь не берет. Организм уже не может отторгать его, как в юности, безропотно принимает в себя любые дозы!

Говоря это, он разводил целебный напиток из спирта и речной воды. В кружке развились водные насекомые. Рука дрогнула, спирта плеснулось больше, чем для возвышенных бесед. Насекомые умерли. Горчев смело выпил живую смесь мертвой воды, закусил студенисто пискнувшим пинагором, вскочил на пожилые свои ноги и бодро прыгнул в кусты. Оттуда послышались звуки отторжения.

— Волшебное место — Белое море, — наставительно говорил я ему, вернувшемуся и уже чуть менее пожилому, — чего здесь ни пожелаешь — сразу исполняется...

Дед Савин ждал на берегу, как будто загодя знал точное время прибытия. Мы его заметили, когда уже близко подошли, такой он частью живой был большого целого — Керети своей. Молча стоял, из-под руки на нас глядя, потом в воду вошел, нос лодки принял и до берега довел аккуратно. Мы вылезли, чуть живые от всего — от моря, ветра, солнца, радости, усталости, печали. На губах была едкая соль. На спинах была тяжелая соль. В легких была сладкая, свежая соль. В голове была ясная соль.

Чуть отдышались, спины да седалища размяли — я к деду сразу с расспросами мучительными:

— Видели в лесах постройки разные, старые. Читал, купец Савин был здесь, лесом занимался. Вы-то не из их рода?

Дед еле видимо напрягся, дернул головой, плохо расслышал:

— Я? Что? Да нет, не из них. Другие мы. Позже приехали.

— А семги почему мало стало? Рассказывали — раньше не выловить было, не сосчитать.

— Считали деды, да не ловили здесь. Бережно к ней относились, кормилице. Даже в церкви колокола не звонили, когда она на нерест шла. А в тридцатые, — он оглянулся, — приказали сетью всю реку перегородить. За несколько лет извели стадо.

— А деревня раньше, говорят, большая была. В шестнадцатом веке — восемьсот дворов. Почему сейчас-то ничего не осталось, почему разрушилось. Молодежь потянулась в город?

Дед посмотрел совсем серьезно, даже морщины на лице расправились. Сказал жестко:

— В тридцать втором половину мужиков забрали сразу. А без мужика двор падает, зарастает. Вот и считай.

Вокруг, от темного леса до белого моря, вдоль розовой реки и берега залива дышала медленно огромная, разнотравная пустошь.

Мы молча укладывали вещи в машину. За сборами внимательно следил приковылявший старик Нефакин.

— Что, нарыбачились?

Мы промолчали. Говорить с ним не хотелось. Ему обидно стало:

— Разъездились тут, на машинах все! Разрулились!

Он внезапно сорвался в крик:

— Забыли все!!! Быстро забыли! Я бы вас щас!!! — и заскреб заскорузлой рукой по правому бедру.

Мы удивленно оглянулись. Не было страха, лишь недоумение сначала, потом печаль.

— Все позабывали!!! Напомнить вам, напомнить!!! — швырнул яростно палку свою и побрел к дому, в злобе обессилев.

Дед Савин подошел, когда уже сидели в машине:

— Савин, купец тот, хороший человек был. Жалостливый.

И протянул напоследок свой «Беломор».

ЗАПАХ ОРУЖИЯ

Когда убивали свинью — детей не пускали смотреть. Стреляли обычно из ружья, или дед колол в сердце длинным, узким как спица ножом. Выпивали по стакану свежей крови. Потом бесстыжую тушу смолили, черевили, рубили топором, раскладывали по тазам. Тогда уже тазы хватали женщины, тащили на кухню. А там было жарко, весело и суетно. Даже Грише разрешали крутить мясорубку, и он, вначале брезгливо зажимавший нос и гасивший в себе тяжелые волны тошноты, потом увлекался и участвовал в общем веселье. Кровь — на колбасу, кишки — мыть; сердце, легкие, печень, почки — мелко рубить и с чесноком — закладывать в толстый жгут, который назывался «сольдисол». Пласты сала солить. Мясо — пожарить огромную сковороду для мужиков, а остальное — тоже солить, морозить, хранить. За всей этой суетой улыбчиво наблюдала свиная голова, готовая к холодцу. Только однажды Грише стало по-настоящему дурно — когда при нем ей отрезали уши и чудесный розовый пятачок, чтобы жарить отдельно.

А так — нет. Так — проходила брезгливость, жалость, и он с удовольствием вдыхал запах очеловеченной снеди. Особенно ему нравилось соленое мясо. Коричневое, пахучее, тянущееся вслед за зубами, рвущееся на них нежными волокнами — оно готово было через несколько часов. Во вкусе его, в лакомости кусков, в сытности — виделась какая-то новая жизнь.

Самое страшное было — смотреть на него сзади, когда спина голая. Рука, лопатка, плечо — три дыры. Затянувшиеся, зажившие, но не шрамы, а дыры. Гриша спрашивать боялся, а сам дед никогда не рассказывал. Но и так было ясно, что автомат, и что в спину, и что выжить было нереально. Дед выжил. Только ходил теперь медленно и страшно кашлял по ночам. Так громко и хрипло, будто рассерженный, умирающий лев где-нибудь в страшной африканской темноте, и Гриша часто просыпался, и спине было зябко и ежко — так и лежал целую вечность, не смея пошевельнуться и затая дыхание. Потом дед замолкал, и потихоньку засыпал и Гриша, кутая нос в бабушкино одеяло.

Пахло оно непривычно и терпко. Вообще весь дом пропитан был запахами какой-то другой, забытой жизни — быстро кидающимися в нос, чуть только войдешь с улицы, и заставляющими невольно задумываться, вспоминать — что значит каждый. Вот этот, теплый, сухой, немного пыльный, известчатый — русская печка. Не под ее, откуда всегда тянуло вкусной едой — блины ли, уха или жареная картошка, а верх, который так и назывался — «напечь». «Не лазьте напечь», — бабушка не ругалась, а так, на всякий случай говорила, чтобы кто-нибудь из многочисленной детворы мал мала не сверзился оттуда. Гриша был самым старшим из этой мелюзги и потому ответственным за всех. «Напечь» была застелена старыми желтыми газетами, поверх них лежали какие-то шкуры. Одна, он точно знал, — дикого кабана, с длинным жестким ворсом и желтой пряной мездрой. Шкурой можно было пугать младших, когда те, не зная удержу, оголтело бесились часы напролет. Другие — мирные домашние овчины, мягкие и какие-то беззащитные. Все это — теплая печь, крашенная белой сыпучей известкой, старые газеты, дикий кабан, послушные овцы — переплеталось, накладывалось друг на друга и давало тот запах деревенского дома, который навсегда застрял в носу, и стоило через много лет лишь вспомнить о детстве — он сразу явственно возникал, пах, щемящий и сложный.

Печь была бабушкой. С запахом, с теплотой, со вкусом еды, которая постоянно томилась в теплом чреве ее, в огромных черных чугунах — неземная тайна была в их появлении на свет из яростной, багровой преисподней — ухватывали рогатыми ухватами. С крепким и тягуче-сладким, через каждый час, чаем из темного, закопченного чайника, который позже сменился блестящим, электрическим — и чаепития еще участились. Черный хлеб, политый постным маслом и посыпанный крупной солью, белый батон с сахарным песком — эти яства тоже были бабушкой.

Дедом был чулан. Небольшой, темный, сразу налево, после входа в дом, напротив кухни. Даже не чулан, а большой шкаф, завешенный тряпичной занавеской. Там стояли ружья. Туда Гриша забирался один, не пуская никого из малышни, и долго сидел в темноте, трогая холодный металл стволов и гладкое дерево прикладов. Они тоже пахли, ружья. Пахли опасно и тревожно. И зовуще, с какой-то мужественной ласковостью, с какой-то конечной ответственностью. Гриша сразу ощущал себя много старше, когда осторожно взводил курок, медленно потом нажимал на спуск. Боек сухо щелкал, и если в доме был кто из взрослых, особенно дед или дядья, то сразу начинали ругаться, говорить, чтоб не баловался. Еще в шкафу висела лесная одежда. Запах ее был похож на запах кабаньей шкуры, такой же дикий, но с металлической, искусственной отдушкой. И сразу выстраивалось родство их — одежды, ружей, шкуры кабана. Сразу становилось понятно — как и зачем все было: опасность, настороженность, азарт, выстрел, короткий взвизг, сучение ног, длинный нож в руках. Сухие листья под телом. Горячая кровь, которую жадно пьет осенняя земля. Чулан был дедом. Еще в нем висела шинель.

Вообще в доме было много военного. Фотографии в альбоме, где дед — бравый лейтенант в кителе с боевыми орденами. Гриша тогда уже знал, что «Красная Звезда» и «Боевое Красное Знамя» — ордена настоящие, заслуженные. Гордые. Сами они лежали в красных коробочках в верхнем ящике комода, и Гриша часто тайком доставал их и гладил пальцами сложную лаковую поверхность. Особенно нравилось ему, что крепились они к одежде не игольчатой застежкой, как какие-нибудь несерьезные значки, а уверенной, мощной закруткой, чтоб если и вырвать, то только с большим куском одежды и сердца. Дед никогда не рассказывал про войну, не разрешал играть с орденами. Он не ругался, но умел так посмотреть, что сразу холодел затылок, и хотелось быть послушным. Еще, во втором ящике комода, запертом на ключ, хранились патроны. Иногда ему разрешали смотреть, как дед с дядьями собираются на охоту.

Тогда они доставали из этого ящика восхитительные гильзы, блестящие драгоценные капсули, дробь разных номеров, смешные пыжи, раскладывали все это на полу, на аккуратно расстеленной газете, садились рядом и начинали понятное, но вместе с тем таинственное снаряжение. Забивали капсули в гильзы, сыпали порох, потом вставляли тонкую картонную прокладку, плотно забивали толстый пыж, после закладывали дробь. Вставляли еще одну прокладку, завальцовывали гильзу. Иногда вместо дроби в гильзу помещалась пуля — часто по-смешному круглая, реже — опасная, с острым носиком. Так у них ловко и быстро все получалось, что Гриша налюбоваться не мог. Все это они делали по очереди, каждый свое дело, и весь процесс сливался в четкую, простую гармонию ружейной радости. Руки сами тянулись помочь, но ему лишь позволяли поиграть с дробью, да редко перепадала закатившаяся в щель пуля. Еще были шомпола со щеточками, и взрослые чистили стволы своих ружей, смазывали их темным маслом, заглядывали внутрь на просвет и удовлетворенно откладывали в сторону. Во всем этом виден был строгий обычай, ритуал, и главным здесь опять был дед. Бывало, что кто-нибудь из дядьев выбивался из отлаженного ритма, отвлекался, неловко шевелил пальцами, тогда дед не боялся взрослых, огромных мужиков подгонять увесистыми подзатыльниками. Было шутливо — улыбались, всерьез — не смели слова в ответ сказать, лишь головы наклоняли ниже да сопели старательней.

Отец Гришин никогда не притрагивался к оружию и припасам. Говорил, что жалеет животных. Он был самым старшим из сыновей и рано уехал жить в город. Сидел, наблюдал за ловкими пальцами братьев и деда, но не брал в руки ничего из волнующих, заманчивых предметов. Дед посматривал на него с непонятной усмешкой, словно знал что-то такое, чего другим не узнать ни с возрастом, ни с мирным опытом. Мирный опыт — опыт жизни. Дед знал другое.

Отец тоже помнил об этом. Младшие сестры и братья — нет.

Фамилия бабушки до замужества была Власова. Обычная фамилия, полдеревни было таких. Это потом век расставил все по местам, и стали одни почитаемы, как Морозовы какие-нибудь, другие сделались врагами из-за неизбежных фамильных буквосочетаний. А как было бедному Павлику разобраться, как понять, что даже свежее веяние может нести в себе гнилые пороки. Законам человеческим тысячелетия срок, а быстрое счастье для всех настолько скоро превращается в противоположность свою, ничем не ограниченную и оттого страшную, что жизни человеческой может хватить, чтобы увидеть все стадии сладостного процесса — от свежего веяния и задора молодых до тупого отчаянья старых. В середине же — злая воля зрелых, еще уверенных, но уже бесстыжих. Это назовется бесовским словом «диалектика», но как понять его бедному пионеру без опыта и Бога. А понимать нужно было всем. Нужно было и Гришиному деду.

Думать тяжело — это Гриша тоже понял, когда повзрослел. А в юности, в молодости — куда как просто, есть чувственность и злость, и злое зрение отважно указует на врагов. Их много, все кругом, привыкшие к оружью руки знают сами.

Был крик и детский плач. Дед был не дед, а молодой герой. Израненный и жесткий. Когда вдруг что-то возразила бабка, не бабка тоже, а всего лишь мать и молодая некрасивая жена, уже родившая ко времени пятерых. Возразила, а может, по-карельски что сказала. Он запрещал ей — мы интернационалисты по воле нужд советских. Когда возразила непослушно или на языке непонятном сказала что, может ругнулась на святое, поплыло все перед глазами от бешенства. От ярости запрыгал пульс аорты. Все вспомнилось — чужие раньше крики, сиротский хлеб, на море шторм и волны, грудь свою о скалы рвущие. Доверие к отцам и командирам. Предательство и три дыры в спине. Все вспомнилось, и захлестнуло. И по камням поволокло. Схватил ружье и крикнул этой стерве — пошла на огород, вражина. Ревьмя орали дети, ублюдки, выродки, враги. Чужого корня стебли. Не русского. Почти что финны.

— Пошла быстрей, расстреливать буду, власовцы поганые, — так крикнул, уши заложило у самого. Замолкли дети, испугались сильно. Лишь старший носом шмыгал незаметно, чуть дыша. Она стояла на земле, на пашне. Босая. На руках — двое маленьких. Двое средних прижались к ногам. Первенец чуть в стороне. Все стояли и глядели на него. Молча уже. Ружье плясало в руках. Ненависть плясала в голове. Полностью заполнив ее. Вытеснив все остальное. Потом пошел дождь. Крупные капли стали падать на землю, на белые головы, на грязные ноги. Там, где падала капля, он ясно видел — исчезала земная грязь, и ярким розовым кружком на ногах начинала светиться живая кожа. Детская и взрослая. Родная.

Холодные ручьи потекли по лицу, по плечам, за шиворот. Он задрожал и бросил в грязь ружье. До крохотной песчины вдруг сжалась ненависть в голове, и та загудела как старый колокол. Он повернулся, шатаясь, побежал в дом. Следом за ним рванулся старший: «Папка, не плачь!»

Дом стоял на невысоком косогоре, над речкой. Вообще, это была даже не речка, а ручей, сильно заросший ивняком, осокой, весело журчащий меж камней и средь корней деревьев, порой полностью ими скрытый. Перепрыгивая с одного большого камня на другой, его можно было пересечь полностью. Мешал страх. Чуть из вида скрывался за тонкими стволами ближний к дому берег, как настоящие джунгли обступали Гришу со всех сторон. Неслышным становился шум машин на недалекой дороге. Смолкали крики птиц. Лишь таинственно шелестела ива своими узкими листьями, и шелест этот был тоже какой-то узкий и опасный. Страх вместе с неодолимой силой, заставлявшей двигаться все дальше и дальше, делали чары ручья пряными и чистыми, словно запах отмерзшей земли. Да он и пах так, ручей — влажной землей с корней деревьев и кустов, журчащей светлой водой, мокрым мхом камней. Гриша часами мог наблюдать за его жизнью. Следил за юркими мальками в стройных струях, искал ручейников в их домах-палочках, влюблялся в прекрасных лягушек, смышлено снующих повсюду. Один раз ручей подарил ему настоящего зверя. Мальчик тогда сделал всего несколько прыжков по камням, еще знакомым его ногам (дальше лежали незнакомые и опасные, падением в воду пугающие), и увидел зверя. Небольшой, темно-коричневый, с острой мордочкой и круглыми ушами. Он был совсем рядом, в двух метрах. Гриша замер. Зверь недовольно ощерился и фыркнул. Укололи взгляд белые иглы зубов. Рядом с ним на камне лежала растерзанная птица. Вернее, и птицы уже никакой не было, веер перьев и несколько капель крови на шершавой серой поверхности дикой столешницы. Секунду зверь стоял, прикидывая силы, затем повернулся и текуче, беззвучно исчез в высокой водяной траве. Лишь длинный хвост змеей скользнул за ним. Так странно это было — страшно и притягательно, навязчиво и сильно. Словно и сам Гриша был немного этим зверем, словно сам он скользил сквозь траву и наслаждался добычей. Будто сам он сладко убивал. Гриша начал дышать через минуту. Еще через одну повернулся и на дрожащих ногах попрыгал до знакомого берега. Промчался мимо дедовой бани. Набирая скорость, пронесся по сладко пружинящим доскам, проложенным через болотистую полянку к дому. Влетел туда и закричал отцу: «Зверь, зверь! Видел! Коричневый! Ел птицу!»

«Наверное, норка, — равнодушно сказал отец. — Со зверофермы сбежала».

Баня стояла на самом берегу ручья, шаг — и вода. Чуть подальше, меж двух камней, была глубокая, по грудь взрослого, протока, куда после парилки можно было прыгать, утробно хохоча. Вообще суббота — банный день, был праздником. Баню топили с утра. Грише разрешали следить за огнем, и он, гордый своей взрослой обязанностью, таскал дрова, подкладывал их в шумящую печь, потом закрывал тяжелую чугунную дверцу и внимательно следил, чтобы ни один уголек не дай бог не вывалился из раскаленного зева. Следить было тяжело, жарко, позже — почти невозможно, он часто выскакивал на берег ручья и жадно, глубоко дышал вдвойне вкусным после жара воздухом, словно глупая рыба, попавшаяся на крючок и решившая напоследок надышаться вволю. Иногда к нему приходила бабушка — посмотреть, как он справляется. Гладила по голове со своим извечным: «А-вой-вой, совсем ребенка замучили», — совала в руку кусок сахара. Хорошо было, когда сахар был каменный, твердый, еле сосущийся. Гораздо хуже, когда прессованный рафинад, он мгновенно растворялся во рту, оставляя вкус неудовлетворенности и скоротечности.

К обеду начинали подходить родственники, дядья и тетки с семьями. В доме, а особенно во дворе, становилось шумно, начинала бегать обрадованная встречей детвора. Гриша, гордый своим делом, смотрел на малышню снисходительно. Лишь когда приходил Серега, он позволял себе расслабиться, потому что тот сразу принимался помогать. Сереге было столько же лет, как Грише, но отец объяснил, что тот ему приходится двоюродным дядей. Гришу это неприятно удивило, но дядя ничуть не заносился. Они стали дружить.

Он был странный, Серега. Какой-то слишком добрый. Всепрощающий. Как-то мчался вприпрыжку через поляну между баней и домом. И хищно налетел на него пасший-ся невдалеке баран. Два раза поддал в спину крутолобою башкой, затем прижал к забору и держал. Серега слабыми ладошками пытался оттолкнуть его голову, но тот лишь напористо мотал ею, все крепче прижимая к доскам, под ребра. Мальчишка уже начал тяжело дышать, но когда Гриша схватил тяжелую палку, закричал:

— Не надо, ему будет больно!

Так и стоял в опасном прижиме, пока барану не надоела слабость жертвы и он не ушел сам. А после не было у Сереги мысли хотя бы камнем издали обидеть наглеца.

Еще он очень любил птиц. Часами мог смотреть, как парит в воздухе, в высоком синем воздухе, большая птица, на расстоянии становившаяся маленькой птахой. Днями возился с голубями, таскал их за пазухой, шептался с ними. Таких, как он, легко принимает алкоголь. Они не имеют сил сопротивляться его мощному, стремительному течению. Лет через двадцать, после месячного слезливого запоя, он повесился на бельевой веревке, и на его могиле всегда были крошки хлеба, крестики-следы и легкий птичий пух, запутавшийся в высокой, бестолковой траве.

Париться начинали за пару часов до ужина. Сначала в баню шли женщины. Возглавляла их вереницу всегда бабушка, и было смешно смотреть, как она важно, по-утиному переваливаясь с ноги на ногу, ведет за собой стайку присмиревших молодух. «А-вой-вой, натопили как, нельзя зайти», — доносился из бани ее радостный голос, и Гриша с Серегой довольно переглядывались — это была похвала им.

Женщины парились недолго, по первому пару было тяжело. Уже через час они в таком же порядке возвращались в дом. Головы их, обмотанные мокрыми полотенцами, раскрасневшиеся лица, плавные, томные движения были наполнены какими-то редкими, даже странными неторопливостью и спокойствием. Какой-то мудростью и отрешенностью. Какой-то стойкой покорностью. Это было недолго. Едва войдя в дом, они начинали суетиться, бегать, готовить ужин. Бабушка командовала всеми, но не напористо, жестко, а мягко и с юмором. Тут и там доносилось ее жалобное «а-вой-вой», одновременно жалевшее и подгонявшее нерасторопных неумех.

Мужики шли, когда баня уже сама была как печь. Неистово-красный жар раскаленных углей таился в кирпичной глубине, тихо и опасно вздыхая. Закрывали вьюшку. Становилось невозможно дышать. Невозможно жить. Мутилось в голове и хотелось выскочить на волю. Подгибались ноги, и казалось, что наступил тот край, за который только лежа. Но дед или отец легонько подталкивали Гришу, заставляя залезть на полок. Доски его были горячи до солоности во рту. Сидеть невозможно, казалось — ягодицы сейчас заискрятся и вспыхнут тяжелым, влажным пламенем. Гриша подкладывал под себя кисти рук — ладони терпели лучше. Только он потихоньку устраивался, только начинал оживать и оглядываться, как дед открывал дверцу каменки и, кивком предупредив остальных, ухал в черный зев полковша кипятку. Внутри раздавался взрыв, и яростный бесцветный пар вырывался наружу, сметая на своем пути все живое. Уши, ноздри, ногти закусывало раскаленными клещами ослепительной боли, Гриша визжал и пытался удрать, спрыгнув с полка и прорвавшись между взрослых тел. Дед был начеку. Он быстро прихватывал Гришу за предплечье, ловким движением укладывал на живот и начинал хлестать готовым уже, заранее запаренным веником. Гриша визжал и брыкался. Спина горела, было нечем дышать, в голове роились разноцветные шары.

«Терпи, сиг, терпи, залетка», — приговаривал дед серьезно, но где-то глубоко слышалась усмешка. Грише казалось, что наступил предел, что кончилась его маленькая, совсем не успевшая начаться жизнь, но дед поддавал еще пару и сек ему живот, грудь, плечи. Потом отпускал. Гришу подхватывал отец, ставил на пол. Дед брал ведро холодной воды и окатывал внука с головы до ног. Мгновенный острый холод на сиятельный жар, жидкая тяжелая жизнь на раскаленную смерть заставляли Гришу приседать, словно сверху ложилась на него благославляющая длань. После этого он, удивляя себя и вызывая смех у других, выпрямлялся на дрожащих ногах и как-то по-взрослому крякал. Дед заворачивал его в простыню и выносил в предбанник. «Что, залетка, хорошо?» — спрашивал и нырял обратно в ад. Гриша сидел, жадно пил воду из большой алюминиевой кружки, слушал крики и секущие удары из бани. В голове было пусто и прекрасно, словно в чистой скорлупе яйца. Тело пело. Душа трепетала внутри.

Спину деда он впервые увидел тоже в бане...

Окно было на втором этаже. Очень низко — второй этаж. Очень беззащитно. Высоко для прыжка, для выстрела — близко. Электрический свет блестит плоско. Очень похоже в детстве — аппликация из желтой фольги на черной бархатной бумаге — окна. Плоско — по поверхности, по краям — лучисто, по-смешному мохнато. Это если смежить глаза, почти закрыть их, и в узкую щель продолжать наблюдать. И ждать. Остро вдыхать ватный осенний воздух. Дышать глубоко, как перед долгим нырком в жидкую черноту, стараясь напоследок взять побольше мира с собой.

Гриша опять поднял холодную трубу «Мухи» на плечо. Сквозь прицел вид совсем другой — узкий, злящий. Гонящий сомнения прочь. Он давно решил — так должно быть. Не денег потеря, не угрозы близким — предательство гнуло его. Не позволяло жить. Пригибало к земле, жгло внутренности холодным неотомщенным пламенем. Не знало времени. Отбрасывало доводы. Делало своих — своими. Чужих — чужими. Очень просто было следовать им. Ясное солнце ненависти четко чертило темные тени на белом песке. «Да» и «нет» были разделены острой, как мужская слеза, границей. Он выбрал «да». И слез не будет. Каждый должен платить. И знать, что он будет платить. Иначе нарушится порядок. Важный. Мировой. Гриша чувствовал себя сильным. Он — не мститель уже. Он — вершитель порядка.

К окну из глубины комнаты подошел человек. Он посмотрел в черноту и поежился плечами. Было видно, что вздохнул. Гришины пальцы плавно легли на спуск. Человек повернулся спиной и пошел от окна. Нервно пошел. Гриша ощутил пряный восторг. Человек вдруг повернул обратно. Он опять подошел к тонкому стеклу и опять вздохнул в черноту. Потом снова повернулся. Опять была видна его сутулая спина. Он быстро ходил по комнате. От окна — к окну, от окна — к окну. Каждый раз, как Гриша готов был сухожильно, судорожно, неспокойно толкнуть мир к справедливости и порядку, в окне он видел спину. Чужую. Жалкую. Ждущую.

Гриша напрягся из последних сил. Переступить себя было тяжело. Вдруг с шумом взвилась стая голубей с подъездного козырька. Серый, в сумерках невидимый кот прыгнул, но промахнулся. В воздухе закружились легкие перья — ухватистая лапа успела приласкать. В нос ударил знакомый, забытый, масляный запах оружия.

— Да господь с тобой, сука, свинья! — внезапно опустил гранатомет с плеча. Сразу задышалось легко.

СТРОИТЬ

Предисловие

Один мой молодой знакомец, по убеждениям национал-большевик, а в жизни вполне нормальный человек, как-то сказал после очередного совместного интервью:

— Ты не понимаешь, нужно уметь говорить быстро!

— Зачем? — мне действительно показалось это удивительным.

— Это действует возбуждающе на массы! Это — закон пиара!!!

— Слушай, а если хочется говорить правильные вещи. А не только кричать и скандировать.

Он задумался на несколько секунд:

— Нужно уметь быстро говорить правильные вещи.

И все равно это мне кажется не больше чем анекдотом. Действительно, публика — дура и, давясь, глотает с пылу с жару поданное неизвестно что. И кричать, брызгая слюной на окружающих соратников — занятие модное и обворожительное. Кажется иногда, что не осталось внятных, вменяемых людей. Очень мало мудрых стариков, в основном оголтелые и непримиримые ни с чем. Достойных людей среднего возраста — радостная отрыжка сопровождает их повсюду, и не важно — от переизбытка денег ли, славы ли она. Или от неумелого недостатка их же. Умной, внимательной молодежи — она или бестолково пляшет с пузырями на губах под одобрительный прихлоп надзирающих, либо беспредметно тоскует от ничем не обоснованной потерянности. И все это — в Интернете, телевизоре, газетах и прочих массовых органах самовыражения. Бедлам — отчаянно подумается иногда после прочтения очередного бреда.

А потом оглянешься вокруг. И увидишь, что тебя окружают нормальные в основном люди. Они любят детей, работают, что-то строят. Им даже некогда слушать говорливых вождей. Они делают дело. Для них моя повесть.

Имена героев в ней изменены, место не упоминается совсем — все из тех же соображений расчетливости: достоинство — очень ценная вещь. Его нужно беречь.

1

Несколько лет назад меня неудержимо потянуло на природу. Не так, чтобы бессмысленным наскоком ворваться на какой-нибудь общий пляж, развести костер среди куч чужого мусора, съесть несколько обугленных сосисок неясного генеза, выпить бутылку водки и, поленившись убрать уже свой, родной мусор, вернуться в городскую суету в натужном благорасположении, чувствуя внутри какую-то обидную оскомину. Нет, захотелось своего, чистого, чтобы поменьше людей и побольше воздуха. Тогда я стал искать место, где будет мой дом.

Желание это стало настолько сильным, что перешло в действие. Сначала я решил пойти простым путем. Ведь сколько вокруг чудесных мест, прекрасных, уже кем-то построенных домов, которые то и дело видны жадному взгляду сквозь деревья, а рядом с ними мелькает водная синь. Я стал читать объявления о продажах, стал ездить по окрестностям города. Цель и ее критерии были для меня ясны — нахождение от города не более ста километров, у красивого озера, в крайнем случае — реки, баня должна быть на самом берегу, дом — обязательно в деревне, а не в дачном кооперативе (идеи вопиющего коллективизма давно не греют душу). Еще хотелось бы электричества, дороги до самого места, небольшой цивилизации в виде магазина, с одной стороны, и дикой природы с охотой, рыбалкой, собирательством грибов, ягод и прочих кореньев — с другой. Требования казались выполнимыми, а услужливое воображение рисовало тихий вечер после бани и купания, проводимый за столом со щами или ухой, томленными в русской печи, и графинчиками с домашними разноцветными настойками, заботливо изготовленными на основе целебных трав и прочих плодов.

Картина эта настолько манила меня, что не было предела энергии, с которой я принялся искать. Сотни объявлений, десятки поездок, полтора года поисков и размышлений убедили в одном: наготово найти то, о чем так сильно мечтает душа, не удастся. Дома были или старые, или дорогие; или далеко от водоема, или близко к болоту; или без бани, или с многочисленными соседями. Несколько раз я пытался впасть в отчаяньс. Тогда перед глазами снова всплывала та славная картина, которая могла венчать обилие трудов.

— Строй-ка ты сам, — внезапно посоветовал мне отец, исподволь наблюдавший всю тщету моих усилий. — Строй, не бойся, поможем.

Тогда я стал искать землю. Это тоже оказалось непросто, но гораздо легче детского желания получить весь магазин игрушек сразу. Всего через три месяца я заехал в старую карельскую деревню в километрах от города приличных, но гораздо меньше ста. Зае-

хал по наводке соседей по подъезду, имевших
там дачу и обладающих ценными сведения-
ми о продаже дома с участком невдалеке. Места эти они расписывали с плохо скрываемым
восхищением, чему подтверждением были десятки ведер клюквы, которые они продавали
в городе каждую осень, в подспорье своей
пенсионной жизни.

— Пятнадцать минут идем от дома и собираем, и собираем. И не выбрать ее всю, —
клюква в ведре соседки была хороша — вино-
град, а не клюква.

Деревня, вся раскинувшаяся вдоль берега
длинного красивого озера, мне понравилась.
А дом нет. Деревня вся утопала в ярких кра-
сках рано наступившей осени. Старый покосившийся карельский дом был огромен, ветх
и годился только на снос. Сносить ничего
не хотелось. Рядом с берегом в лодках, а то
и прямо на мостках сидели рыбаки с удочка-
ми, это вдохновляло. Дом не вдохновлял. Опе-
чаленный, я пошел по главной и единственной
улице деревни. Было видно, где в старых до-
мах доживают местные старики, а где постро-
ились уже люди из города, кто-то пришлый,
кто-то вернувшийся в родные места. Старинные серые дома были жалкими и какими-то
необихоженными. Покосившиеся заборы,
редкие и заросшие грядки, унылые окошки.

Дома новые или обновленные прямо искрились яркими стенами и крышами из ранее неведомых материалов, веселились выкошенными лужайками, стоящими на них шезлонгами и качелями, вкусно пахли шашлычным дымком. Всего домов было штук двадцать. Венчал все огромный, ярко-сиреневый домина. Был он не слишком изящный, но мощный, крепкий, кряжистый. Вокруг него на поляне стояла сельхозтехника — пара тракторов, косилка, картофелекопалка. Забора не было. У крыльца лаял большой пес.

Посмотрев на все это и очередной раз тяжело вздохнув, я направился к машине. Вокруг, на картофельных полях, копошились местные жители, перекапывая землю перед зимой. Воздух пах вкусно и пряно, точно молоко пасшихся невдалеке коров. Некоторые из них зашли в воду по вымя и купали в озере свои мягко тлеющие на осеннем солнце набухшие розовые соски.

Навстречу мне по дороге ехал трактор. Я решил остановить его и попытать счастья еще раз. На мой призывный жест из кабины высунулся чумазый коренастый мужичок. Круглое лицо, на котором светилась хитрая, все побеждающая улыбка, выражало самую главную карельскую мысль: «Не, не обманешь. Сами хороши!»

— Толя, — он чуть не свалил с ног меня своим криком, заглушившим трактор и распугавшим деловитых ворон, ходящих по недалекой пашне. — Не обращай внимания, — уши окончательно заложило, — я в танковых служил, теперь так разговариваю.

— Понятно, — я был вежливый городской пришелец, которого Толя видел насквозь.

— Не продается чего, кроме этого дома? — спросил, особо не надеясь на удачу.

— А чего не продается. Все продается, были бы деньги, — Толя явно заинтересовался мной как выгодным субъектом, — вон за деревней не видел участка? Продается. Мой участок. Дома нет, фундамент есть.

— Посмотреть, что ли?

— Посмотри, посмотри. А понравится, я вон там живу, — он черной масляной рукой показал на опрятный розовый дом, размером чуть меньше сиреневого, а всем видом — красной крышей, розовыми стенами, аккуратным участком вокруг — напоминавший немецкие хозяйства.

— Хорошо, зайду, если что.

Толя вскочил в свой трактор, тот чихнул сизым выхлопом и ловко покатил по колдобинам раскисшей осенней дороги к нереально красивому дому. Я пожал плечами и обреченно отправился смотреть участок, почему-то не веря в успех.

Вот говорят: деревня, деревня. Сам я тоже пришлый, городской. Хоть небольшой город по общим меркам, а все ж столица — какой-никакой республики. Бывшей союзной даже. И вот мечешься всю озабоченную юность, хватаешься за то, за это, везде успеть пытаешься. И успеваешь часто, и успех переживаешь, и поражения переносишь. Но потом оглядываешься — а немного важного-то. Дети чтоб были, семья, жена не очень строгая, квартира — где жить. Друзей несколько. Память о женщинах любимых, а не таких, что ты использовал или они тебя. Природа — без нее вообще никуда, не выжить. Зарплата — не нужна, никогда ни на кого не работал, никому себя за деньги не продавал. Денег то меньше, то больше, но уж сильно переживать из-за этого бессмысленно — везде под ногами валяются, ленишься подымать — меньше их, не ленишься — больше. А всех уж точно не заработаешь. Да и душу тратить на них жалко.

И все остальное такой трухой оказывается в итоге, что жалко себя становится. Машины, курорты, золотишко — смешно порой на людей смотреть. Ладно, думаешь, пускай поиграются, лишенцы, вдруг одумаются попозже.

Так я думал и шел себе по лесной дорожке. Раньше две колеи на ней было, а потом позарастали, теперь одна тропинка. Кругом осинник да ольховник мелкий, чапыжник посеверному, поодаль сосновая роща стоит. Листья желто-красные — глазам больно, хвоя зеленая — глазам радостно, небо синее — благодать! А вышел на поляну большую — так вообще зажмурился — берег озера, вода с небом друг другу хихикают мелкими бликами, по сторонам лес разноцветный, а посередине фундамент стоит. Да еще по краю полянки речушка мелкая журчит, не видно еще, а слышно. И разнотравье в пояс, осенью еще не тронутое. Поляна большая — соток пятьдесят, к дороге — горка каменистая, к озеру ближе — ровное место, будто пашня бывшая. Вышел я на поляну — дух захватило. Походил — тут сосенки пробиваются, там — камыш у берега колышется, а на горке — земляничные листья сплошь да брусника кровью налилась. Еще походил — да и побежал до Толиного дома. Двести метров до деревни, да там с полкилометра — одним духом. Когда удача тебе губы подставляет — мешкать нельзя.

Вот вымирает деревня, нищает, спивается. И половина домов тому подтверждение. Нет — одна треть. Нет, смотрю, — меньше. Есть захудалые хибары, на честном слове стоящие, клюкой подпертые. А есть как у Толи. Я зашел — сначала глазам не поверил. Обстановка городской квартиры, если не быть ярым поклонником пластмассового ремонта. А простора, а места! А печь русская посередине! На первом этаже — две комнаты да кухня большая да прихожая. Веранда — вполдома. На втором этаже — две комнаты, не маленькие тоже. Туалет в доме с канализацией да с горячей водой из бойлера — куда с добром. Вода из крана бежит кристальная — в колодец насос опущен погружной. Посреди всего великолепия сидит Толя за столом, уже вымытый от копоти тракторной, чистый. «Садись, — кричит, — пообедаем». Я отказываться, а жена его, Аня, — не отпустим, говорит, не принято по карельским обычаям, за порог ступил — за стол садись.

Если кто возьмется рассуждать из столичных или иностранных жителей о том, какая рыба всего вкуснее — обманется наверняка, себя и других в заблуждение введет. Будет лосось поминать, тунца какого-нибудь или, не приведи господь, — макрель с торбоганом. Кто сига вспомнит — уже ближе, почет ему и уважение. Но уж ряпушку никто не назовет. Местная она рыбка. Вкус такой, что пальцы свои и соседские оближешь. Это — если жареная. А если с лучком да юшкой на сковороде — опять же по-карельски, — тут не язык проглотишь, вся голова через рот вовнутрь завернется вслед за убегающим вкусом. В городе на рыбном рынке ряпушку часто продают, онежскую да ладожскую. Мелковата она, килограмм вычистишь — замучаешься. Тут у Толи жена сковороду на стол поставила —

а там четыре рыбины уместились. Мне трудно сдержаться было.

— Толя, — говорю, — где рыбы такой наловил?

— А, нет, не стало рыбы совсем, мало, — орет, — да и это некрупная! Совсем плохо стало с рыбой!

А глаза маленькие такие, хитрые.

Поели, поговорили.

— Я не пью совсем, — Толя говорит, — раньше было. Но дурной становился, ни дела, ни работы, ни семьи не видишь. Совсем бросил. Потом покажу тебе, как свиньи живут спившиеся.

— Жалко их? — спрашиваю.

— Всех не нажалеешь. Сам тоже думать должен. А то жрут да спят. Я бы тоже так хотел, — а куда, работать нужно.

Стали торговаться за участок.

— Двадцать тысяч. — Толя говорит, — хорошая земля, внизу, видел, распахано поле было. Весь участок — полгектара. Дом вот этот самый стоял, перенес потом.

— А чего перенес? — спрашиваю.

— Да егерем хотел работать раньше, не получилось. А теперь в деревне сподручнее. Потом покажу — сам увидишь. Тут у меня земля тоже неплохая, — и жмурится как кот.

— Змей нет, случайно? А с комарами как?

— Змеи — они везде. На севере живем — скалы да сосны, змеи да звери. Но там вроде нет. А комары — видел, что на мысу земля? Лес вырубишь немного — ветром все сдувать будет, не комаров — птиц не увидишь.

— Ладно, — говорю, — двадцать много, за десять точно возьму. Тут ведь оформлять еще нужно, кадастр получать — тоже деньги. Это — мое, если сговоримся. Она у тебя в собственности?

— Да в собственности давно, чуть давать стали — я сразу взял, — он подумал, в голове колесики вертелись, в глазах — плюсики,

— А, ладно, бери. У меня тут вокруг озера еще кой-чего есть. Давай теперь чай пить.

По рукам ударили, чаю попили — пошел Толя участок показывать. Земля распахана, картошка ровными рядами, кусты ягодные, на дорожках ни камешка лишнего. На берегу баня с верандой, рядом еще веранда застекленная, «для праздников» — говорит, тут же — коптильня большая — «слышь, хрюкают, потом покажу». От берега мостки длинные в озеро, вдоль них сетка-китайка, проходили мимо, Толя поднял за край, выпутал подлещика в две ладони, о доски шмякнул — кошке, говорит.

— Тоже полгектара, как у тебя будет, — орет, надрывается, — а вот там свиньи у меня, а там куры, а здесь брат мой рядом, он еще собак, лаек карельских на продажу выращивает — вон вольер. А за озером гектар под картофелем.

— Охота, рыбалка? — спрашиваю.

— Потом фотки покажу, с медведем да с лосем. А здесь я карпа в девять килограмм вытащил, а рядом с твоим местом — щуку на четырнадцать.

Потом вдруг опомнился:

— А так нет, плохо стало, совсем плохо. Рыбы мало, зверя мало.

— Колхоз распался, — вторит ему Аня, идущая следом. — Раньше Толя шофером там работал, за комбикормами на завод ездил для колхоза, да и себе. А теперь совсем плохо, свиней вон пять всего оставили — невыгодно.

— А мясо-то будете продавать, — у меня уже слюни текут, домашнее мясо не чета магазинному.

— Будем. Только у нас дорого будет. Берут хорошо, — и выражение скорби на лицах. — И картошку продавать будем, и рыбу, и молоко с творогом. Давай стройся, не пожалеешь, в деревне — не в городе.

И я стал думать серьезно. Документы на землю оформились довольно быстро — месяц, и уже владелец. Собственность грела душу. Стоило оформление семь тысяч, плюс десять тысяч Толе — итого семнадцать за полгектара у озера, вместе с речкой, травой, соснами, камнями и всей многочисленной живностью, населяющей этот предварительный рай. Живности было много, судя по стрекотанию, пискам, прыжкам и полетам.

Будучи любопытным, я сходил-таки в фирму по торговле землей и поинтересовался — сколько может стоить мой участок, если его продавать. Полистав бумаги, посмотрев фотографии и послушав мои рассказы, человек в фирме азартно забегал по кабинету:

— Тысяч с двухсот можно начинать, а так — наверняка больше! Когда начнем?

«Никогда», — подумал я. Это уже была моя земля, и я начинал ее любить. Я начинал понимать, что затеял одно из самых важных дел моей жизни, что я построю хороший крепкий дом, который переживет меня и достанется детям, а потом внукам. Я прерву этим традицию жизни в общем государстве, когда каждый должен был начинать с нуля и ничего не добиваться в итоге — страна высасывала соки, недоставало сил. А у моих детей будет стартовая площадка.

2

Дом мне всегда хотелось из дерева, из дикого, неоцилиндрованного бревна. На всякий случай все же стал считать затраты и работы — кирпич был самым дорогим, бетон и блоки тоже кусались ценой, брус все равно был дороже бревна в три раза. Поэтому новые знания лишь укрепили старую уверенность — традиции сильны не зря.

И вот теперь началась настоящая работа. Часть леса была заготовлена отцом. Он тоже хотел строить дом, но решил, что уже не потянет, и подарил лес мне. Правда, к тому времени тот уже лежал два года, хоть и в штабелях, на прокладках, но все равно внушал некие опасения. К тому же его было маловато по расчетам на существующий уже фундамент. Я решил строить параллельно баню из отцовского леса, а на дом искать свежий. Тут-то и оказалась затыка. Кирпич, бетон, брус — были в наличии, люди рвались их продавать, привозить, строить. Исходного же, простого, желаемого кругляка продавать никто не хотел. Самим нужно. Или ломили цену. Мастера, рубящие срубы, отличались умом и сообразительностью даже больше, чем все остальные строители. Если по другим материалам подсчет был довольно прост — столько-то кубометров на стены, столько-то — за работу, столько — за материал, то с бревном все оказалось гораздо сложнее.

— Толщина какая? — сразу спрашивали рубщики и тут же чуяли мою некомпетентность, я не знал, какую толщину они имеют в виду — у комля, у вершины. А спрашивать было стыдно.

— Ну-у-у, — сразу разговор приобретал чудесный оттенок наставительной беседы мудрого учителя с глуповатым и противным учеником.

— Ну-у-у, мы за кубометр берем. А кубометров будет сто примерно. Так что кидай нам тысяч сто пятьдесят сразу, не прогадаешь. И лес мы достанем. Как сруб перевезти? Ну-у-у, соберем, разберем, опять соберем. За деньги, конечно. Ну-у-у, на месте никак нельзя, мы привыкли у себя работать.

Хорошо, что у меня уже был опыт общения со строителями. Как хорошо, что он у меня уже был! Я решил во всем разобраться досконально и через неделю консультаций и подсчетов уже знал, что бревна понадобится кубов сорок, не больше; что платить я буду за всю работу, а не по кубометрам, погонным метрам или венцам; что ни о какой предоплате и речи идти не может, а строители должны будут ставить сруб прямо на фундамент, без ненужных переносов. В ответ я должен буду организовать их быт и проживание на природе.

С бревном же была проблема. Все хотели продавать уже что-то произведенное из него. Не это ли признак экономических перемен? Наконец, почти отчаявшись, я в очередной свой приезд в деревню подошел к Толе:

— Никак не могу бревна достать. Не посоветуешь?

— А, чего?! — каждый раз, отвыкнув, я вздрагивал от Толиного крика. — Витька собирался лес рубить. Поехали, поговорим.

Мы прыгнули в машину и, разбрызгивая лужи, помчались к большому сиреневому дому на окраине деревни. По дороге Толя выкрикивал отрывисто и обреченно:

— Я — это что. Вот Витя хорошо живет. Картошку приспособился продавать — в Дом отдыха. Втридорога. Родственник у него там.

И печально мотал головой.

Мы уже подъезжали, как от дома вдруг рванула новая серебристая «десятка».

— Его машина, вон он! — Толя был громок даже для самого себя и сбавил тон: — Давай, гони быстрей! А то в поля уедет — до вечера пропадет.

Мы бросились в погоню. Догнали на асфальтовой дороге, стали изо всех сил сигналить, мигать фарами. Машина прибавила ходу.

— Да что он, озверел совсем! А ну, поддай газу! — Толя аж вспотел от радости и азарта.

Наконец мы чуть не вплотную прижали машину к обочине — очень хотелось круглого леса. Та остановилась. Из нее вылезли два испуганных мужика:

— Вы чего, парни? Чего гонитесь? — голоса у них слегка подрагивали. Вид был городской.

— А нет, не он! Номера перепутал! — Толя даже не стал вылезать из машины. Извиняться пришлось мне.

— Мы за молоком к Витьке, а тут глядим — гонятся, — мужики облегченно похохатывали. — Не деревня, а Дикий Запад какой-то!

— Ну ладно, ладно, все нормально, — мы развернулись и опять помчались к намеченной цели.

Витя был дома. Толя уважительно поздоровался, пожали руки. Представил меня:

— Строиться будет. На моем участке, помнишь? С лесом бы помочь?

Витя был моложавый поджарый мужик с загорелым лицом, светлыми усмешливыми глазами и ехидной улыбкой.

— Из каковских будешь, — тон дружелюбный, но внимательный.

— Из города. Но отец недалеко родился, пряжинский.

— А, ну наш значит, карел. А то мы чужих не любим, — Витя как-то помягчел, и мы стали торговаться.

— Лес будет, осенью хочу рубить, с километр от твоей земли. По тыще четыреста продавать буду.

— Не, осенью поздно. Я сейчас начать хочу, чтоб до зимы под крышу успеть. И цена вели-

170

ковата, — я-то знал уже, что восемьсот — такая цена есть.

— Побойся Бога, восемьсот. Давай так — тыща двести и доставка — сто.

— Доставка — километр на тракторе протащить. Не по-взрослому, Витя! Девятьсот!

— Тыща сто и доставка!

— Витя, тысяча, больше не дам!

— Ладно, — внезапно сдался Витя и как-то слегка погрустнел. — Сколько нужно?

— Ну не знаю, чтоб на дом хватило. Посоветуй.

— Кубов сорок-пятьдесят уйдет у тебя. Завтра приезжай — пойдем в лес, посмотрим, выберем. Хорошая сосна там!

— А как считать?

Витя улыбнулся моему невежеству:

— Хлыстами буду таскать. На месте кубатурим. Рассчитываешься. Мало будет — еще подтащу. Только чур — вершинки тоже считаем.

Я почувствовал здесь очередной подвох, но радость от сделки переполняла, спорить больше не хотелось.

— Ладно, и вершинки тоже.

— Да ты не бойся, — вступил до сих пор старательно, чтобы не сбить чужой торг, молчавший Толя. — Тебе вершинки и на стойки, и на стропила пойдут. Все уйдет, еще и мало будет.

Мы пожали руки, и я поехал домой. Радость переполняла меня — нашел строевой лес, рядом, с вершинками. А еще — хлысты, сращивать бревна не нужно будет, целиком в стены пойдут — я тоже потихоньку набирался знаний. На душе становилось как-то надежно и спокойно.

3

— Д-а-а, тебе-то повезло, — часто-часто приходится слышать от унылых доброжелателей, стоит лишь затеять какое-то дело, стоит лишь путем трудов, безумных порой усилий добиться какой-нибудь малости. Слышать, а потом и отбиваться, отбрыкиваться от цепких взглядов, которые так и норовят забраться в самый укромный уголок того, что ты делаешь, в самую суть его, в самую душу. Помню, человек с чудесной фамилией Хондрыгин после издания первой моей книжки затянул сладким голоском извечное: «Да-а-а, тебе-то повезло». И стал выспрашивать, за какое время написал, сколько получил да как задумал. В глазах его — неприкрыто хитрые искорки, он явно примерял на себя материальную составляющую писательской судьбы. Друг его, Халявин, сидел, впрочем, безразлично и молча.

Не знаю — по мне так «повезло» всегда было крепкой кирпичной стеной, в одну точку которой постоянно и отчаянно, в кровь

ссаживая пальцы, лупишь молотком. Сначала в стене появляется выбоинка, потом отверстие, потом стена может рухнуть. Вот это называется — «повезло». Ты занят своим делом
и стараешься не бросать завистливых взглядов на людей, вовсю молотящих вокруг. Взгляду своему трудно иногда приказать, тогда ты
его увещеваешь.

— Д-а-а, тебе-то повезло, — тянули многие, когда я, неизвестно от какой бодрости,
принимался вдруг рассказывать про землю
и про лес.

— Витя, спасибо — выручил, давай обмо-
ем! — Я был преисполнен радостного благо-
расположения к новому приятелю. А чувство
это не может быть засушливым.

— Не, ты что, я не пью.

Я был искренне удивлен. Опять в деревне человек не пьет? Совсем? Да после трудов
праведных, тяжелых.

— Не, раньше пил. А потом за ружье
хватался, чуть что. Испугался сам. И гуляешь если — ни тебе работы, ничего. Так всю
жизнь прогулять можно. Приезжай лучше
завтра, в баньке попаримся.

— Дедушко, — раздалось от забора. —
А дедушко.

Возле забора качались две тени, полулю-
ди-полудухи.

— А, явились, — Витя не выглядел обрадованным, — Власовы-братья. Но кстати, тебе понадобиться могут. Деревья корить да мох рвать. Пойдем, поговорим. Только смотри — вперед никаких денег не давай. Никогда. Бессмысленно. Такой уж люд.

— Здравствуй, дедушко, — старшему брату на вид казалось далеко за пятьдесят, реально не было сорока. Испитое, синее лицо, синяки под глазами, морщины. Лицо — дряблый комочек. Второй брат выглядел посвежее, но свои двадцать семь прожил полторажды.

— Дедушко, помогай, — протянул первый трясущуюся руку Вите. Тот ее игнорировал.

— Надо чего?

— Дай на опохмел десятку.

— Да ты сам мне дай, — Витя недовольно засопел.

— Ну я уж где возьму, да и тебе зачем? А ты мне дай, дедушко.

— Не, ты ж меня знаешь, на жалость не возьмешь.

— Дедушко, дедушко, — принялся канючить тот, но сам уже хитро поглядывал на меня.

— Вот лучше с человеком поговори, дом будет строить на Толькином участке бывшем, — Витя переложил тяжесть беседы на меня. — Дак помочь нужно будет, бревна корить там.

— О, это мы поможем, — ожил и второй брат, — очень с удовольствием поможем. Когда приступать?

— Да я не знаю еще, вот Витя лес начнет таскать.

— Витька? Буржуй ты хренов. Но ладно, хороший мужик. Мы тебе ведь тоже помогаем, картошку там собирать, еще чего.

Витя распрощался, спешил косить осеннюю подросшую траву — отаву. А я сразу стал дедушкой братьев Власовых.

— Дедушко, ну мы тебе все сделаем. Дай только пятьдесят рублей авансом. Мы тебе и мха нарвем на целый дом. Его мало теперь, мха-то. Совсем свели. А мы знаем где. Дай пятьдесят рублей.

Я не выдержал и сдался. В следующий раз увидел братьев лишь через месяц, когда совсем уж было плюнул на поиски разнорабочих.

Вообще я начинал любить свою землю. Это было старое, давно забытое чувство. Забытое всей страной. Мучительно ею вспоминаемое. Мучительно, за предков, вспоминаемое и мной.

Огромная поляна на самом берегу. Озеро узкое — в километр, но длинное — километров одиннадцать. На том берегу — смешанный лес, и сладким темно-зеленым отдохновением радует глаз сосновая хвоя посреди разнузданного буйства осенних лиственных красок — начиная от лимонно-желтого, через все оттенки алого, оранжевого, красного — до целительной накипи бордового. В солнечную погоду озеро нереально синее, будто неизбывная печаль, глубину которой не может разогнать ни игра солнечной мелюзги на поверхности, ни ласковая шалость набежавших порывов светлого ветра. Сама поляна заросла таким густым разнотравьем, что ноги с трудом прорываются сквозь него. Населена несметными полчищами насекомых, птиц, мышей, кротов, лягушек — и все это пищит, прыгает, живет. Иногда краем глаза — и не хочется в это верить — замечаешь извилистое быстрое движение в траве. Над всей красой распахнуто небо — ворота в неизречимый рай. Я прихожу — и душа начинает петь, сначала тихо, сиротливой свирелькой прожившего в мире старика с синими глазами, потом все громче, бравурнее — и вот уже целый оркестр гремит внутри, и духовые божьего духа соседствуют с пустотной поступью осатаневшего фавна. Я люблю...

Дорога, которая ведет от деревни к моей земле, пробегает мимо нее и вдоль берега озера извивается, волнуясь, еще пять километров. Местные рассказали — там была богатая деревня Плекка, была издавна. Потом раскулачена, разорена, одни фундаменты, заросшие малиной, греют на солнце приползших туда позже змей. В лесу, сквозь который бежит дорога, полно больших полян — то были раньше крестьянские поля. Камни с них вручную вытасканы и лежат по краям огромными замшелыми кучами. Старый труд, порушенный ни за что. Еще в лесу есть канавы, тоже прорытые предками — осушали вручную болота, без всяких криков и лозунгов. Еще есть болота большие, бывшие озера — рыбные нерестилища, загубленные поклонниками планов мирового переустройства. Рыбы в озере теперь немного, раньше ею откармливали свиней.

И посреди всего этого — моя земля. Маленький кусок, посреди мудрого древнего, оголтелого прошлого, шаткого настоящего и непонятного будущего. И как же не любить ее?!

4

Настал такой специальный, непростой, тягостный даже момент — нужно было искать строителей. «Кадры решают все» — при всей нелюбви к человеку в уме и опыте ему не откажешь. «А-а-а-а-а!!!» — так порой хочется заорать в голос, чуть вспомнишь о чудесных наших строителях. Да и о строителях вообще. Попался как-то один гагауз, тоже строитель. Но до него я еще дойду. А пока о наших. О своих. О родных до мозга костей и кожи на пятках. Как же порой мне ненавистны были их простые, улыбчивые лица, их натруженные широкие ладони... Их нарочитая глупость, лень, постоянное включение «дурака» и выпрашивание денег вперед. Их непредсказуемая, хуже женской, логика. Их действия во вред мне, себе, всем, всему миру. Лишь бы — не знаю чего лишь бы. Не понимаю. Вообще, при всей направленности этой профессии на созидание большая часть ее представителей — явные ставленники, подвижные деятели мировой энтропии. Разрушение мира, поражение мозга и повсеместное внедрение половецких плясок — их конечная цель.

Слава всевышнему, я раньше уже общался с ними. Я знал, что дело от цены зависит мало. Я ведал, что внимание к процессу, к мелочам, назойливая настойчивость и отсутствие даже зачатков жалости к исполнителям — основное в успехе, а вовсе не благорасположение, дружеское участие и понимание, что все мы люди. К строителям это не относится.

Для начала я стал обзванивать фирмы, предлагающие себя в качестве строителей всего и вся в газете. При этом знал из предыдущего, своего в том числе опыта — в фирме есть директор, бухгалтер, диспетчер и еще куча народу, который тоже хочет есть. В итоге цена вопроса возрастает как минимум вдвое. А мне нужна была бригада нормальных, ответственных мужиков, с опытом, с рекомендациями со стороны, знающих дело и желающих заработать денег. Заключение договоров, подписание смет и прочие бумажные радости — дело прекрасное, не исключающее, однако, печального исхода — вместо стройки ты можешь пару-тройку лет потратить на суды, то есть за собственные же деньги приобрести себе болезнь штангистов и беременных женщин.

Ломивших двойные цены я отметал сразу, пытавшихся хитрить на кубатуре — тоже, лысых, рыжих, усатых и слишком веселых — сторонился, пьющих — пытался вычислять тонкими расспросами. В итоге осталось три бригады из сорока. Вернее, три человека, а уж по человеку и помощники — рассуждал я. Первый — местный деревенский, по слухам — иногда впадающий в запой, но хороший мастер — вдруг решил, что город виноват во всем. Посоветовавшись с родными и близкими, он вдруг поднял цену взамен предварительной в два с половиной раза. Его фраза о том, что если несвоевременная оплата — углы у дома он отпилит, — решило дело в сторону удивленного, но твердого «нет». Второй — застенчивый молодой человек с хорошей улыбкой и большими руками совсем уж было подошел, но тут кто-то из знакомых случайно опознал его, отвез меня к новопостроенному им дому и показал удачно вписанное в свежие и нижние венцы полугнилое гадкое бревно. Мастер застенчиво улыбался на вопросы о смысле своих действий. Третий же подходил по всем параметрам — немногословный финн, родственник знакомых, имел и опыт вроде, который поленился я проверить, и отзывы, опять же, по его словам, и хмурый вид, и честное признание, что пьет — но на работе никогда. Эрик — с тех славных пор это имя стало для меня нарицательным. Я смело так зову всех самых гадких и бессмысленных трудяг. Они для меня «эрики». Но тогда я взял его. Сам черт меня попутал. Скорее всего — купился на национальность, на надежную славу финских строителей. Но время настоящее, и прошлых лет творцы давно уж изменились.

Очень я рад был, когда наконец все завертелось, закрутилось и помчалось. Стояло начало июня. Я завез бригаду, состоящую из Эрика и его напарника Юры, на участок. Начать они должны были с бани, поставить сруб на бетонных столбах, крышу и потом перейти к дому. До готовности бани они должны были жить в палатке, позже перейти под крышу. Сруб дома тоже обещались подвести под крышу к октябрю-ноябрю. Времени было навалом — лето и осень, о деньгах мы договорились — тридцать за баню с крышей, пятьдесят — за дом с крышей же. Три года назад это были хорошие деньги, и я радовался — и мне дом, и люди заработают.

С собой «эрики» набрали продуктов, матрасов, инструментов — полная машина. Палатка была моя. Выпросили небольшой аванс на покупку бензопилы и провианта.

Отец, приехавший через пару дней с инспекцией, сразу направился к инструменту. Проверил жало топора на ногте. Тяжело вздохнул. «Посмотрим», — сказал.

Лес для бани я уже перетащил от него на лесовозе с фискарсом. Чудесная машина — месяц до того мы таскали бревна то вручную, то привязав к моей безотказной «девятке», а тут — полчаса — и весь штабель на платформе. Еще три часа — и он на месте.

«Эрики» начали работать активно и хорошо. Приезжая раза три в неделю, я издалека слышал звук пилы. За неделю они залили бетонные столбы, причем со знанием — почва глинистая, и каждый столб был острым концом вниз — чтобы не выпирало его по весне. «Чудесные строители, повезло», — радостно было видеть желтые кучи опилок, подписанные непонятными цифрами бревна, открытые загорелые лица. Я метался между городом и деревней, подвозил то скобы, то цемент, то хлеб.

— Слушай, дай рублей пятьсот, — каждый раз говорил Эрик, — консервы кончились.

Работа шла, и, не видя подвоха, я каждый раз давал приятелям какую-нибудь сумму.

Чтобы не скучали вечерами, — привез резиновую лодку, сетки, и после работы они рыбачили, варили уху. Удивительно — к моему приезду были трезвые. Правда, я всегда предупреждал заранее.

Работа шла. Взяв черту, выпилив по ней треугольный паз, сделав на краях чашки, «эрики» клали венец. Правда, зачем-то они делали сруб сначала на площадке, а не на приготовленных столбах. Работа казалось мне двойной, но они убеждали, что так лучше. Сруб рос с каждым днем. Потом с каждой неделей.

— Слушай, дай рублей триста на сигареты, — говорили «эрики». Хорошо, что я вел учет.

— А природа — класс, — главный Эрик умел порадовать. — Форель вчера в сеть попала, да налима большого я упустил. А рябчики так и свищут вокруг. И, слушай, вчера кто-то ночью пакетами продуктовыми шелестел, копался. Мы думали — ондатра, она каждый вечер тут плавает. А вчера в лес пошли посмотреть, недалеко след медвежий увидели.

Небольшой, правда, но медведь — пестун или муравейник. А мы думали — ондатра.

И все смеялись.

В июле Витя начал таскать лес для дома. Хлысты метров по пятнадцать, свежие, сочащиеся пахучей смолой. Некоторые у комля в обхват толщиной, другие потоньше. Правда, довольно сбежистые, как мне потом объяснили, но вполне пригодные для моего большого дома.

К этому моменту подоспели и братья Власики, как их называла вся деревня. Забыв про обещанный мох, они, словно коршуны на добычу, накинулись на возможность заработать на любом подхвате. Худые, загорелые, всегда пьяные, они с резвостью брались за любую работу, быстро начинали ее, потом замедлялись и совсем затухали в конце. Присмотр за ними нужен был постоянный — взявшись корить хлысты, они быстро сделали все, получили договоренное и пропали на неделю в веселом загуле. Случайно я обнаружил, что хлысты окорены лишь с одной стороны, переворачивать их братья не сочли нужным.

Так же и со мхом, нарвав сорок, по их словам, мешков, они договорились с Витей, привезли мох кучей на тракторной тележке и быстренько исчезли с деньгами. Я поленился сразу посчитать мох мешками, потом оказалось, что его в два раза меньше. Было смешно и немного жалко их, они же считали меня, городского пришельца, своей законной добычей и чудесным источником законного опохмела. Постепенно в отношениях с ними установилось равновесие — они обманывали меня в два раза, но такая же работа в городе стоила бы в два, а то и в три раза дороже. Когда мха было уже довольно много, а хлысты все сияли свежей, солнечной, только что ошкуренной древесиной, старший Власик подошел ко мне:

— Давай фундамент подымем, дедушко.

Фундамент дома был действительно довольно низок, сантиметров пятьдесят над землей. Вся окрестность располагала к тому, чтобы дом был высоким, и я давно подумывал о фундаменте. Пугала цена тяжелых работ — в городе это стоило бы тысяч двадцать.

— Сколько возьмете за фундамент, — даже десять тысяч были для меня напряжны, деньги подходили к концу, а впереди еще маячил шифер для двух крыш, доски для стропил и лесов и прочая важная необходимость.

— Две тысячи дашь — сделаем, — я не смог устоять от такого предложения.

Правда, следить приходилось и тут — то и дело братья пытались недосыпать цемента в раствор или пересыпать песку, не знали, что углы фундамента нужно связывать арматурой, не хотели бутить его камнями. Но все вопросы решились чутким руководством, и через неделю фундамент возвышался на полтора метра над цветущей землей. Дом в начале своем стал похож на крепость.

5

Вообще, если дело не касается денег, какой-нибудь непосредственной приятной прибыли, жители карельских деревень открыты, улыбчивы, гостеприимны. Тебе помогут, накормят, дадут много полезных и бесплатных советов. Но лишь только разговор зайдет о деньгах — смышленая улыбка наползает на лица детей карельской природы. Она такая широкая, эта улыбка, такие непосредственные лукавые глаза сияют ожиданием удачной хитрости, такое протяжное «Н-у-у-у» раздается в ответ на твой вопрос, что сам начинаешь радоваться за них, любоваться ими. Так мой приятель Толя, покинув развалившийся колхоз, недолго горевал — устроился строителем, смотрителем да полухозяином на вновь открывшуюся ферму разведения форели к какому-то пришлому москвичу. Тот вложил деньги и уехал. Новое хозяйство почти целиком осталось на Толе.

— Толя, форель-то будешь продавать? — спросил я его, предвкушая лучезарную гримасу.

— Н-у-у-у, буду, конечно. Только у меня будет дорого, — Толя буквально лучился ожиданием чудесных времен.

Так и Витя — бесплатные, очень ценные советы давал мне — и про лес, какой лучше — зимний или летний, и про глину — где нужно будет брать для печи. Но привезти из недалекого карьера тракторную тележку с песком стоило у него недешево:

— Н-у-у-у, пятьсот.

Почти как из города.

Много раз я слышал о том, что лес бывает зимний и летний. Все встречаемые плотники с придыханием говорили о том, что сосну для дома нужно валить в феврале, что в ней тогда больше смолы, что на срезе потом увидишь «вот такой оранжевый апельсин яркой сердцевины». У меня выхода не было, и лес мне валили в июле — самое неудачное время, по словам знатоков. Но ждать еще год я не мог — полученная премия могла легко превратиться в какое-то количество продуктов. Поэтому я стал советоваться с Витей.

— Раньше старики действительно зимой лес для домов брали. А еще на пригорках песчаных, чтоб не в болоте. Так дом потом сто лет мог простоять, топор от бревен с искрами отскакивал. Но суть не в смоле зимнего леса. Суть во влажности. Летом она гораздо больше. Так что высушишь хорошенько да потом нагелей почаще в венцы позабиваешь — чтоб бревна не гнуло, и все отлично будет.

Поверил я Вите. И действительно, когда высох лес, на срезах были «вот такие оранжевые апельсины».

«Эрики» мои между тем работали все медленнее и неохотнее. Если раньше на венец у них уходил день, то теперь неделя. То и дело приходилось заставлять их исправлять недочеты — то щель между венцами оставят, то норовят гнилое трехлетнее бревно положить. Хорошо, хоть рубили «в чашку», как договаривались, а не чистый угол, «ласточкин хвост». Чистый угол выглядит аккуратнее, да и делать его легче. Но углы потом на морозе промерзают — это тоже мне местные подсказали. А утеплять бревенчатый дом мне казалось абсурдом.

Наконец «эрики» закончили сруб бани и стали собирать его на фундаменте. Зачем понадобилась двойная работа — понять до сих пор не могу. И медлительность их бесила, но понять причин ее я не мог — ужели, думалось, не хочется побыстрее работу сделать, получить деньги, и домой — к жене и детям. «Эрики» же продолжали упрямо жить в палатке. Подходил к концу август. Денег на питание тем временем они уже выпросили больше половины обещанного за баню, и я решил притормозить финансирование.

Для сруба срочно нужен был мох. Братья Власовы пару раз привезли по куче, но этого было недостаточно. Как-то заставить, упросить, простимулировать их работать быстрее не было никакой возможности — они благодарно принимали деньги за очередную кучу и радостно впадали в праздник на неделю. Толя и Витя подсмеивались надо мной — не все продается за деньги, говорили.

Решили с отцом рвать мох сами. Всегда так — кажется неизвестное трудным, почти невыполнимым. Да и Власики убеждали меня — нет мха в округе, повырывали весь на дома. Только они, чудесные Власики, знают, где остались остатки сокровищ. На деле все оказалось гораздо проще. Стоило раз остановить машину в километрах десяти от деревни, у небольшого зеленого болотца, как оказалось — мох есть еще в лесах и на болотах. Много. Нескончаемо.

«Медвежий» мох, а еще его называют «кукушкин лен» — действительно сокровище. Длинные зеленые нити его, у корня становящиеся темно-коричневыми, — идеальный материал для строительства деревянного дома. Любые пазы, щели, прокладки между венцами, утепление потолков и крыш — вот места его применения. Он удобен. Он красив. Он пахуч чудесным лесным запахом. Он выделяет фитонциды, и никакой вредитель не заведется в доме, где венцы проложены мхом. Он, наконец, бесплатен. Для отца моего последнее очень важно, чуть ли не важнее всего остального. Он тоже наполовину карел и просто обожает, если где-то что-то бесплатно — мох там, камни для фундамента, дерево иногда.

Еще мох не любят птицы. Он им не нужен. Ни для чего. Покупную паклю же за одно лето они растаскивают на гнезда. И дом начинает светиться решетом. А мох они не трогают.

Мы стали рвать мох и возить его в багажнике моей «девятки» на стройку. За раз помещалось мешков семь, и этого хватало на пару дней работы. Решилась еще одна проблема. Вообще, занятие это оказалось одним из самых приятных за всю стройку. Тихонько шумел над головой усталый летом лес. Вились немногочисленные комары. Мягкое солнце грело лицо и спину. Мох рвался легко, целыми пластами. Он плотно и приятно ложился прядями в ладонь, и влажная земля с легким чавкающим звуком отпускала его. Невероятный, свежий и благородный запах лесной глубинной сути парил от земли, обволакивал тебя всего, пропитывал тело и душу веселой радостью. Ну и что — ныла спина от многочисленных наклонов. Пусть лес воспримет это как благодарность, как поклоны низкие ему за чудесное и бесплатное сокровище — «медвежий» мох.

«Эрики» мои сложили сруб на фундаменте и готовились делать крышу. Вопросов к ним было все больше. И сами они все чаще удивлялись. Зачем, говорили, сверлить отверстия под нагеля? Зачем вообще нагеля, когда чашка держит бревно на концах? Да нет, не разопрет сруб в стороны, обещаем, — говорили они, — совестью своей рабочей клянемся. Хорошо, что я давно уже не верил в высокие слова. Отец же мой мрачнел день ото дня.

Важно, говорил, чтобы крышу начали делать под присмотром. Чтоб опять не наворотили чего. Но мне пришлось уехать на неделю. Вернувшись же, позвал отца и поспешили с ним на стройку. Издалека было видно — белеют вознесенные в небо стропила, будто руки, скорбящие о рабочем человеке. Криво и косо они белели, эти руки. Вблизи зрелище было еще хуже — «эрики» решили быстренько собрать все на гвоздях. Пораспилили чудесные доски, которые с трудом привез недавно, поприбивали их прямо к бревнам. Вверху кое-как связали под коньком. И торопились уже делать обрешетку, чтобы быстрее шифером покрыть и отрапортовать успешно. Отец аж побелел, когда все это увидел.

— Кто же так делает? Кто на гвоздях собирает? На шипах нужно, тело в тело, на упорах — поползет иначе крыша, как масло растаявшее.

— Не поползет, совестью рабочей клянемся, — мрачно говорили «эрики».

— Не надо совести. Нужно сделать как положено. Как старики делали. Как в строительстве принято. Как по уму.

«Эрики» хмурились. Я, чтоб развеять окончательно сомнения, позвал Толю с Витей.

— Ну, мастера, — принялись хохотать те. — Нагородили чудес непрочных. Хорошо в городе строить умеют!

Даже нарисовавшиеся Власики блистали познаньями:

— Тело в тело нужно, на шипах. Сказал бы, мы б тебе сами сделали.

— Да с вас спрос еще хуже, — было обидно и непонятно. Я упорно искал логику и не находил ее. Сильно нс хотелось менять строителей в середине работы. Маячили сложности. Договорились так — «эрики» должны разобрать свое произведение. И сделать как положено. Иначе оставшейся половины денег я не заплачу.

Мы уехали, немного успокоившись. Когда через несколько дней вернулись — не было никого и ничего, ни «эриков», ни палатки, ни инструментов. Была только уродливая крыша, к которой никто пальцем не прикоснулся после наших разговоров.

— Ничего не понимаю, почему? Где разум? Где смысл?

— А вот где, — отец стоял в зарослях мелкого кустарника. Я подошел. Тщательно спрятанные, прикрытые мусором, там лежали — один, два, три, четыре мешка пустых бутылок.

— Вот и ответ. Деньги ты им платил потихоньку — они себе курорт тут устроили. Водочка, рыбалочка, свежий воздух. Вот лето и перекантовались. И хотели побыстрее финал сляпать, чтобы не успели разглядеть. И доказывай потом кому, чего? Еще, глядишь, время пройдет — за остатками денег заявятся, наглецы. Скажут — мы все хорошо сделали, а что после нас — не знаем.

— Как заявятся, так и отъявятся, — я был огорчен и зол. Больше потерь времени и сил, больше денег, больше обид мучила мысль — что ж мы за люди такие, русские, финны, не важно кто, живущие на этой земле? Что ж мы не хотим, не можем наладить все, сделать правильно и грамотно, по уму, чтобы стыдно не было за сотворенное? Что ж так нелепо и тяжело и бессмысленно все?

Отец оказался прав. Через месяц в городе меня нашли «эрики».

— Нужно бы расплатиться, — пряча глаза, сказали они.

— Ничего больше не получите, — я был зол и тверд.

— Сожжем, — с кривоватой улыбкой пообещали.

— Там же и похороню, — навсегда попрощался я с «эриками».

6

Подходило к концу лето. Вместо мечтаемых вначале дома и бани под крышами, полностью готовых к зиме, на участке сиротливо возвышался один сруб, кое-как доведенный до потолочных балок и брошенный. Даже теплого венца сделано не было, а на косые стропила глаза не хотели глядеть. Руки опускались сами собой, и лишь с детского сада привитая воля к борьбе помогала им шевелиться. У нас так — кто не борется, тот затоптан. Жалости и помощи не жди ниоткуда. Сам думай, сам делай, иначе путь твой короткий — помойка, бомжатник, могила.

Я начал все с начала — стал обзванивать строителей по объявлениям. То ли сезон подходил к концу, то ли так удачно сложилось — только очень быстро нашел новую бригаду. Молодые парни, лет по двадцать пять, брались за месяц все сделать — крышу на баню, сруб дома, крышу на дом. И за приемлемую цену. Видно, под зиму хотели еще заработать. А тут все на месте — материал, деньги, растревоженный хозяин — обстановка лучше некуда.

Договорились — денег вперед не брать, расплачиваться за каждый этап. Этапов пять — крыша на бане, сруб в три приема, крыша на доме. Правда, вначале и эти парни пытались меня убедить — дом первый год не на фундаменте собирать, второй год на фундаменте без мха, третий год перебирать и класть уже на мох. И каждый раз за отдельные деньги. Так у них гладко и обоснованно все получалось, что я сразу не поверил, — кладем все сразу: и на фундамент, и на мох, говорю. Ответственность моя, качество ваше. На том и порешили. Пришлось, правда, еще с жильем подсуетиться — в палатке парни жить не хотели, даром что молодые. Опять Витя посоветовал местного мужичка — у него дом второй пустовал, там и договорились разместиться за небольшую плату.

Это у матросов нет вопросов, у строителей всегда их навалом. И вид всегда обиженный. Их политика строительская такая — обижаться. Зная это, я опять же оговорил — все проблемы решать только со старшим буду, Вадик его звали, а они уж между собой пусть договариваются. И на бумажке это записали, да и описание работ кратенько — сруб высоты хорошей, балки половые, потолочные, теплый венец. Крыша — ломаная финская и на бане, и на доме, собирать на шипах да на саморезах где нужно — никаких гвоздей. Вроде все предусмотрели, и началась опять работа. Радостно это, хоть и сентябрь на дворе, а парни споро взялись, не то что «эрики». Бревна, правда, ругают — толстые мол, да сбежистые, да сучков много. За сучки отдельная плата, говорят. Я сразу к бригадиру — Вадик, материал смотрели? Сучки видели? О цене договорились? Ему и крыть нечем, сам с остальными улаживает.

Крышу банную в неделю разобрали да новую поставили. Хоть и молодые, а по уму все сделали — загляденье. Я расплатился сразу, а сам радуюсь тихонько — вдруг успеем до зимы, как планировал.

Сруб тоже быстро рос. Правда, нет в жизни полного счастья: главного строителя, второго после Вадика, Димой звали. Ох и неприятный тип. Все не по нему, все плохо, ноет и ноет. Правда, делает неплохо, так что терпеть приходилось. Втроем, а то и вдвоем бревно десятиметровое по каткам подкатят, на блоках наверх поднимут, на предыдущий венец положат. Дима черту положит с обеих сторон, потом бревно повернут, и бензопилой паз выбирают по черте. Паз точно по очертаниям предыдущего венца получается. Потом верхнее пазом вниз на нижнее кладут, где нужно топором или пилой добирают. И получается красота — бревнышко к бревнышку, как любовники нежные прильнут, нож не просунуть между ними. Потом опять верхнее поворачивают, мха побольше на нижний венец по всему периметру, и верхнее уже окончательно на место. Так споро работа у них шла! А сентябрь еще выдался яркий, без дождей почти, небо да ветер, вода в озере голубеет, листва желтеет, парни топорами стучат. По выходным охотники из города приезжали, машины у участка оставляли, сами по лесам вокруг ходили, постреливали. Так один рассказывал — в тетерева целился да стрелять не смог, твои работники, говорит, аккурат в створе прицела на срубе сидели. Вот такие места.

Вот если кто говорит сейчас — безработица, мол, работы нет, денег нет — я тому не верю. Сам вижу, знаю — работы огромное множество, строительной особенно. Научись, займись, сделай по-людски — и деньги будут хорошие, и сразу. Строиться сейчас многие хотят, а строителей хороших да надежных — полтора землекопа. Так что жаловаться не нужно, нужно делать.

Но уж Дима-строитель мастер был не только делать, но и жаловаться. Все не по нему, бедному, было, подо все своя теория подведена. И постоянно дополнительных работ искал, за отдельную плату. Это еще одна строительная причуда — дополнительные работы. Их считать тяжелее да проверять — куда как не сладкая возможность для заработка. Мох очень быстро кончался, не успевал я возить. Вот и предложили парни — сами рвать будем, тут в лесу неподалеку нашли. Согласился я, цену оговорили — сорок рублей за мешок. Работа еще быстрее пошла. Только уж количество мешков собранных стремительно росло. Я приеду — они: «Мы уже сорок мешков собрали, в сруб положили. Через день — еще сорок, уже сто. Пора бы за дополнительные работы платить». Тут уж я не выдержал, собрал их всех, Вадима привез на судилище. Взял мешок мха, набил плотно:

— Столько в мешок кладете?

— Столько, — отвечают.

Вытряхнул мох из мешка, на бревне ближайшем хорошим слоем разложил:

— Слой правильный?

— Правильный, — уже неуверенно отвечают, догадываются.

Я бревно, покрытое мхом, рулеткой измерил:

— Одного мешка на пять метров хватает, правильно?

— Неправильно, — встрял Дима. — Слой толще!

Понял уже, куда клоню, молодец!

— Ну как же толще, сами говорили — правильный. Теперь периметр делим на пять метров и умножаем на количество мешков. Получается пятьдесят, а никак не сто.

— Неправильно, неправильно! — кричат.

А чего кричать, когда все на ладони. Я Вадику деньги отдал и уехал. А они обиду затаили — слишком хорошо считаю.

И все-таки мы сделали это. С руганью, с хитростями, с хохотками, но к концу сентября баня у меня была под крышей и заканчивали сруб дома. Красоты все было неимоверной. На природную прелесть встало творение людское. Особенно дом был хорош — яркожелтые бревна возвышались ровными рядами, коричневый мох свисал из пазов медвежьей шерстью — дом даже издали излучал тепло. Над всем этим синело сентябрьское небо, по которому потянулись уже на юг косяки гусей. Некоторые из них снижались и долго кружились над моей поляной, но, завидев людей, снова набирали высоту и стремительно уносились прочь. Во всем этом была какая-то неземная, до слез в глазах, печаль. И радость в этом тоже была высокая.

Баня вышла на славу. Нужно было использовать весь отцовский лес, поэтому размеры получились внушительные — сорок восемь квадратов сама баня, да сорок восемь — веранда при ней, да крыша ломаная финская над всей площадью — считай, девяносто шесть квадратов — второй этаж.

Дом тоже был не маленький — семьдесят два метра первый этаж, семьдесят два — второй. Да веранду я в будущем хотел четыре на девять пристроить. Конечно, хлопотно самому строить. Но стоит прикинуть затраты да площади, а потом подумать про нынешнюю стоимость городских квартир, — многие вопросы тут же отпадают.

Парни между тем заканчивали сруб. Делали неплохо, нагелей достаточно вставляли, углы аккуратно вели, даром что молодые. Один только угол скривили, потом опять вровень выводили — не очень хорошо он получился. Ну и душу, конечно, всю вымотали разговорами о дополнительных работах — и не бревна, а баобабы попались, и сучковатые, сбежистые, нужно бы добавить. Я отмалчивался, вовремя платил по договоренности, ждал окончания работ.

Наконец последний день наступил. Договаривались в обед принимать работу, потом расплачиваться. Но когда мы с отцом приехали в деревню, парней уже не было — быстро собрались и уехали в город. Предварительно навели красоту — ровно отпилили торцы бревен по углам — и те засияли свежей желтизной. Выпилили дверные и оконные проемы (отец ругнулся — десять раз просили их не делать этого — сруб лучше садится без проемов, а если уж делают проемы — по бокам шипы вставляют, чтоб не расперло концы бревен). Радостное чувство мое потихоньку сменилось удивлением, недоумением, а затем и отчаяньем. Я залез внутрь сруба, встал на половую балку и легко дотянулся рукой до потолочной. Схватил рулетку — высота была всего два метра с небольшим. А усадка — минус десять-двадцать сантиметров. А полы-потолки — еще минус двадцать. В итоге высота комнат получалась бы метр восемьдесят максимум. Хваленые парни под конец заторопились. Или ошиблись. Или отомстили за все свои обиды напоследок.

Окончательный расчет был назначен на вечер. Собрались все четверо, потом приехал улыбающийся Вадим. Все предвкушали зарплату. Я оставался должен еще треть от суммы.

— Вадик, скажи мне как строитель строителю — сколько должна быть высота от пола до потолка? — отец не стал ходить окольными путями.

— Два десять — два двадцать, — Вадим благожелательно лучился добротой.

— А сколько тогда высота от половых балок до потолочных с учетом усадки, полов и потолков?

— Два пятьдесят — два семьдесят, — цифры чеканились наизусть.

— Тогда объясни, почему сейчас в срубе она всего два метра с мизером? И какая в комнатах высота получится? И как это понимать? И куда глаза ваши глядели, а мозги думали, — отец разошелся не на шутку.

— Неправильно, — закричал любимое слово Дима. — Договаривались тринадцать венцов класть.

— Какие тринадцать, — тут уж я вспомнил про записанные договоренности. — Договаривались, чтоб высоты нормальной был, а сколько венцов уложится — Бог знает.

Мы больше не стали спорить и уехали. Я только сказал напоследок, что денег не заплачу, пока не исправят все опять же по уму. И бригада печально выехала обратно. И возилась там еще неделю — разбирала балки и теплый венец, наращивала верхние венцы, собирала обратно. И все это не шло как дополнительные работы.

— Вот город, нагородил огород, — веселились Витя с Толей, а заодно и Власики. — Чем быстрее, тем ловчее.

А я опять думал о русском характере.

7

И вот — начало октября. И морозно по утрам, не сыро. Сухая выдалась осень, яркая и светлая. И стоят у меня баня под крышей и дом без крыши. А денег нет уже, кончились деньги. И смотреть обидно — лежит шифер, доски лежат, все готово, а работников нет. И платить нечем. И сколько заботы еще, если без крыши — углы укрыть, чтоб не промокли, доски в штабель сложить и тоже от воды спрятать, шифер с глаз долой убрать,

не ровен час — найдется отважный желаю-
щий. И сруб сам без крыши не сядет как следует. В ней ведь весу несколько тонн, да снегу
сверху навалит — тогда дом и выстаивается,
доходит. Старики говорили — нужно, чтобы
два года так простоял, а потом уж снаружи
обивать чем да внутрянкой заниматься. А так
еще год пропадет зря. Отец посмотрел на мои
метания, стенания послушал:

— Как-то ты по-барски рассуждаешь. Давай возьмемся да сами сделаем крышу до
снега.

А мне куда, я ни разу в жизни крыш не
строил, невозможное дело, нереальное.

Он смеется:

— Не наглядишься потом — так сделаем.

И решился я — не пропадать же трудам.
Да и местные меня подначивают, нехорошо,
говорят, на зиму сруб без крыши оставлять.

Кому кажется — легко это, пусть сам по-
пробует. Площадь этажа — семьдесят метров, да высота до конька — метров девять.
Отец решил — будем обвязку из вершинок
делать, тех, что от хлыстов остались. Вершинки — название хорошее, а так это бревна
трех-четырехметровые да толщиной — в ногу
носорожью, одному поднять — с большим
трудом, еле из приседа встанешь с вершин-
кой на плече.

Но взялись, заехали, у соседей пожить по-
просились. Стали делать. Мы с отцом с вось-

ми до шести работаем, мама еду готовит. Иногда брат приезжал помочь, а так вдвоем все.

Не знаю, первый раз в жизни я себя маленьким, глупым да послушным ощущал. Откуда отец все знал, вроде городской житель, хоть и с деревенскими корнями. Он потом, в процессе стройки, рассказал, как с дедом моим первый дом поднимал, после войны сразу. Как дачу строил через пару десятков лет, когда из обрезков помоечных все лепить приходилось. А теперь, говорит, радость строить — все есть, земля, материл, инструмент. Были бы деньги купить, а там — делай в удовольствие.

Вот и стали мы делать. Вершинки корим, на второй этаж веревкой затаскиваем — чуть не надорвемся. Там легче — по месту отпилишь, шипы на торцах сделаешь, в нижних бревнах пазы выберешь — встают колонны, что в храме афиновом. Сначала по углам, сверху длинными бревнами обвязали, потом под них дополнительные опоры подвели. Все на шипах, без гвоздей, тело в тело, как старики делали. Прочно — не расшатаешь. На продольные жилы да на конек пришлось, каюсь, пару молодых сосенок в лесу вырубить. Выбирали долго, таились — как бы не увидел кто. А перед тем как пилить, отец мох у комля отогнул, ладонями ствол обтер. «Извини, ты нам нужен», — говорит. Спилили их, ветки убрали, пеньки землей да мхом прикрыли. Стали к себе тащить — чуть не надорвались. Зато две прожилины хорошие да на конек одна.

Делаем — все по уровню, по угольнику — для себя. На конек вышли — там вообще красота и страсть — вниз не посмотреть, вдаль — дух захватывает от видов осенних. Когда так на коньке сидел — впервые поверил, что получится крыша, что сумеем.

Обвязку закончили, за стропила принялись. Выше стропила, плотники, выше стропил лишь космонавты. Из пятидесятки — толстой доски — делали их. На конек да на промежуточные прожилины, где излом крыши будет, короткие опирали с двух сторон, между собою гвоздями связывали сотыми, а так они на прожилинах просто лежали. Нижние же, длинные — одним концом в потолочные балки упирали, которые специально за сруб выпущены были. Да не просто упирали — тоже паз в бревне выберешь, туда доску, да еще «косынкой», короткой дощечкой, свяжешь всю конструкцию, чтоб не поползла крыша, не дай бог. Верхний конец к верхним стропилам прибивали, да тоже на прожилину опирали. Вот и получалось — давит крыша на внутреннюю часть балок потолочных опорами своими, а на внешнюю, что за срубом, — концами стропил. И уравновешивает вес. И не гнутся балки. А стоит все надежное, влитое, родное.

На стропила обрешетку положили, из «дюймовки». Почаще, досок я не жалел, но считал. Все по уровню тоже, по отвесу, да по нити натянутой — под шифер поверхность идеально ровной должна быть, иначе сломает его.

Но уж шифер вдвоем трудно класть. Позвали родственника из соседней деревни, Юру. Муж двоюродной сестры моей, свояк, что ли, называется. Он юркий такой, быстрый, умелый.

— Сколько должен буду? — спрашиваю.

— А, нисколько. Кормить-поить будешь, а больше ничего не надо, как родне не помочь?

Стали шифер класть. К нижним концам стропил по доске прибили, в горизонт, на них листы шифера нижние опираем. Верхние — внахлест, волна в волну, чтоб не перекосить. Так ряд за рядом и делали: двое наверху укладывают да гвоздями шиферными к обрешетке прибивают, третий внизу листы подтаскивает да на доски направляющие кладет, веревкой обвязывает, чтоб наверх затягивать. Споро дело пошло. Три дня прошло — покрыта крыша. Всего вместе меньше месяца провозились. Много отвлекались — на гусей смотрели, как они косяками нескончаемыми к югу летят. Такая красота, такая печаль и радость одновременные — слезы на глаза наворачивались.

Но чуть крышу покрыли, чуть начерно фронтоны доской зашили, чтоб снега внутрь не наметало, — тут и ноябрь пришел. А с ним ветер, снег, завьюжило, зарычало кругом. На следующий день только выехать успели с участка — сугробы уже наметало.

Уезжал я, оглядывался постоянно и не верил — неужели получилось все, успели, сделали. И за ранним сумерком, за линиями косыми снежного волокна зыбко, но твердо высились два желтых, солнечных даже в темноте сруба — успели.

8

Мне почему-то кажется, что сейчас очень важно — строить. Строить дома. Для себя. Не дожидаясь правительственных решений и не взирая на казусы внешней и внутренней политики. Потому что когда еще, как не сейчас. Самое главное — никто особо не мешает. Не нужно помощи, лишь бы дали вздохнуть спокойно. А что, не помните уже, как дачные домики можно было строить не выше скольких-то метров? А стройматериалов было не достать — у моего отца до сих пор на даче стоит дом, где пространство между обрезками досок на стенах туго забито тряпками. Сверху все оклеено бумажными обоями. Дом считается летним — на зимний не хватило ни денег, ни сил, бессмысленно тратившихся на доставание всего и вся, да и шесть соток земли не очень располагали к добротному строительству.

Сейчас строить можно. Можно купить землю, и она будет твоей. Можно заработать и купить стройматериалы, все, самые чудесные или самые простые. Можно внимательно рассчитать и взять кредит, который потом аккуратно погасить. Игра стоит свеч — дом твой будет гораздо дороже вложенных средств. Не нужно впрягаться в изнурительную ипотеку для покупки городской квартиры. Дешевле, проще, надежнее — строить свой дом.

И еще. Вы не замечали, что давно уже в строительных магазинах не протолкнуться? Их наполняют толпы людей, которые уже поняли. Вы не боитесь опоздать, остаться не у дел и после опять сетовать на судьбу? Я — боюсь.

9

Всю зиму я думал о доме. Он мне даже снился иногда — как стоит, заснеженный, с сугробом на крыше. Как тихонько потрескивает, садясь под тяжестью крыши и снега на ней. Как промерзает в сильные морозы, отдавая из стен последнюю влагу. Как прессует мох в швах, как движется по нагелям, испытывая на прочность фундамент. Как живет.

Первый раз весной ехать к нему было страшно. Еще на подступах я с замиранием сердца заглядывал за поворот — вдруг чего. И облегченно вздохнул, когда увидел две знакомые, в мечтах и снах уже много раз виденные крыши. Все было хорошо, все стояло на месте.

Еще прошлой осенью, беспокоясь за качество бревен на бане — все-таки пару лет они уже пролежали — и убежденный стремлением отца сделать побольше хорошо, но бесплатно, я покрыл стены бани снаружи отработанным машинным маслом — «отработкой». Сделал это и с нижними венцами дома, которые больше всего впитывают влагу и гниют. Баня у меня стала черной. Местные шутники сразу же окрестили ее горелой, но теперь, весной, когда стаял снег и пошли частые дожди — я еще раз убедился, что не все дешевое — плохо. Вода каплями стояла на бревнах и, не впитываясь, стекала на землю. Дом начинал становиться крепостью.

Второй сезон стройки обещал быть легче, чем первый. Все-таки самое важное — это поднять стены и покрыть крышу. А потом уже можно особо не спешить — на голову тебе уже не капает с небес. Но и сильно замедляться тоже не стоит — можешь утратить волшебный созидательный импульс, разлениться, застрять на каком-нибудь неинтересном этапе.

Во второй сезон я решил делать печи. Печь в доме в любом случае получалась большой — мне хотелось и русскую печку, как в доме у бабушки, навсегда запомнившуюся запахом и жаром, и камин в зале — он сам просился сюда, в комнату с видом на озеро. Хотелось и лежанку, чтобы дети могли понять мое детство и приобщиться к ни с чем не сравнимому уюту большой сухой теплоты. И плита на кухне была необходима — куда без нее. Получалось, что в одной печи должно было поместиться четыре. Сначала это казалось нереальным, но, подумав, поспорив, посоветовавшись с людьми, поняли — возможно. Нужен только хороший мастер.

Печь в бане я тоже хотел из кирпича, чтобы не заводская железка. Чтобы надолго — не прогорала и давала вид той вещественной обстоятельности, настоящести, которой так хотелось добиться. Мастер нужен был для двух разных печей. Хороший печник. Умелец.

Где его искать — я не представлял. Объявлений в газете было мало, и все люди уже заняты. Печная фирма для совсем богатых сразу заломила такую цену, что оставалось лишь недоуменно на них посмотреть. За одну работу они насчитали три тысячи долларов. И сразу предупредили — будет еще дороже. Вообще я не совсем понимаю теперешних богатых. Когда-то я был среди них. И тоже легко расставался с деньгами. Пока не расстался совсем. То ли это лень такая своеобразная — если невероятными усилиями заработал денег, то потом так неохота самому посчитать, поискать что-нибудь при строительстве — платят не глядя, сколько запросят. Этим, кстати, уже разбаловали современных строителей — суммы огромные, качество не гарантировано.

Я опять стал спрашивать по знакомым — кто, где, кому и за сколько строил печи. После опросов этих выяснил, что вполне смогу уложиться по деньгам в двадцать тысяч рублей за обе печки. Плюс стоимость материала. Такая цена была возможна и устраивала меня. Оставалось только найти человека.

И он нашелся! Через знакомых! Быстро!

— Петя чудесный, — говорили они. — На все руки мастер. И берет недорого. И родственник наш. Из Молдавии.

Чудесный Петя оказался крупным молодым мужчиной с явно выраженными южными чертами.

— Я не молдаванин, — сразу предупредил он.

У меня нет претензий ни к молдаванам, ни к прочим национальностям. Но все же я удивился:

— Неужели русский?! Такой чернявый южный русский. Не похож. Но русские все на себя не похожи.

— Я — гагауз, — разрешил Петя мои сомнения.

— Что это такое? — удивился я.

— Мы — славяне, но мусульмане.

Или:

— Мы — не славяне, но православные.

Или:

— Мы не молдаване и не любим их, — я быстро запутался в сложностях Петиного самоопределения.

— Ладно, получилась бы печка. А национальности любые интересны по-своему. Берешься за печку?

Петя брался. Грамотно разговаривал о ней. Приводил примеры собственных заслуг в печкостроении. Осуждал методы молдавской постройки печей. Рассказывал о виноделии, о своей жизни. Вел себя скромно и с достоинством. Вообще, казался чудесным Петей-гагаузом, мастером по печам.

Договорились о цене. У родственников его был дом в деревне неподалеку, так что вопрос с жильем решился. Питаться он тоже должен был у них. Все складывалось неплохо. Немного насторожили два высказывания Пети — о том, что в Карелии не умеют использовать такой ценный материал, как дикий камень. И что русский Ваня часто вообще нелепо все делает. Но я пропустил эти слова рано повзрослевшего на собственном вине Пети мимо ушей, списал их на тяжелую жизнь лишенных диких камней гагаузов.

Петя приступил к работе. Он действительно работал очень аккуратно и хорошо. Быстро уяснил конструкцию печи. Нарисовал, правда, ее с трудом, но бывшие милиционеры и не должны хорошо рисовать. Мы вместе ездили по магазинам, по стройбазам и выбирали кирпич. Огнеупорный нашли сразу, красный искали подольше. Я не слишком верю различным рекламщикам и их хитростям. Будь на их месте, я бы хитрил поинтереснее. Поэтому кирпич из известного теперь всей стране города Кондопога отмел сразу — знакомые сказали: не простоит и двух лет. А вот белорусский, чудесный, с гладкой облицовочной поверхностью, полным, без вкраплений и пустот, телом, сразу лег на душу. Сначала я думал, что хватит двух поддонов. Потом — четырех. В итоге на обе печи ушло восемь поддонов его, то есть две грузовые машины. Но тогда я еще не знал этого.

Начал Петя с фундамента под печь. Старый, полуразвалившийся фундамент в доме был. Петя принялся его восстанавливать.

Приятно было на это смотреть. Каждый новый камешек он аккуратно прилаживал к своему месту, вертел так и эдак, прежде чем посадить на раствор. Сделал по периметру опалубку, сплел из железных прутьев решетку, заложил ее камнями и мастерски залил раствором. Получилась мощная квадратная плита со стороной метр семьдесят восемь — как рост Христа. Во всем этом я увидел радостный знак. Несколько раз мы приезжали с отцом полюбоваться Петиной работой, вместе с ним ужинали, разговаривали о жизни, выпивали. Петя начал класть первые ряды кирпича. И потихоньку замедляться. Стал позже приходить на работу. Уезжать в город на какие-то гагаузские праздники. Отводить глаза при вопросах о сроках. Стал гагаузить не по-простому.

Хорошо, что я помнил урок «эриков». Быстро стало понятно, что Петя тоже из них. Или какой-нибудь недалекий, южный родич. Я разгадал его тайну и метод. Показав себя с лучшей стороны, он привязывал к себе клиента узами дружбы и мастерства, тянул время и начинал менять условия. В свою пользу, конечно. Лошадей не меняют на переправе, легче дать им лишнего овса — не был бы Петя гагаузом, по хитрости мог вполне сойти за карела. Но я разгадал его. И стал готовиться. Однажды, в очередной наш приезд, когда я взял с собой маму и жену, чтобы похвастать достижениями, Петя перешел в атаку. Разжалобив до слез женщин рассказами о тяжелой судьбе гагаузского народа, он отвел меня в сторону и зашептал страстно: «Я хочу не двадцать тысяч рублей, а тридцать! И помощника, чтобы мешал глину! И кто-нибудь должен мне готовить горячую еду!»

Хорошо, что я ожидал этого, — удалось не рассмеяться, хотя чудесно было Петино превращение из доброго гагауза в алчного печника. «Хорошо, я подумаю», — ответил ему, а сам принялся искать другого мастера. Невдалеке опять маячила осень.

Мне очень везет на хороших людей. Я часто встречаю их в жизни. Только встречи эти происходят в тот момент, когда кувалдой по голове — и уже по колени, по пояс в землю вколочен. То есть все просто — нужно довести себя до состояния такой вколоченности и уж потом спокойно ожидать пришествия хорошего человека. Он обязательно появится — проверено многими опытами.

Так и сейчас, стоило мне немного отойти от гагаузского предательства, как через знакомого доктора узнал о чудесном печнике Валере. Ну и что — лицо его имело следы былых возлияний. Зато он пять лет не пил совсем, и тому были свидетели. А хвалебными рекомендациями можно было оклеить не только печь, но и все стены моего дома.

Договорившись с Валерой, я с большим удовольствием сказал Пете «нет». Пусть простит меня наш общий Бог, но трудно иногда удержаться от радости, когда можно отвергнуть от себя златолюбивого предателя. Петя явно не ожидал такого выверта судьбы и пытался бороться, торгуясь, но «нет» было тверже кирпичей, которые он так и не начал по-настоящему класть.

Петя был вежливо изгнан с деньгами за фундамент, и к труду приступил Валера. Вот есть разница между словами «работа» и «труд». Первая — может быть по-женски коварной и изворотливой. Второй — плотен, честен, элегантен. Валера работал споро и весело. Не требуя помощников, сам месил глину, таскал песок, кирпичи. В каждом движении была отвага — то ли он пробирался с тяжелыми ведрами по узким мосткам, то ли обмазывал изнутри под русской печи, полностью залезши в него. Каждый кирпич он любовно наделял приготовленным раствором — и все без мастерка, руками. Хорошо хоть перчатки резиновые надел. Каждый кирпич ласково укладывал в ряд, предварительно несколько раз примерив, подготовив ему удобное место. Стройным замком быстро росла печь. Желтый кирпич внутри, красный снаружи — она вписывалась в мой дом как нужное слово в хорошую книгу. Работа может быть разной. Труд всегда красив.

Ни одного лишнего вопроса, ни одной претензии, ни капли жалобы не дождался я от Валеры. Закончив возводить красоту, он с достоинством получил деньги, мы крепко пожали друг другу руки.

— Гарантия есть? — не удержался я от вопроса.

— Для тебя — пожизненная, — иного ответа не было. Печник — гордое слово.

10

Уж если начало везти в жизни — какое-то время это будет продолжаться. Другой вопрос — нужно постоянно быть настороже — скоро может кончиться. Но уж и прыти не терять, пока все идет хорошо. От строевого леса, от тридцати восьми кубов у меня еще оставалось куба четыре. Нужно было срочно его спасать — еще год, и только на дрова. Сентябрь был в самом начале, денег немного оставалось тоже. Я решил пристроить к дому веранду. Пусть у бани одна уже была — но двадцать четыре квадрата будет маловато для игр и забав. У дома во всю его длину да четыре метра в ширину — сорок квадратных — уже серьезно. За два года я приобрел большой навык в организации работ, поэтому прежде всего кинулся опять искать людей. Пару городских бригад опять заломили цену, одна — дачные шабашники — почесали в затылках и отказались. Я поехал к Толе.

— Посоветуй опять — человек нужен хороший. Лучше два.

— Да вон к Ваньке сходи. Он мастер, когда не пьет, а пьет сейчас редко. Вон сарай у меня отгрохал какой.

Сарай, действительно по размерам напоминавший небольшой дом, был аккуратно и грамотно исполнен. И я пошел к Ване.

Собака во дворе грозно облаяла меня, затем замахала хвостом и подошла знакомиться. Я постучался в дверь. Бывают такие мужики, мужичары — называет их один мой друг, которые сразу чем-то располагают к себе. То ли глубокие морщины на улыбчивом, не старом еще лице, то ли ясные голубые глаза в сочетании с поджарой юношеской фигурой, то ли быстрые, но плавные движения — Ваня мне сразу понравился. И, хорошо в деревне, — можно без длительных предварительных рассуждений говорить о деле.

— Толя посоветовал, — Ваня понимающе кивнул.

— Веранда нужна, — тот положительно улыбнулся.

— Столбы, обвязка, крыша, — в глазах мелькнула прикидка к местности.

— Сколько платишь? — Деревенские никогда не назначают цену сами, ждут от тебя — вдруг ты чего-нибудь не знаешь и сам скажешь какое-нибудь непомерное число. Но я цены знал и назвал в два раза дешевле городских. Ваня обрадовался:

— Хорошо, — говорит. — Когда приступать?

— Да хоть завтра, все на месте.

На следующее утро Ваня приехал на своей старенькой «Ниве» вместе с местным помощником из пьющих. Один день тот походил, поковырял землю носком сапога и пропал.

— Ладно, один справлюсь, — Ваня не унывал. — С питухами этими дела не сделаешь.

И взялся. И стал делать. Все быстро и грамотно — душа моя радовалась. Залил бетонные основания, поставил на них столбы, заизолировав бетон рубероидом и пройдя торцы отработкой. Начал вязать обвязку. В одиночку ворочал бревна, помогать пришлось лишь с самыми длинными да с подъемом некоторых наверх, под крышу веранды. Единственный недостаток оказался у Вани — говорил он, не смолкая ни на минуту. Так очень быстро, в пару дней, я узнал, что родом он с Дальнего Востока, а здесь — родина жены, что по профессии и образованию строитель, что учился и служил, и строил, строил, строил. Что здесь ему нравится, но местные карелы — Толька с братьями, да и Витя туда же — местная мафия — ни мест рыбалки и охоты от них не добьешься, ни другого чего за просто так. А сами егеря да охотники — с мясом да рыбой постоянно, да картофель, да грибы с ягодами, да собак охотничьих выращивают на продажу — лаечек карельских. Да форель начали разводить. А все плачутся — живут бедно. Но это как любой карел. А еще я узнал, что дичи в лесах хватает, что щуку кое-где можно из дробовика стрелять, что камни для бани нужно темно-серые, гладкие брать, а не светлые, крупного зерна, и ни в коем случае не те, что в воде лежат — угореть можно. Много чего я узнал от Вани за недолгое наше общение. Быстро он работал и хорошо, пару раз со стропил на землю брякался да тут же вскакивал и опять наверх лез. Две недели не прошло, как все было готово — стояла веранда к дому влитая, стройная и крепкая — залюбуешься. Каркас из бревен вполохвата, крыша односкатная. Похлопал Ваня тяжелой ладонью по балке половой:

— Теперь, — говорит, — хоть танцы здесь устраивай, хоть теннис. А можно — бильярд.

— Можно жить в деревне, можно и зарабатывать. Не пить только да на лавке не сидеть, не стонать, что все плохо. Дело делать, — так он свою философию озвучил.

11

Я много встречал разных людей. Встречал говорливых и молчаливых, слегка безумных и тяжелобольных. Порой бесстыжих, умеющих пустыми словесами обманывать сих малых, им обещать, вести за собой, чтобы в нужный момент бросить, собрав с них толику свою. Встречал молчаливых, упорно ломтящих, делающих дело, но все без искорки какой-то, без царя в голове и Бога в душе. Мне неприятны и те, и другие. Но главное не в этом — главное, чтобы делать дело, двигать, словами ли, руками — безнадежную массу вещества, заблудшей души, прошлой неправильности и неправедности — все-таки к свету. Все-таки хоть немного, отчаянно, безнадежно, надрываясь — но к тому, чтобы стало чуть легче. Тебе, другим, многим. И поэтому мне нравятся люди — «делатели». Демиурги — будет слишком сильно для них, они застесняются и уйдут в тень. «Делатели» — лучше. Они работают, думают, ищут, и все в каком-то странном направлении. В хорошем. В том, где легкая утренняя полоска по темному небу. После их работы остаются порой отходы. На этих отходах пляшут, размножаются, кувыркаются словесно и телесно другие, которым удобней в темноте. Но мне они неинтересны, несмотря на все ужимки. Я люблю «делателей». И по всему этому, да еще и потому, что хватит уже плакать — мне кажется очень важным строить. Строить именно сейчас, именно здесь, на нашей земле, много пережившей и много разрух перенесшей. Строить, несмотря на неясность, на зыбкость, на непонятное будущее — оно всегда останется непонятным. Нужно брать эту землю и строить на ней. Строить для себя как отдельного представителя народа, желающего выжить, но не прозябая, а в поступательном движении. Строить, любить и потом защищать это от кого угодно — от реальных врагов и тех, кто пытается показаться ими, от ложных и злобных идей, от крайностей и брызганья слюны. Построить и увидеть, как о крепкие стены наших домов будет разбиваться и оседать мелким прахом та нелепая, непонятная и, в общем-то, жалкая сига, что все пытается вовлечь нас в ненужный и печальный хоровод. Нужно крепко строить.

Я дописал свою повесть и вышел на веранду бани. В доме еще только стены и крыша, а в бане уже можно жить. Внутри ласково и утробно вздыхала печка, под завязку наполненная ольховыми дровами. Озеро передо мной лежало матовым, чистым, как взгляд голубоглазой хаски, зеркалом свежего льда. Еще вчера в воде толклись мелкие льдинки и отовсюду, иногда казалось — с небес, доносились счастливые стеклянные звоны. Но ночное небо с выскочившими на прогулку мириадами свежих детских звезд не обмануло — ударил мороз, и озеро встало. Я осторожно ступил на гнущийся еще лед и отошел десять шагов от берега. Затем просверлил в тонком стекле круглую лунку. Присел рядом с ней и стал удить рыбу.

Послесловие

Прошла зима. Короткой оказалась она, малоснежной. И так бывает. Ранней весной я поехал в деревню. Всегда после долгого отсутствия ждешь изменений и новостей. Так водится в нашей стране, что обычно они бывают плохими. Но тут в глаза сразу бросился огромный штабель ярко-желтых, солнечных бревен, аккуратно сложенный в самом центре деревни, за магазином, перед озером. Словно вангоговы подсолнухи, слепили они глаза. Вокруг парил ясный запах живой смолы. Рядом крутились Власики. Тут же стоял Толин трактор.

— Здорово!!! — уже привычно заложило уши от могучего голоса вечного танкиста.

— Привет! Что за бревна? — как бывалый строитель, я уже оценил их ровную, яркую красоту.

— Собрали сход зимой. Решили — нужна церковь. Пошли к властям, убедили. Лес выделили. Сам таскал!

Вокруг почему-то было радостно.

Толин голос рушил остатки зимней дремоты.

— Будем строить! — кричал он.

С бревен испуганно взлетели гревшиеся на солнце вороны и, тяжело махая крыльями, улетели прочь.

ЗМЕЙ
(Голос внутренних озер)

...се, даю вам власть наступать на змей и скорпионов и на всю силу вражью, и ничто не повредит вам...

Св. Евангелие от Луки 10:19

Syö, syö — ruocci tulee[1].

Едем как-то с Колей по деревне, на моей машине (Коля на своей редко ездит, когда чужая надобность), и он мне говорит:

— Слушай, а что ты все про север пишешь, про Белое море? Пора бы уже и про нашу деревню написать.

Я степенно отвечаю, ведь с Колей иначе нельзя:

— Понимаешь, — говорю, — про север я уже многое знаю. Ездил, изучал, разговаривал. А про деревню еще не все. Да и что, юг у нас, что ли?

— Нет, север, конечно. Но это больше для пришлых. А для нас-то — юг.

---

[1] Ешь, ешь, а то швед съест *(карельск.)*.

Коля помолчал. Мы проехали еще метров пятьсот.

— А вот тут, в траве, пять бетонных столбов лежали. Все про них забыли. Так я их потом домой утащил, — горделиво, но неожиданно произнес карел.

— Видишь, я про столбы не знал. А знал бы — сам утащил. А ты говоришь — про деревню.

Коля довольно улыбается. Очень много про деревенскую жизнь я узнал у него.

Я начал строиться здесь пять лет назад. Сейчас уже и не верится, сколько трудов было переделано, сколько нервов и сил потрачено, сколько испытано новых чувств. Я тогда принялся за дело с задором отчаянья. Мы как раз разводились с женой, вернее, из последних сил пытались остановить неумолимо рвущееся, остановить хотя бы ради детей. Вот тогда мне и свезло негаданно — прикупил я у Коли красивый кусок земли у самого озера. Прикупил недорого, но и недешево по тем меркам. Все стороны сделки остались довольны. Коля тут же взял для своей супруги стиральную машину-автомат. Я же довольно рассматривал документы — люблю начинать с них. Отцовский опыт научил — он всегда начинал дела с бухты-барахты, потому и рушилось многое в итоге.

Кто же знал, что через полгода земля резко, прыжком поднимется в цене и Коля на время огорчится. Кто же знал, что на земле моей, которую местные называют «кививакайне», или «каменное место», окажется полным-полно змей, царство просто змеиное, а не рай земной.

Всю жизнь я ужасно их боялся. Два раза в жизни буквально цепенел от страха, когда видел извилистую стремглавость в траве. Не было и речи, чтобы убить, отпрыгнуть, убежать — каменным истуканом замирал я при малейшем подозрении на гада, ежесекундно ожидая от него прыжка, укуса или еще какого подвоха. Коля же, которому стал жаловаться на них, отомщенно ухмылялся...

Потом, правда, научил — как с ними бороться.

— Хоть и любим мы все живых тварей, но опять же непорядок — змеи на участке. Сама-то она бросаться не станет. Но дети бегать будут у тебя, наступят, не дай бог. Да к тому же, говорят, за убитую змею сорок грехов прощается.

Научил он меня подстерегать время, когда только-только весенние проталины начинают проступать. Кругом снег еще лежит, а на бугорки разные, на камешки оттаявшие начинают гады вылезать, греться. Они тогда вялые еще, сонные. Летом же не угонишься за ними, до того шустрые да неприятные. Вот и стал я на них охотиться по весне...

Раньше казалось — змея снега как огня боится, хладнокровная ведь. А теперь знаю — ничуть. Выйдешь на охоту по первому теплому солнцу, глядишь — лежат уже в разных местах и позах. И до того ужасные, даже в неподвижном состоянии — просто жуть. Лежат, греются, головка маленькая, тело гибкое, глазки острые. Тут нужно набраться мужества и резко с лопатой бежать и рубить без жалости. Иначе за секунду сообразят про опасность и в щель какую юркнут. А если резко, да голову отрубишь сразу — все, приехали. Правда, долго извиваться еще потом будет мерзко, но уж все — дело сделано. Кровь ее пойдет, ужас твой уляжется, примиришься ты с ней как-то. Неприятно, а что делать. Жалко, а надо. Я перед каждой извиняюсь потом:

— Извини, — говорю, — но вы должны понять — здесь теперь мое место. Здесь я теперь живу. Ступайте в леса, в болота, вдоль по берегу — места много везде. Но теперь здесь — мое.

Всего за три года восемьдесят штук убил. Лопата у меня специальная есть — змеебой называется. И за эти годы не то чтобы смирился с ними, бояться перестал — нет. Как-то понимать их стал, что ли. То, что нужны они тоже для природы, красивы даже. У меня они трех окрасок в основном — черные, серые, коричневые. Правда, этим летом одну ярко-оранжевую видел, маленькую, аж залюбовался. А приятель мой встретился неподалеку, в лесу, с огромной — больше метра длиной и толщиной с мужскую руку. Она даже убегать не стала, а к нему поползла, шипя угрожающе. Чувствовала свою силу. Он убивать ее не стал, прыгнул только очень далеко. Вот тебе и север.

Коля же все хихикает:

— Такая наша северная жизнь. Комары да птицы, звери да змеи.

Но советом помогает по-прежнему:

— Ишь, — говорит, — прорва какая. Ты еще попробуй по осени керосином их норы пролить, старики карелы так делали. Да траву по весне сжигай обязательно. Только осторожно — ветер выбирай, чтобы от леса к озеру. Да встречный пал сначала пускай, потом уж основной. Да пара-тройка людей чтоб в помощниках была обязательно, с ведрами и лопатами. А то — не дай бог. Но сжигать траву обязательно нужно. Глядишь, и клещей не будет, и змей окончательно победишь. Хотя как знать, как знать...

И уж потом, на вопрос мой о защите дома да бани от них, чтоб не залезли, опять с карельской усмешкой своей:

— Да не бойсь, не полезет она, где духом человечьим пахнет. Да и щели забьешь понизу досками. Змея — она тебе не крокодил ведь. Дерево зря грызть не будет...

Попривык я, попривык. И брачных игрищ их насмотрелся, и выходов змеенышей. И того, как однажды голова с коротким обрубком туловища долго, несколько часов ползла ко мне, чтобы отомстить и сохранить честь. Трудно в этом признаться, но даже почти полюбил их, где-то очень глубоко внутри. Потому что увидел однажды, как, испугавшись меня, из клубка вывернулась самочка и побежала вдоль берега. А вслед за ней бросились четыре разгоряченных, но тоже испуганных самца. А один, самый робкий, ринулся в другую сторону. Но быстро очухался, любовь сильнее страха смерти, и перед самыми моими огромными сапогами соскользнул вслед за остальными, боясь опоздать...

Как рассказывал мне однажды мой друг, писатель и охотник:

— Знаешь, я очень люблю зверей. Наблюдать за ними, изучать. Убивать их. Есть их очень люблю. Разговаривать с ними...

Единственно, еще хуже я стал относиться к людям. К одной неприятной категории. Которые на словах стали очень радеть за моих змей. Жалеть их. Говорили:

— Ну как же так. Это же все живые существа. Нельзя их убивать. Нужно косить траву, прогонять мышей. Они тогда сами уйдут.

Я им отвечал тогда:

— Мол, приезжайте, жалейте, любите, ловите и отпускайте в лес.

— Нет, мы боимся сами, зато знаем, как правильно. И постоим в сторонке, благостные.

Не люблю таких. Есть в них какая-то изначальная, глубокая ложь.

Зато сам, после долгих уже лет, знаю — никто никуда по своей воле не уйдет. Жизнь жестока, а смерть и любовь — две рядом стоящие вещи. Да и какой же рай без змей...

Что у меня тут рай — я понял очень быстро. Ибо каждой твари по паре на этом берегу. Вдоль него плавает ондатра и добывает ракушки со дна озера. По краю земли, иногда тоже ныряя в воду, пластично гуляет норка и ловит то рыбу, то мышь, то змею. В траве прыгают огромные зеленые кузнечики и осторожно вышагивают вальдшнепы. Иногда высунется из гущи ее подростковая голова коростеля, оглянется вокруг, откроет несуразный свой рот и завопит надрывно, будто режут ее. Низко в небе проносятся чайки, кроншнепы, цапли. На том берегу видно, как из зарослей лиственных деревьев то и дело взмывает ввысь пара черных журавлей. За всем этим свысока наблюдает парящий орел. Иногда, впрочем, он садится на столб изгороди и высматривает земную добычу. Зимой окрестные рябины объедают свиристели, снегири и прочие зеленушки. На снегу видны следы лисицы, которая искала что-то под баней, а потом убежала через озеро. К дому приходила ласка, тоже, видимо, за мышами. Осенью в синем небе пролетают голосящие гусиные стада, постепенно выстраивающиеся в стройные ряды. Парами реют лебеди. И вообще — я очень добрый истукан. У меня даже нет ружья...

Однажды даже заяц в гости приходил. Сидели мы с гостями из Москвы за столом, ели шашлыки, выпивали и наслаждались летним вечером, теплым ветерком с озера и отсутствием комаров, коих этот ветерок сдувал с поляны. Все было вкусно, прелестно, тихо. Вдруг смотрю — в траве что-то шевелится. Что-то слегка возвышается над ней. Я на всякий случай внимательно смотрю за различными шевелениями. Пригляделся — уши. Заячьи. Пасется заяц в трех метрах от нас, никого не боится. Я гостям осторожно его показываю. Они же, две заядлые пушкинистки, которые в любом живом существе видят проявление Пушкина, давай стучать по столу и кричать:

«Пушкин, Пушкин, Пушкин!!!» Заяц послушал это все и убрел печально в лес. Он по-прежнему чурался земной славы.

Девчонок я заранее предупреждал про змей. А они ничего не боялись. Раскинут покрывало в траве, в самом змеюшнике, и загорают целый день. Видимо, нет ничего страшнее жизни в Москве. Так за неделю ни одной не увидели. Я, правда, говорил, мол, не бойтесь, они не бросаются. Главное — не упасть на змею. Одна гостья, Наташка, постоянно везде падала. Способность у нее такая. Вот мы опасались — как бы не на змею. Но молодцом держалась. Только в конце уже своего визита вдруг упала на знакомого мальчика, который помогал ей из лодки выйти. Мальчик лежал и хохотал от радости. Тоже — загорелая змея...

Озеро очень красивое. Длинное, одиннадцать километров, и узкое, есть ли километр — не знаю, оно изогнутым восточным клинком вонзается в массив лиственного леса. Деревья, в основном береза и осина, осенью начинают сверкать золотом и киноварью, и лишь кое-где среди них возвышаются островками вековые темно-зеленые ели. Если видишь такой островок — знаешь: там был погост. Видимо, старые люди сажали их специально на кладбищах. Ель — дерево темное.

Называется озеро тоже интересно. Я спросил как-то у Коли, что такое «крошно». Он ответил — были, мол, в старину такие заплечные берестяные туеса особого плетения. Чем больше ягод ли, грибов ли, другой лесной еды клали в него, тем длиннее он становился. Вот и озеро такое же длинное, будто полное рыбой. Потом, на Белом море в селе Нюхча, в тамошнем зачатке музея, которые местные бабушки называли «хламной сарай», увидел и узнал, что есть и русские «крошни», доска с наплечными ремнями и держателями для тяжелого мешка, чтобы спине было прямее, легче при перетаскивании тяжестей.

По берегам Крошнозера лежат несколько деревень. Само Крошнозеро — самое большое. Ганганалица, название, берущее от «ганга», старинного долбленого челна. Там, по преданию, было сделано первое в Карелии кантеле. Горка. Рыбка. Спиридоннаволок. Ёршнаволок. Все деревни карельские, старинные, поэтому есть у них истинные имена. Тот же Ёршнаволок по правильному называется Кишкойниеми, где «кишкой» — ерш, а «ниеми» — наволок, мыс. Есть еще, вернее была, таинственная деревня Плекка. Сейчас на месте ее только буйнотравье да темные ели погоста. Куда она делась, почему сгинула — местные отводят глаза и говорят, что не знают. Лишь однажды Коля проговорился, что деревня была полностью раскулачена и выселена. Куда можно выселить из этого медвежьего угла?

В деревнях еще сохранились старинные двухэтажные карельские дома, покосившиеся, но могучие, словно те старики, что в былые времена расчищали поля от огромных валунов и вручную копали канал в каменистой почве, где сейчас бежит речка возле моего дома. В Горке стоит и старая часовня. Лет ей, говорят, столько же, сколько и деревне, а с какого года деревня — никто не помнит.

В озере рыбы нет. Теперь, пообщавшись с крошнозерскими карелами пять лет, я знаю, как нужно правильно отвечать на нелепый вопрос — есть ли в озере рыба. Так же, если спрашивают, где собрал столько грибов, ягод — нужно говорить: в лесу. Зверя, птицы тоже нет. Все плохо. Практически голодаем. При этом самое трудное — сдержать так и лезущую на лицо победную улыбку.

Но вот раньше рыбы действительно было много. Коля рассказывал, что в колхозе было две рыболовные бригады. И когда он шел со школы домой мимо рыбаков, те передавали ему для родителей рыбину, судака или щуку. Говорит, что часто не мог нести ее в руках из-за тяжести и потому тащил за собой по снегу.

Потом кто-то умный, пекущийся о счастье на всей земле, решил, что нужно осушить окружающие мелкие ламбы, бывшие нерестилищами. Для блага всего человечества поля важнее, а природа глуповата. Сейчас нет ни полей, ни нерестилищ.

Потом все тот же умный решил, что в озере нужно разводить ценную рыбу пелядь. Для этого — вытравить ядом всю остальную. Несколько лет пеляди было столько, что ею кормили свиней. Потом пелядь вымерзла, ее нет. Другой рыбы тоже нет — говорю я пришлым и осторожно улыбаюсь. Но и самому только через пять лет показали местные кой-какие места и кой-какие озера. Да и то, подозреваю, — не самые лучшие. Потому что пару раз брал меня Коля на рыбалку с собой. Так вот, не поймали мы с ним ни одной рыбины. Это для того, чтобы больше не просился.

Никогда не забуду, как пригласил он меня однажды поужинать. На ужин была самая вкусная северная рыба — ряпушка. Приготовленная по-карельски, с лучком, постным маслицем, в небольшом количестве воды на сковородке, она бывает так вкусна, что можно легко откусить себе пальцы рук, забывшись за едой. А когда Таня, Колина жена, уложит ее плотненько, брюшками кверху, чтобы весь сок оставался в рыбе —

тут останавливается мгновение, и ты находишь себя только уже перед пустой тарелкой. Так вот, едим мы свежую, только пойманную ряпушку.

— Откуда? — спрашиваю.

— Да с Лижмы, брат угостил, — Коля по привычке хитро улыбчив.

— Вкусная? — теперь он мне задает вопрос.

— Очень, пальчики откусишь, — искренне хвалю я.

Коля радостно смеется:

— Ну, городской, не едал ты вкусной. Послезавтра приходи. Я с Крутозера приеду. Но та на третьем месте по вкусу будет. А на втором — с Трутозера. А самая вкусная — с Глупозера. Только она поздно нереститься начинает, в декабре, уже подо льдом. Достать трудно. А ты говоришь — вкусная.

— А что, ты про каждое озеро сроки знаешь?

— Да знаю маленько, — Коля с трудом скрывает гордость. — А онежскую, вашу ряпушку, мы совсем не едим. Невкусная она.

Как можно после этого без мягкого юмора смотреть московские передачи, где умелые повара готовят из мороженой, полупротухшей рыбы французский рыбный суп? При этом один из них, я сам видел, советовал для пущего навара варить рыбу нечищеную, с чешуей и кишками, вырезав только жабры и глаза.

Ну, жабры, я понимаю, горчат. Но глаза-то зачем, глаза? Эх, дорогие мои москвичи, можно я вас именно сейчас расцелую...

Хорошо жить на берегу озера. Дикая вода — она живая. Не то что домашняя, в кране или там унитазе. В озере — то солнце мелкими смешками пляшет на волнах; то барашки пены опасливо бегут под сильным ветром; то стекло штиля вбирает в себя всю неохватность неба. Озеро меняет цвета, оттенки, настроения. Вода то прибывает, то убывает. Летом зеленеет, зимой белеет. Озеро постоянно с тобой, ежесекундно в твоих мыслях и чувствах, где-то на краешке души постоянно присутствует оно. А еще озеро разговаривает. Плеск волн — это понятно всем. Но вот поздней осенью, когда тонкий лед встал ночью, а под утро его сломало, и мелкие льдинки бьются друг о друга и о берег, и с озера доносятся прозрачные, хрустальные звоны. Или когда вечером, почти в полной темноте, с середины вдруг доносится звонкий пушечный удар, и ты гадаешь — щука ли, бобер, ихтиандр всплыл? А еще озеро говорит голосами живших здесь, работавших, любивших его людей. Это были совсем непонятные, невероятные теперь люди. Они двигали огромные камни, прорубали в лесах дороги, строили церкви и дома с помощью одного топора. Строили так, что нам теперь становится завидно; так, что не купить теперь ни за какие деньги, не возвести ни из каких современных материалов. Никогда в новом химическом доме не будет дышаться, спаться так, как в бревенчатом, деревянном. Этим летом, когда царила страшная жара, я зашел в полдень в свой не до конца, но почти уже достроенный дом. Я старался строить его по старым рецептам. Рецепты щедро выдавал Коля. Я зашел из пекла и удивился — в доме стояла прохлада. Без кондиционеров, без любых приспособлений. А еще здорово протопить деревянный дом зимой. Первый день будет прохладно. Будет даже немного холодно. Но это до тех пор, пока дерево не наберет тепло, пока бревна не станут греть приложенную руку. После этого можно лишь слегка подтапливать. Дом будет дышать вместе с тобой.

Голосами деревянных домов тоже говорят внутренние озера. Голосами построенных на их берегах церквей. Голосами темных елей погостов. Голосами смеявшихся на их берегах детей...

Тяжело жить в карельской деревне. Непривычно. Непривычно пришлому, местные-то каждый кустик, каждую тропинку знают, приспособились ко всем безумным обстоятельствам нашей жизни. И кто ж их осудит за это, когда не первый век страна ломает свою деревню, а все справиться не может. С хитрецой, с подвохом, с подковыркой, а деревенский мужик будет свою линию гнуть, свою правду иметь, будь ты хоть кто — злодей городской, а то и вовсе столичный житель.

Так и я — приехал дом подымать, а законов деревенских не знаю, не приучен. У нас ведь в городе по-другому, все нищие, богатые тоже плачут, а в подъездах по-прежнему гадят американские шпионы. А мужик все равно за свое держится, за землю, хоть и поотбирали все, а немножко есть. Вот и держится — и правильно делает.

У меня по границе участка протекает речка. Не речка даже — ручеек. В весну полноводный, с водопадиками, летом он почти совсем пересыхает. И задумал я недоброе — ставить забор, отгораживаться. Тогда и познакомился с Бородой.

Борода — мужик примечательный. Прежде всего внешне — широкая, окладистая борода, могучий живот, степенная походка. А самое главное — какая-то незлобивая рассудительность. Хотя и простым его не назовешь. Есть что-то дьявольски пронзительное в его маленьких глазках под густыми клочковатыми бровями.

Борода — не местный, всю жизнь мотался по стране, строил мосты. Карьеру закончил начальником мостоотряда где-то далеко в Сибири. Потом поселился здесь, в деревне.

Сначала был директором охотбазы, теперь — просто пенсионер, выстроил себе домик неподалеку от меня и живет там со своей бабушкой, которая старше его лет на пятнадцать. Но ничего, бодрая такая старушка. Говорят, она была кухаркой у него в мостотряде.

Мне нравится, как он общается с деревенскими, даже и со спившимися алкашами. Какой-то у него есть подход, что получается договориться. Они приходят, что-то делают — работа кипит. Я пока такого подхода не знаю.

А начиналось наше общение не очень хорошо. С того же забора...

Я как рассуждал — если граница участка проходит по речке, не ставить же забор посередине ее. За рекой — ничейная земля, лес. Вот я и думаю — поставлю забор по тому берегу. Радуюсь — будет у меня своя речка, нижняя ее часть — никто ею не пользуется, рыбу в ней не ловит. Только змеи мои ползают. Пошел у Бороды мнения спросить, сосед все-таки. Он говорит:

— Я не против.

Я тогда колышки для разметки забора забил, веселюсь. Наутро прихожу — колышки выдернуты, валяются рядом. Я удивился, вроде никого не было. Опять забил. Наутро опять выдернуты. Тут я насторожился, поехал к Коле за советом.

— Эвон чего захотел, речку ему, — обрадовался Коля.

— Так чего же, по бумагам моя вроде.

— По бумагам земля твоя. А речку не тронь — другим обидно будет.

— Я договорился со всеми.

— Вот и договорился. Не тронь речку, говорю. Если хочешь хорошо жить.

Я подумал-подумал и говорю:

— А вот смотри, через мой участок люди чужие ходят, палатки даже ставят, когда меня нет, костры разводят возле бани.

— Тут твое право. Ставь забор отсюдова. Пусть обходят. Нечего здесь чужим делать.

Странная логика, непривычная, не городская. Не советская. Деревенская какая-то.

Поехал я опять к Бороде:

— Слушай, — говорю, — решил я по речке забор не ставить. Пусть так будет. А от дороги загорожусь.

Борода внимательно посмотрел маленькими глазками:

— А и правильно. Подсказал кто?

Я говорю:

— Коля подсказал.

— И молодец, все правильно.

С тех пор зажили мы душа в душу. Борода себе тропинку через лес прорубил. Речкой вдвоем любуемся. А когда понадобилось ему электричество подводить, он ко мне пришел.

Столбы ведь я ставил да линию тянул — дорогое удовольствие оказалось.

— Слушай, — говорит, — сколько возьмешь, чтобы я к твоему столбу подключился?

Городская современная логика какая — посчитать затраты, разделить на количество столбов да и сказать сумму. Это если правильно. Неправильно, но тоже можно и часто — сказать сумму за всю линию, чтобы полностью окупить — деваться-то человеку некуда, все равно заплатит. А я подумал-подумал, наученный, да и говорю:

— Ничего не надо. Так подключайся.

Зато теперь, когда я в городе, каждую неделю звонит мне Борода:

— Я здесь. Все нормально, не беспокойся. Наблюдаю.

А я еду — пива ему баклажку везу. Водки он давно не пьет...

Вот не определился пока, нутром чувствую — какая-то более правильная жизнь в деревне. Вода чистая. Воздух вкусный. Холодно стало — пошел дров принес, истопил печку — тепло. Платишь за электричество только. Да и то — временно. Скоро батарею солнечную поставлю или еще чего из современного. Змею заметил — убил. В душе змея зашевелилась — в бане попарился, в прорубь нырнул, с людьми хорошими пообщался — ищешь — ау, змея, ты где? Не отзывается, спряталась. А чем меньше змей в душе, тем больше в ней любви и спокойствия. В городе же не знаешь, куда деться от этих гибких гадов. Кругом они — сверху, снизу, внутри. Нет, в деревне лучше.

Я говорил уже — раньше очень змей боялся. А потом Коля мне карельскую притчу рассказал. О том, что поспорили как-то змея и щука — кто из них до берега озера быстрее доплывет — будет на суше жить.

Щука сказала:

— Если я выиграю и буду жить на берегу — первым делом съем ребенка и барашка.

А змея ответила:

— А если я выиграю — никого не буду есть. Буду везде прятаться, чтобы меня не видели.

Услышал их спор Бог. И змея выиграла.

А я так и представляю — что было бы, если бы под каждым кустом сидело по щуке. Проходишь мимо, а тебя за ногу — цап всей пастью. Так что не очень я теперь змей боюсь. Только тех, которые внутри.

Когда мне дали первую литературную премию, я был очень горд собой. Как же — статьи, интервью, поклонницы. Впервые в Карелии. Лучший молодой писатель России. Вода и огонь позади, впереди лишь медные трубы.

Один раз нас с женой очень напугал старший менеджер одного из больших магазинов. Он внезапно набросился и с криком: «Вы прославили Карелию» — вручил мне карточку на скидку. Я вначале было отпрянул, но потом благодарно улыбнулся. Как улыбался ласково всем, кто приветствовал меня в барах, ресторанах и на улицах. Город у нас небольшой.

Я быстро привык к этому чувству. Но прошло полгода. И уже никто не узнавал меня в барах, ресторанах и на улицах. А я продолжал всем ласково улыбаться.

Именно в тот момент и подрался с карелами. У меня четверть карельской крови. Вся остальная — русская и белорусская. И очень почему-то не любил я всегда любого национального проявления. Мы — интернационалисты. И живем мы на бульваре Интернационалистов. И в армии заявление в Афганистан писали, чтобы три года в морфлоте не служить.

А тут в ресторане попались карельские музыканты. Как раз фолк-рок на подъеме был. А я не понимал этого. Русский — для меня это слово было заклинанием, заклятием, правдой. И сейчас также. Но тогда — вообще. На этой почве мы и сцепились, подогретые алкоголем. Не сильно и подрались — пара синяков да стол перевернутый. Но вызвали милицию, и меня, зачинщика, обласканного славой, выволокли на улицу. Положили на асфальт и наступили сапогом на спину. Я лежал и представлял себя белозубой змеей в окружении солдатской кирзы. А мимо шли люди. Некоторые из них узнавали меня.

— Здравствуйте, — говорили они.

— Здравствуйте, — отвечал я им, повернув голову.

Моя бабушка была чистокровная карелка. Отец ее, счетчик отделения банка, был расстрелян в тридцать втором году. Мать через два года умерла. Они с сестрой остались вдвоем — пяти и девяти лет. Их забрали в разные детдома. Только через десять лет они нашли друг друга — отыскали двоюродные дядья. Все они сильно пили. Отец мой рассказывал, как дядька Иван шел посреди улице и кричал изо всех сил: «Мене муноло, мене муноло!!!» К кому обращался, кого куда посылал?

Дед был кадровый военный. Он запрещал бабушке говорить по-карельски, учить языку детей. Так было нужно. Помню, она говорила только с соседками, когда деда не было дома. А еще помню ее заунывное «а-вой-вой», когда я добывал себе очередную ссадину или царапину. Бабушка мазала ее йодом, дула на рану. Потом поливала кусок черного хлеба растительным маслом, посыпала солью. Вкуснее лакомства не было.

Под конец жизни, подняв пятерых детей, бабушка тоже стала выпивать. Дед к тому времени уже умер. Выпив, она становилась веселая, еще более ласковая. Но слегка забывчивая. Однажды отец с братьями собрались на рыбалку на ближайшее озеро Шаньгима. Это было хорошее, рыбное озеро. Внутреннее. Бабушка положила парням еды, дала с собой кастрюлю.

На рыбалке братья хорошо поймали рыбы, сварили ухи на костре. Потом принялись бороться, в пылу — отломали кастрюле ручку. Пришли домой, вернули закопченную кастрюлю бабушке.

Та их похвалила:

— Молодцы, ребята!!! И рыбы поймали! И кастрюлю нашли!

Бабушке досталась страшная смерть. Миеломная болезнь — рак костей. Она кричала от боли не переставая, несколько дней и ночей. Эти крики и ласковое ее «а-вой-вой» — тоже в голосе внутренних озер...

Недалеко, в десяти километрах, есть еще одно озеро. Их вообще около пятидесяти в ближайшем окружении. Но это — особенное. Коля показал его мне только через три года после знакомства.

— Смотри, — сказал, — это хорошее озеро. Если оно тебя полюбит — всегда будешь с рыбой.

Я стал проводить на нем долгие часы, зимой и летом. И оно потихоньку открывало свои тайны. Становилось понятно — где стоит окунь, как ходит щука, за какой корягой притаился налим. Рыба в озере была удивительно вкусной — я уже научился различать ее вкус. Она была красивой — окуни темно-зеленые, с оранжевым жирным брюхом. Налимы почти черные, и что удивительно — чистые, без паразитов. Самыми же красивыми были местные щуки. Короткие, толстые, как обрубки бревен, они сверкали, вытащенные в лодку или на лед, своим ослепительно желтым брюхом. Зеленая спина была покрыта желтыми пятнами. Ярко-красные жабры бесстыже растопыривались на воздухе. Под стать им были широкие зубастые пасти, опасные и жалобные одновременно. Вытащенные на воздух щуки становились неуклюжими, хотя во всем их хищном очертании была стремительность и ярость. Они лежали и копили силы, чтобы затем в отчаянье сделать несколько сильных в безнадежности своей прыжков. А потом застыть и медленно умирать в чужой среде. Я всегда уходил с озера с рыбой...

Каждый раз, особенно зимой, я видел следы зверей. Порой целые драмы разыгрывались на льду. Вот спокойно бежал заяц. Вот из леса вышел волк и протрусил вдоль берега. Внезапно шаги стали шире, потом вообще огромными, он на лету повернулся на девяносто градусов, поскользнувшись, но удержавшись на ногах. Вот быстрая и короткая погоня, и несколько капель крови в конце. А здесь вокруг моей жерлицы всю ночь ходила рысь. Она прислушивалась, нюхала, видимо чуяла, что на крючке уже сидит рыба. После многих кругов следы, уходящие в лес, были совсем свежие. Видимо, она услышала, как подъехала машина.

Невольно вспоминались Колины истории.

— Там, на полях, — рассказывал он, — стая волков застала как-то подвывшего деревенского мужика, возвращавшегося домой из соседней деревни. Он принялся жечь стога сена. Но все равно не спасся.

— А здесь, — продолжал, — рысь накинулась с дерева на двенадцатилетнего парнишку. Тот пошел на охоту с отцом, но оторвался и ушел вперед. Хорошо, собаки были невдалеке и отбили его. Но с тех пор на спине, куда всадила зубы и когти лесная кошка, вырос горб.

— А еще как-то пошла бабушка в лес и наткнулась на голодного медведя, — он продолжал поглядывать на меня с хитрой улыбкой. — Тот набросился на нее, но хитрая старушка притворилась мертвой. Медведь закопал ее в листья, чтобы созрела, и ушел дожидаться пира. Тогда бабушка выкопалась и убежала к себе в деревню. Но все это давно, давно было. Лет пятьдесят тому назад.

— А сейчас? — я был не на шутку испуган Колиными рассказами.

— Сейчас редко кого встретишь. Волков в феврале только нужно бояться, тогда у них гон и они сбиваются в стаи. А медведь — разговаривай в лесу погромче да песни пой. Он услышит и сам уйдет. Это большое счастье для тебя, если кого из зверей в лесу встретишь — осторожные они, боязливые. А тебе — память на всю жизнь, природы дар.

— И вообще, — сказал вдруг нахмурившись, — самый страшный зверь — это человек. Человека бойся.

Бабушка — тоже человек. Бабушку бояться не нужно. Много их ходит по карельским лесам. Кто ягоды собирает, кто — грибы. Некоторые собирают птичьи перья. Видел сам, думал — зачем. В подушку там или куда. Но это сколько по лесу выходить нужно. Потом подсказали — колдуют бабки. Могут такую порчу навести — года не прожить. А могут ребенку жизнь легкой сделать, как перо. Недаром говорят, что даже цыганки карельских бабушек боятся.

Но мне другая история нравится. Опять же Коля рассказал. Была у него бабушка, его собственная, девяноста лет. Как-то зимой собралась она и пошла в лес по дрова. Срубила девять осин. Небольшеньких, но приличных. Сучья не обрубила — устала очень, на завтра оставила. По дороге домой зашла к племяннице, чаю попить. Та чай наливает, калитки на стол ставит, а сама все охает — тут болит да здесь жмет.

— Маня, а тебе сколько лет-то? — спрашивает бабушка.

— Да семьдесят уже!

— Так вот, запомни, Маня: семьдесят лет — лучший возраст для работы.

По берегам озера — три заброшенные деревни. Даже не деревни — пустоши. В одной стена дома еще стоит, да в другой — половина. А как представишь — как здесь раньше люди жили. Озеро — красивейшее. Вода — чистая. Воздух — молоко парное, а не воздух. Рыба, зверь — пища не чета нынешней, химической. Один квас репной чего стоил!

Я сам не пробовал, Колина жена, Таня, рассказывала. Репа хорошо раньше родила. Сеяли ее на горелых делянах, землю поскребут немного, даже не вскапывают, а потом — урожай богатый. Репу чистили, резали, сушили в русской печке. Потом, по надобности, замачивали, бродила она с сухарями да сахаром, а может и без. Рецепт утрачен. Осталась память о вкусе. Но как Таня говорит — вкуснее не было напитка. И в жару, и в холод, и в веселье, и в горе. Хочу репного квасу!!!

В каждой деревне были часовни. Да и в лесу скиты стояли. И старого обряда люди были, и нового. Куда все делось, куда ушло? Вот только Коля рассказывал — ничего от часовни нельзя брать — грех. Кто в Ёршнаволоке колокола с церкви снимал — всех на войне поубивало. А позже один с лесной часовни дверь забрал да в хлев себе повесил. И сам через полгода повесился...

А колокол один, рассказывают, упал с колокольни и покатился под горку. Покатился-покатился, и в воду. А там глубина сразу. Искали долго его потом, ныряли. Но так найти не смогли. И лежит он теперь где-то глубоко-глубоко. И звенит тихонько от водяных струй. И звон этот тоже — в голосе внутренних озер...

Помимо рыбы, птицы и зверья, богатство местных лесов — грибы. Правда, деревенские их не сильно жалуют. Есть они, нет — не особо огорчаются. Ягоды для них гораздо важнее. Их и продать можно хорошо, если излишек. Нам же, городским, подавай грибов. Вроде и пользы от них особой нет, одно баловство, но мы уже привыкли — ощущения превыше пользы. Потому что уж очень вкусно — маринованный боровик да под водочку, а супчик из сушеных подосиновиков — перед ней. И опять же — красота и азарт. Недаром собирание грибов тихой охотой кличут.

Они хороши любые — лисички, волнушки, подберезовики, подосиновики, грузди. Но лучше всех, конечно, белый гриб. Найти его — счастье искателя! Что-то есть невыразимое во всем его облике, в плотности ножки, коричневости шляпки, во всей гармоничной надежности очертаний — что заставляет учащенно биться сердце встретившего его на лесной дорожке. Их редко бывает много, обычно найдешь несколько штук посреди пестрой грибной братвы — и уже рад этому. Так всегда было у меня, пока я не построил дом в деревне, на берегу внутренних озер. Пять лет деревенские берегли от меня свою тайну. Даже Коля молчал плененным, но гордым партизаном. И только через долгие эти годы ткнул как-то пальцем в неприметную дорожку, что среди густых кустов тихонько сворачивает с асфальта. И я на свой страх пустился в путь по ней.

Хорошо, когда есть у тебя хорошая лесная машина. Она, с большими колесами и мощным мотором, — твой друг и помощник в рыбалках твоих и походах. Она очень помогает тебе, и ты любишь и любуешься ею за это. Потому что во многих местах не побывал бы, многих красот не увидел, не будь ее у тебя.

Так и здесь — сначала достаточно ровная и сухая, дорожка вдруг стремительно и круто вздернулась прямо в небо, взъерошилась большими камнями. Тяжело урча, переваливаясь с боку на бок, словно настойчивая черепаха, машина медленно взобралась на высокую сопку. Сразу за вершиной ее дорога так же резко ухнула вниз, в болото, где стала вдруг огромной лесной лужей с непонятной глубиной и замшелыми берегами. Машина с опаской переползла и через лужу. Потом был еще подъем, покруче первого. Затем — снова вниз, но уже по сухому сыпучему песку. И вот — последняя сопка, и взору вдруг открылись огромные дали болот. Лес изменился по волшебному мановению, исчезли осины и березы, и весь склон горы устроился высокими корабельными соснами. В порывах небольшого ветерка медленно качали они своими гордыми зелеными головами, и сквозь их нечастые ряды было видно, как далеко внизу, на многие километры, простирается безбрежие болот, а где-то совсем вдалеке мелькает веселой синевой еще одно озеро из ожерелья внутренних озер.

Перестояв, перетерпев несколько минут эту дух захватившую красоту, я медленно спустился по песчаной, желтой и сказочной, дороге с горы, прямо к самому краю болот. Остановил машину и вышел. Хлопнул дверью и вздрогнул от громкого хлопанья крыльев. Совсем рядом взлетели с земли четыре огромных и черных глухаря. В свежих лучах поднимающегося солнца, сквозь еле уловимую взглядом дымку утреннего тумана они медленно и тяжело полетели вдоль кромки соснового леса, к далекому солнцу.

А я принялся собирать грибы. Вернее, сначала я стал их искать. И по печальному опыту приготовился к долгому хождению по лесу. Оно не утомляет, нет. Оно само по себе удовольствие. Идешь, дышишь чистейшим воздухом, густым, пряным, вкусным, как родниковая вода после парилки. Глаза отдыхают на сочной зелени листвы и хвои. Красные стволы сосен стоят как путеводные столбы — от одного к другому, замечая дорогу. Пружинистый мох тренирует ослабшие от городской жизни ноги. Ты идешь по лесу и чувствуешь, как наполняешься новыми силами от родной природы. Все это звучало бы слишком высокопарно, если бы с возрастом не начинал понимать — правда. Даже истина в одной из последних инстанций — ничто так не помогает человеку, не прибавляет душевных и физических сил, не лечит душу красотой, — как общение с близкой природой. Мать она наша, мать, несмотря на достижения химии. И как пришли, произошли от нее, так и уйдем в нее же. Каждый лично...

Грибы, к моему удивлению, стали попадаться сразу же. Да не простые — истинные красавцы-боровики. Не успел я и десяти метров отойти от дороги, как сразу встретил большую семью. Стояли они, то тесно прижавшись друг к другу, то немного поодаль — но все кряжистые, крепкие, словно упрямые, тренированные солдаты. К ногам их жались маленькие детки. Веселые подростки разбежались и играли со мной в прятки. Иногда я несколько раз проходил по одному и тому же месту, прежде чем высмотреть маленькое бурое пятнышко среди мха, которое на поверку оказывалось краем шляпки подросшего уже наглеца. Длинные ноги свои, которым зачастую мало было охвата мужской ладони, они тоже прятали во мху, и приходилось глубоко погружать руки в тревожную и влажную прохладу. Так и казалось, что вот-вот кто-нибудь хватит зубастым ртом за руку неутомимого пришельца, но до поры обходилось.

За полчаса я набрал два больших, пятнадцатилитровых, ведра отборных боровиков. Дальше пошли подосиновики, но я уже относился к ним снисходительно, несмотря на броскую их красоту. Прочие же грибы вообще обходил стороной.

Приятная тяжесть, истома образовалась в ногах и плечах. Я никуда не торопился. Ходил по лесу, как по парку, любовался им и собирал чудесные грибы. Даже комары не очень мешали — махнешь раз-другой рукой, и стая их развеется на время. Да в азарте и отмахиваться порой забываешь.

Я давно заметил — комары, мухи, прочие кровососущие, которых так боятся не привыкшие к нашим лесам столичные гости, — изрядные психологи. Чуть приедешь на новое место, лес ли, болото, выйдешь из машины — они огромной ревущей, жужжащей, свистящей тучей накинутся на тебя с криками и улюлюканьем. Им кажется, и часто обоснованно, что ты впадешь в ужас от их дикой злости, что в панике разденешься догола и побежишь по лесу, все сметая на своем пути. Вот тогда они и насытятся вдоволь тобой, не смеющим сопротивляться. Такова природа всякого страха и расчет тех, кто пытается управлять. А если спокойно — отмахнулся, срезал веточку с дерева, при полном оголтении — брызнул пару раз на лицо и шею репеллентом — глядишь — уж нету никого. Все куда-то разлетелись по своим делам, лишь десяток самых отважных, не боящихся быть прихлопнутыми мозолистой рукой, продолжают виться рядом, без всякой надежды на успех. Поневоле пожалеешь их — голодные, да еще и размножаться нужно.

И вот иду я по тропинке обратно к машине, рассуждаю о насекомых. А прямо рядом с ней еще один красавец гриб стоит. Чуть припрятался за пеньком, но размером и статью солидный — грех не заметить. А я помню же — вот здесь я стоял, рядом, здесь еще мох ворошил — вон и следы остались. Как пропустил, непонятно. Прячутся они, будто живые и смышленые. Потому и радость такая, когда все-таки найдешь.

А он стоит, подбоченился — раз уж на глаза попался — чего теперь теряться. Теперь всю молодецкую стать показать нужно, очень это по-русски — назвался груздем, полезай в кузов. Да понарядее полезай, с подвывертом, чтоб запомниться. Вот и мой новый знакомец — шляпа набекрень, нога изогнута, весь подбоченился — словно ухмыляется насмешливо, молодой лесной хулиган. А корень глубоко под пенек уходит, там — то ли нора, то ли просто расщелина. Вот я, страх от радости потеряв, туда руку и сунул. Было, правда, какое-то сомнение зябкое в душе, но уж азарт пересилил. Но ничего, обхватил корень ладонью да и вывернул с усилием и хрустом. Достал на поверхность, дух перевел — вроде без эксцессов обошлось. Стал чистить ножку ножом, от земли налипшей освобождать, а сам шагнул шаг в сторону — туда, где подо мхом нора и проходила. И наступил на змею...

Всегда это самое страшное — представить, как наступаешь на змею. Она ведь только в этом случае и кусает в основном. Потому всегда в резиновых сапогах ходишь. Чтобы не дай бог. Я и тут в резине был. Но и сквозь нее почувствовал всеми вдруг обострившимися чувствами, как она забилась под подошвой. Я всегда думал, что она извиваться начнет, скручиваться кольцами и кусать беспрестанно. Нет, забилась, как рыба, вытащенная на берег, мелкими такими судорогами, конвульсиями. И кусать никого не собиралась — ей бы лишь ускользнуть обратно в спасительную нору, вырваться, жизнь спасти.

Это я потом уже все понял. А тогда прыгнул в сторону метра на два, не выпустив, впрочем, гриб из рук. Прыгнул и чуть не стал мужчиной от ужаса во второй раз в жизни. Очень сильное чувство!

А Коля змей совсем не боится, спокойно ходит по лесу, по своей земле как посуху. И медведей не боится, брал их пару десятков. А что еще меня удивляет в этом грубом деревенском мужчине — пойдем с ним на рыбалку, так по дороге букетик ландышей наберет и домой потом жене несет...

Все это я почему-то быстро вспомнил, когда совсем близко к машине подошел. Где час назад ходил — смотрю, мох весь выдран, метров на трех квадратных. И зверем пахнет. А я за грибной охотой и песни петь забыл. Забыл, что Коля говорил: смотри, осторожнее там, Миша ходит. Тут уж я запел во весь голос, мол, люблю тебя, жизнь, что само по себе и не ново. Лес очень удивился моему ору, покачал головами сосен, ухмыльнулся. Никого я поблизости не заметил, прыгнул в машину, благо рядом была, и поехал в деревню в сильных и благородных чувствах. А на заднем сиденье важно покачивались два огромных ведра с отборными боровиками.

Пора, наверное, Колину внешность описать. А то все словечки да внутренний мир. Прибаутки разные. Ехали как-то зимой на рыбалку, в лютый мороз, под тридцать градусов было. Он и говорит:

— В прошлом году в такой же мороз тещу хоронил.

— Тяжело, наверное, было, — я рулю, но разговор поддерживаю.

— Еще как, землю кострами грели да ломами долбили. Да камни огромные ковыряли — то-то радость, — как-то не очень много трагизма в его голосе. В этом весь Коля — неожиданный. Вроде про печальное, а сидит, усмехается своим мыслям: — Глубоко маму закопал. Не выберется теперь...

Внешность у Коли такая же обманчивая, как и внутренность. Нутро же его хитрое просвечивает сквозь голубые глаза. Вроде сидит серьезный, а в глазах всегда — хитрый блеск. И любопытство. Коля очень до всего нового жаден. Хоть и пожил сам немало, а по-детски удивляется:

— Да ты чо?! Да не может быть!

И пустяк вроде рассказываешь какой, про Интернет там, про политику — слушает внимательно. А потом сам начинает говорить пустячные вещи:

— Пошли мы с братом на медведя. Поле вспахали предварительно, овсом засеяли. Лабаз наладили. И пошли. Ночь лунная была, тихая. И глядим — пять медведей разного размера на поле вышли. А один — огромный. И весь седой. Мы его захотели взять. А он пасется — и не подходит на выстрел. Как будто знает. Не достать, и все. Мне брат говорит — иди, мол, по канаве заросшей, с той стороны, шумни маленько. Он от тебя ко мне пойдет. Я пошел.

— Без ружья? — я весь внимание, интересно мне это, ни разу не был.

— Ружье-то одно на двоих. Пошел я, пошел потихоньку по канаве. Обошел почти поле. Немного там пошуршал. Смотрю — а медведь не от меня, а ко мне пошел. Ну тут я немного струхнул. Но виду себе не подаю, иду от него. И он тоже не торопится. Так проводил меня до места, где предел выстрелу, повернулся и обратно. Как знал. Так мы и не взяли никого тогда.

Я восхищен, а он лишь посмеивается. Но не врет — вон сколько фотографий с убитыми медведями. Самая главная — где Коля медвежью лапу себе на голову положил, ладонью на затылок. А когти до самого Колиного подбородка свисают. Вот и подумаешь.

— Не, я не боюсь. Ни медведей, ни змей. Я вообще — счастливый. Столько зверья за жизнь повидал! Столько рыбы поймал! Дай другому Бог!

Я люблю париться с Колей в его бане. Баня у него отменная. Лучшая, что я за жизнь пробовал. Парилка с мыльным отделением вместе. Стены бревенчатые, подкопченные. Между ними — мох. Под нижними венцами, под порогом — береста. Все по умному, по старому. Огонь через камни проходит. Потому первый ковш воды на каменку — чтобы сажа слетела. Зато потом пар такой горячий, чистый и легкий, что часами в бане сидишь. Ни усталости, ни напряжения — сплошное удовольствие. Да еще прорубь большая выбрана в десяти метрах — бежишь туда, к тропинке ступнями примерзая, и по лесенке — в черную воду. Жуть, а удовольствие такое, что заново рождаешься каждый раз. И — опять в жаркое чрево...

Над банной дверью висит дощечка выскобленная, на ней — карельские слова, записаны, как стихотворение, столбиком.

— Коля, чего написано? — спрашиваю.

— Когда сам прочитать сумеешь — тогда и у тебя баня хорошая получится, — смеется над моей русскостью, но нс зло, по-братски как-то.

Я в баню, бывает, опоздаю на час — пока со своей заимки по сугробам выберусь, так и тут Коля подденет:

— Русский час — два часа, — говорит.

Паримся мы долго. Раз по пять ныряем в прорубь. Хлещемся веником. Мылом да шампунем Коля брезгует:

— Зачем мне эта химия? Я и так пять раз на неделе парюсь. Да купаюсь столько же. Куда мне?

После бани идем ужинать. Никогда он меня не отпустит, не угостив. Как ни отнекиваюсь. Но уж устоять трудно. Таня, жена его, выставит на стол из печки калитки ржаные с картошкой. Или ряпушки полную сковороду. Или щуку сегодняшнюю жареную. Или котлетки из лося. Или сало домашнее, самодельное.

— Не, наврал, — смеется, радостный, — сало в магазине купил, белорусское.

Я его тоже как-то раз хорошо поддел. Привез с Белого моря кусок семги угостить. Он попробовал.

— Не, — говорит, — слишком жирная. Я нашу щуку больше люблю.

Через полгода я опять на север съездил. И уж такая мне семушка попалась отличная, восьми килограммов весу. Посолили ее, да и растаяла во рту, родителям лишь досталось. И приехал я к Коле, рассказываю ему, какая семга вкусная была, сказочная просто, мясом оранжевая, соком текущая, вкуса неземного.

— А мне чего не привез попробовать, — Коля аж обиделся слегка.

— Так ты же не любишь, — говорю.

— Кто сказал «не люблю», — от удивления у него щелки глаз приоткрылись широко.

— Да ты сам полгода назад сказал. Щуку, говорил, больше любишь!

Водки Коля совсем не пьет. Ни капли. А уж раньше пил крепко. На трактор, говорит, залезть не мог. Но понял потом — или пить, или жить. В деревне все дома наполовину — или кривые да опущенные — пьют там беспробудно. Или нарядные да веселые — там уже свое отпили. А Коля теперь только воду из-под крана употребляет — у него в колодец насос опущен, она живая льется. Да еще чаю много — какой карел без чая.

— А тебе можно еще пока, — говорит. — Еще здоровье позволяет. Но уже недолго.

Вот такая у Коли внешность — маленькая, крепкая, хитрая маленькими мудрыми глазами. Да и внутренность у него такая же, неглупая. Есть там змей...

Три года он не показывал мне это озеро. Все отнекивался — я сам, говорит, не могу сейчас, а один ты не найдешь. Или на другое какое пошлст. Или на зимнюю рыбалку возьмет, да протащит на лыжах по паре ламб через сугробы. И за день поклевки не увидишь — сам перестанешь проситься. Наконец сдался. Собирайся, съездим на выходных, — совсем печально сказал. А было от чего печалиться — будто царевну заповедную незваному гостю показывал. А она такая красавица да скромница — лишний раз подуть страшно — как бы не навредить. Но ветерок ничего, не боится, то и дело ласкает водную гладь, спустившись с высоких сопок, что строгой стражей стоят вокруг.

Озеро все изрезано мысами. Посреди него разные острова — то большие, со своими ламбами посередине, то совсем маленькие — несколько деревьев стоят — вот тебе и остров. Есть болотины по берегам, есть и высокий лес. Речка маленькая впадает. Есть большие травяные пустоши — где деревни стояли. От одной сейчас полдома бревенчатого осталось. Да от другой — последняя стена стоит, еле держится. И думаешь невольно — почему? Почему так в этой стране? Ведь совсем рядом, совсем недалеко, на таком же точно севере живут люди веками на своей земле. И за века все у них устроено, обихожено, в порядке все и согласии между человеком и природой. А у нас — вчера с одних мест согнали за невесть какие заслуги. Сегодня по-другому мучают. Завтра вообще не пойми что будет. Не любим мы друг друга, не братья, а враги смертные. Вот и лежат у нас пустоши там, где раньше стояли деревни.

Зимой хорошо видно — сколько зверья вокруг. Зайцы, волки, белки. Росомаха порой прошлепает по берегу да перейдет на другой по тонкому льду. Лось прошастает размашисто через поляну. Хорошо хоть мишки зимой спят в основном. Если зимой на снегу след медвежий заметишь, да и ранней весной тоже — осторожней смотри, у голодного разума нет, даже звериного.

А еще следы рыси есть. Я один раз ее живьем видел. Ехал на машине по дороге уже к городу. Смотрю — собака большая перебегает. Желтая такая, с куцым хвостом, боксер или бульдог американский. Вот, думаю, кто-то в лес собаку выпустил, недотепа, волки ее быстро возьмут. А она перебежала дорогу, на обочине обернулась, и зеленью изумрудной блеснула глазами в свете фар. И кисточки на ушах успел заметить.

Ходит рысь по местным лесам, ходит.

Коля тоже рассказывал — раньше охотники маску на затылок в лесу надевали, с глазами и ртом. Потому что пройдешь, не заметишь ее на дереве, а она затаится, и глядишь — не решится броситься под пристальным взглядом неживого лица.

Собаки местные наши — карельские лайки. Маленькие, рыженькие, словно лисички. Только хвост колечком. Но злобные, чуть что — куснут не задумываясь. А тут приезжаем к Коле с отцом, а у него возле дома вертится щен подрощенный. Быстрый такой, прыгает — ластится. Коля с Таней из дома выскочили. — Держите, держите!!! — кричат.

Мы бросились его ловить. А он ловкий, выворачивается, играет. Наконец поймали, на руки схватили. Коля подошел, глянул:

— А-а-а, это не наш, — говорит. — Отпускайте.

Собачка эта подросла потом, ничейная бегает по деревне, а то и по лесу. Не боится никого, ни волков, ни людей. И ласковая, не злая. Хорошая собака.

— Бери его к себе, — Коля мне советует. — Не охотник уже, но охранять хорошо будет. Гляди он какой — умный и смелый.

Я жене рассказал, она смеется:

— Ну прямо как ты, — говорит.

Собаку я не взял, куда ее в город. А в деревне я еще на постоянку не поселился. Но про смелость и ум ее часто вспоминал. Потому что самому ни того ни другого не хватает порой в лесу. Особенно на внутренних лесных озерах. Ведь пойдешь на рыбалку по первому льду или по последнему — тот трещит, гнется, стреляет пушечно. Это тоже в грозном голосе внутренних озер. А ты все равно лезешь по нему, не думаешь о плохом. Такая уж это страсть — северная рыбалка.

Или следов когда кругом звериных — тоже жутковато городскому. Идешь, озираешься, коловорот в руках поудобнее сжимаешь — лишь бы чем отбиваться пришлось. Но Коля смеется тогда:

— Если, — говорит, — ты медведя или волка хоть раз за всю жизнь увидишь — это огромное счастье тебе. Потому что к природе прикоснешься. А так — не дадутся они взгляду, осторожные и хитрые очень. Зверей в лесу бояться нечего.

И вот идешь зимой по лесу. Иногда на лыжах, чаще — так, тропинку торишь, недалеко обычно ходишь, если места знаешь. Идешь и налюбоваться не можешь. Словно сказочные терема стоят деревья под снегом. Будто в величавом, неспешном хороводе склонились кусты. Все движенья плавные, куда взгляд кинешь — везде узоры да росписи. А солнце выглянет — заискрится все кругом острыми морозными звездами! А зайдет за тучку — опять неспешный плавный танец затянутых в тяжелую парчу деревьев. Да еще пара черных глухарей вспорхнет с грохотом при твоем приближении, да полетит вдаль по делам своим — то-то красота. Ласково в зимнем лесу. Если дорога не дальняя, мороз не сильный, да знаешь — куда идти...

А еще хорошо зимой — змей нет. Зато щуки навалом. Особенно в этом озере. Только научиться ловить ее нужно. Способ нехитрый, а действенный.

Сетями я ловить не люблю, да и не умею, честно сказать. Есть в этом что-то неправильное — сеть воду цедит, словно левиафан сквозь зубы пропускает, все живое себе оставляя. Не честно это как-то, механически. Вот жерлицы — другое дело. Их и поставить нужно правильно, на места, которые опытом узнаешь. И наладить грамотно. А щука схватит, поманит, посопротивляется тебе хорошенько да и уйдет обратно в озерную глубину, сорвавшись. И останешься ты словно Емеля — у разбитого корыта.

Есть в этом хорошая борьба, есть знание того, что не просто так тебе озеро добычу отдает — лишь в награду за труд и усердие. А нет — так просто красотой насладишься.

Вот и отправились мы зимой вдвоем с приятелем на заветное озеро, что Коля показал. Шли долго, по сугробам лезли, по тропинкам плутали. На озеро вышли — там не легче, снег по колено, под ним вода надо льдом, ветер с острым снегом поднялся. Намаялись в тот день. Но хорошо, живцов наловили да поставили пару десятков самоловок. Еле до темноты домой успели — хорошо, десять километров — не сто. Ночью спалось плохо — все мнилось, как хватает сейчас живца на жерлице большая щука — сказочная рыба. Как стоит потом в темной глубине неподвижно, решая — вырвать с корнем ли проклятую снасть или потихоньку внатяг отойти, чтобы лопнула от напряжения звенящая леса. Было так несколько раз — срабатывал внезапно красный флажок на самоловке и начинала крутиться катушка: чем ближе ты подходил — тем быстрее. Еще быстрее, еще. Я опять просыпался среди ночи и снова засыпал, валился в сладкое ожидание поклевки. Даже во сне не отпускала меня большая рыба, в этом было ее щучье веление.

Наконец наступило утро. Погода заладилась, ветер стих, и небо стало ясным. Правда, подморозило весьма, и стало понятно — придется долбить лед в лунках, плохо присыпанных накануне снегом. Где с вечера поленились — там с утра потрудились.

Добрались до озера. С утра шлось легче, чем вчера, — бодрил окрепший морозец, подгоняло ожидание удачи. На лед выскочили вприпрыжку, тщательно вглядываясь в даль...

Нет, пожалуй, более щемящего чувства, чем на зимней рыбалке ждать появления, выстрела жерличного флажка. Ярко-красный на белом снегу, он весь — символ надежды. Так же трепещет на ветру, так же лишь обозначает возможность — ведь вся борьба еще впереди. Так же, как и она, — лишь призрачная иллюзия возможного счастья, ведь что такое рыба, по большому счету — еда, добыча, мираж. Или все-таки призрак нашего далекого счастливого прошлого, когда мы были понастоящему свободны.

Я как-то читал, что спорили о рыбалке два нобелевских лауреата по литературе. Хемингуэй кричал, разводил руки, обозначая рыбью величину и мощь. Стейнбек же спокойно заметил:

— А мне никогда не нравилась рыба, которая не помещается на сковородку...

На ровной и белой ладони озера ярко реяли несколько флажков. Что-то происходило здесь ночью. Что-то трагическое и великое. Пока я выбирался из лесных сугробов, приятель мой уже снял одну небольшую щучку со своей самоловки.

— Травянка, травянка, — возбужденно шептал он, — пусть маленькая, но вкусная. Их много тут.

Я подступил к ближайшей своей жерлице. Вокруг лунки было много следов. Слишком крупные для волка, круглые, кошачьи. Рысь. Она полночи ходила тут, чувствуя, что внизу, в глубине, что-то происходит. Что-то важное, возможно — вкусное. Сама жерлица была свернута на ребро. Катушка полностью размотана. Кошка трогала лапой? Или такой силы был удар снизу, что выбил из лунки пластмассовый круг-основание. Сердце мое билось медленно и спокойно. Я не верю в большую рыбу. Я не люблю, когда она не помещается на сковородку.

Медленно, но сильно потянул за леску. Она у меня надежная, можно не бояться. Сначала вообще не шла. Зацеп, — подумалось обреченно. Но в следующую секунду напряжение ее чуть ослабло, леска медленно двинулась. Осторожно я подтащил к лунке что-то невероятно тяжелое, свинцовое. Нет, деревянное, было слышно, как оно снизу ударяется об лед. Твердый, древесный звук доносился из-под полуметровой толщины. Точно, зацеп.

Снасть было жалко. Выхода виделось два — порвать леску, прогнать прочь копеечную надежду — что там стоят крючок и поводок. Или попытаться спасти ее, а вместе с ней и трепещущую часть души — поклевка ведь была.

— Чего стоишь? Раздевайся, лезь рукой в лунку, — мой приятель возбужденно и безопасно припрыгивал рядом.

— Слушай, я боюсь. Может ты — лезь?

— Не, снасть твоя. Я тоже боюсь.

Я обреченно снял куртку, свитер. Остался в одной тельняшке. Повыше закатал рукава — голый торс зимой в лесу смотрелся бы совсем противоестественно. Душу бередили рассказы бывалых — один напоролся на собственный крючок, застрял и чуть не замерз, другому рыба откусила полруки. Вода в лунке предательски чернела...

Я трусливо лег на лед и сунул руку в омерзительно холодную воду. Пройдя пальцами по леске, нащупал какую-то длинную корягу. Скользкая, холодная, вся в тине, она, впрочем, была ровной и длинной. Палка? Нет, кол. Длинный кол от летней самоловки. Или от сети. Я медленно, маленькими рывками стал подвигать его подо льдом, стараясь нащупать конец. Из носа текло. Глаза слезились от холода и ужаса. Мокрый тельник леденил подкожную кровь. Ко всему поднялся ветерок с поземкой...

Всему в жизни бывает конец. Закончился и самый длинный кол в моей жизни. Я осторожно завел его толстый, в обхват ладони, конец в лунку и поднялся на ноги. Дальше стало легче. Вытащил на лед три метра черной, пропитанной илом древесины. Леска бородой была напутана на нее. Но не кончалась, а снова уходила в воду. Стихший было от холода азарт снова погнал кровь по жилам. Согретый им, не успев одеться, я снова потащил лесу. На том конце ее кто-то тяжело шевельнулся.

— Слушай, что-то есть! — крикнул я приятелю.

— Да что там, сеть наверно, старая, да щука с килограмм. Думаешь, на десять там сидит? Не бывает такого, — он самовлюбленно проверял свои самоловки, вытащив еще одну травянку. — Тащи давай!

Медленно-медленно шла толстая леса. В глубине было несколько невнятных шевелений. Или ленивых шевелений — я не разобрал. Леска опять встала.

— Опять стоит! — обескураженно крикнул я приятелю.

— Сеть ко льду подошла! Снова лезь, — он видел все сквозь лед.

Хорошо, что я не успел одеться — не пришлось снова раздеваться. Второй раз это менее приятно. Почему-то. Всегда. Снова по леске пальцами прошел в глубину. Руки едва хватало на толщину льда. Сразу под ним нащупал металлический поводок. До крючка оставалось десять сантиметров. Глубина молчала.

Я окончательно струсил. В любую нору страшно пихать часть своего тела. Вдруг там ядовитые зубы. Снова поднялся на ноги. Еще раз потащил за леску. Она стояла мертво. Каким-то наитием отпустил ее на полметра. И снова потащил. И вдруг она пошла. Пошла все быстрее и быстрее. Я быстро перебирал руками, а сердце замирало в предчувствии обрыва лесы. Обрыва не было. Вместо него в лунке вдруг показалась огромная зубастая пасть. Ярко-красная, широко открытая, с белыми острыми зубами — я чуть было не отпрянул в ужасе. Но как-то получилось преодолеть страх, и незнакомым для себя, вдруг отточенным движением я подхватил под жабры огромную щуку и вытащил ее на лед. Она на секунду замерла, освобожденно распластавшись на белом снежном покрывале, но тут же забилась, подпрыгивая, свиваясь кольцом и выгибаясь — яростно, страстно, обреченно...

* * *

— Помнишь, щуку тут поймал зимой, большую? — Мы с Колей сидим у горящего костра на берегу. В пяти метрах тихонько плещется вода о прибрежные камни. Ночь светла. Комаров разогнал дым, и мы наслаждаемся теплым воздухом, горячим чаем и дружеской беседой.

— Помню. Толстая такая, как поросенок. Полюбило тебя озеро.

— Как так — полюбило?

— Да вот, рыбу какую дало. Может, первый и последний раз в жизни, — он печально вздохнул. — Хорошее озеро, доброе. Не слышал, чтобы утонул здесь кто.

Озеро согласно приборматывает мелкой волной. Потом вдруг раздается громкий, пушечный удар о воду. Я вздрагиваю.

— Не бойся, бобер шалит, — Коля жмурится от дыма или от удовольствия. — Вкусный бобер. Копченый особенно.

— Да ты угощал меня. Почками. Я тогда еще московскому другу СМС написал: «Сегодня ели почки бобра».

— А он чего?

— Ответил завистливо: «Всегда, всегда, мой друг, иди дорогою бобра».

Посмеялись. Поспел чай. Он круто забурлил в солдатском закопченном котелке. Коля бросил в кипяток заварку и поставил на землю к огню — настояться. Вкусный пар пошел от котелка. Внутри созрел вкусный цвет.

Коля с сербаньем прихлебывал из кружки.

— Вот ты рассказывал, что землю не продал бы мне, если б не карельские корни. Почему? — как-то стал меня интересовать этот вопрос.

— А чего. Если карел — природу будешь любить. Жалеть ее. Пришлый — не будешь.

— Да я как-то никогда не думал раньше об этом. Карел — не карел. Русский я. Вон бабка только карелка была.

— Значит, и ты — карел. Я же вижу, — Коля усмехнулся. — И характер говнистый. И сам прижимистый.

Я засмеялся. Мне было хорошо сидеть ночью у костра в лесу.

— Ты вон завтра сходи в старую деревню. Посмотри, как люди жили, — Коля махнул рукой в сторону недалекого древнего дома.

— Да как жили. Как все.

— Э, не скажи. Карелы — особый народ. Их даже викинги боялись.

— С чего ты взял? — я искренне удивился. — Не слышал такого.

— Читал тут. Как дети пяти карельских племен Сиггуну захватили и сожгли, первую столицу викингов. И ворота потом в Новгород принесли. До сих пор в Софийском храме стоят.

— Ну ты даешь! — Коля в очередной раз меня озадачил.

— А ты думаешь, мы в деревне глупые все. Поймешь потом — свобода только здесь и осталась.

— Да ладно, свобода. Вон пьют все кругом.

— Не все, а половина.

— А половина почему пьет?

— Хотят жить как свиньи, вот и пьют, — Коля стал сворачивать тему, не хотелось ему дальше рассуждать почему-то. Может, свое что.

А я вдруг стал думать и вспоминать. Ведь помимо поддельного спирта, помимо зимней скуки, помимо дикого капитализма — есть еще что-то, более глубокое, более нутряное, важное. Я вспомнил, как умер от суррогата мой младший деревенский дядька, еще при развитом социализме. Толя, а кличка почему-то Сидор, я его и дядей никогда-то не звал. Помню, как летом, будучи еще салагой, он пытался выцарапать себе наколку: «Нету лета без июля. А июля без любви». А потом потерял интерес к жизни и спился. Помню, как повесился мой средний деревенский дядька, тогда же, еще в счастливом прошлом. Он был самый активный из братьев, самый талантливый. После службы в десанте (Чехословакия — про Афганистан тогда и не думали) он вернулся в деревню. Женился, родил троих детей, хватался за многое. И все вырывалось из рук. Ему как-то явно не хватало свободы, он хотел жить хоть с маленьким размахом, а ему не давали. Он много ругался со всеми, с начальством колхозным, с родными. А потом тоже подсел на стакан, разочаровавшись. И повесился, удавился однажды на дверной ручке. Записку жене оставил: «Заберу тебя с собой». Через месяц у тети Тани мгновенный цирроз, коллапс печени, смерть — даже врачи удивлялись. Осталось трое малолетних. Вот такие мои карельские воспоминания из детства. И дальше стал я думать, благо Коля уже дремал у костра. Что, думал я, сильнее и страшнее государственного устройства, поддельного спирта и зимней лени? А потом понял — ложь. Которая уже век есть наше государственное устройство, независимо от названий. Ложь и нелюбовь.

Потом я заполз в палатку и заснул крепким сном. Голос озера баюкал и располагал...

Утром громко пели какие-то лесные птицы. Сквозь ткань палатки просвечивало солнце. Коля так и проспал всю ночь у костра, в палатке душно, говорит.

Я стал выползать наружу. Осторожно потряс снятые в тамбуре сапоги — не дай бог кто-нибудь извилистый забрался. Затем выпростался из палатки и глубоко вздохнул.

Всей грудью. Воздух был еще сыроватый. Но очень вкусный. Роса на траве и роса на прелых листьях пахли по-разному. Первый запах бодрил, второй — пьянил тленом. Оба они смешивались, и я пил утренний воздух как дорогой коньяк. Они были похожи сложностью — воздух и коньяк...

Коля уже кипятил чайник, ладил завтрак. А я решил сходить в старый дом, про который говорили вчера.

— Смотри, через полчаса пойдем на похожку, — Коля крикнул, не оборачиваясь от молодого костра. Деревенским ставить сети можно. Городским — нельзя. Это я так думаю.

— Успею, — я быстро зашагал по траве.

Мы очень богато живем. Потому нам многого не жалко. И мы бросаем, не жалея, людей и вещи, оставляем дома и целые деревни. Нам не жалко. Или жалко? Но невозможно оставаться там, откуда с корнем рвут злые ветра. За что же держаться, чем противостоять? За что деревья держатся корнями?

Вот и думаешь порой: была бы у людей реальная своя земля — разве можно было бы их выковырнуть с нее? А так — опять ничья, брошенная, ненужная.

Всегда печально входить в нежилые дома. Даже восхищение тем, как в них, старых, все было умно устроено, меркнет перед обреченностью — они-то жили и надеялись. А мы знаем, как все произойдет. Вот и здесь, в древнем заброшенном доме, стоящем на берегу чудесного озера, я стоял и оглаживал руками бревенчатые стены. Как ладно было все подогнано! С какой любовью, вручную напилены половые плахи вполбревна — до сих пор ни щели, ни зазора! Как сделаны дверные косяки и оконные рамы — все руками — и тяжкий труд рождал красоту. В доме много чего сохранилось. Стояли у полуразрушенной печки две широченные лавки из толстых плах — напрягшись, я лишь слегка смог приподнять одну из них. Около, на полу, валялся глиняный умывальник с двумя носиками. Стояла рядом раскрашенная красной и зеленой красками большая кадушка для грибов или капусты, и обручи у нее сделаны были из ивы. В сенях, в углу, притулился веселый пук деревянных грабель — белые, отполированные ладонями, они хоть сейчас были готовы в работу. Я взял одни и удивился неземной легкости их — пушинка, а не грабли. Даже коса лежала около дома, с проржавевшим лезвием, но с удобным карельским косовищем, где две ручки — для правой и левой рук, а само косовище плоским концом опирается на плечо — так ладно обкашивать камни в нелегких северных полях. А рядом с ней, прислоненный к бревенчатой стене, стоял железный кованый обод от тележного колеса. Крепкий и надежный, весь в следах от дорожных камней северных дорог, он знал прошлое и будущее. Колесо — это круг.

Много чего еще было в доме. А самое главное — был дух. Он никуда не делся, не ушел. Дом многое знал и понимал про людей. Он никого не обвинял. Он ждал — люди должны вернуться. Не бывает пустым святое место. И словно в подтверждение этих надежд позванивало от ветра под потолком кованое кольцо для люльки. Не колокол, но колоколец. Никогда не говори никогда.

Я потрогал его рукой. Оно было теплым. Потом оглянулся и увидел на подоконнике кованую пряжку от конской упряжи. Подумал и зачем-то взял ее с собой...

Я вернулся в раздумьях, а Коля уже нетерпеливо ерзал в лодке, торопился плыть. Ему незачем были эти мысли, он и так все знал. Про землю, лес и озеро.

— Давай, давай, на весла, некогда тут, — он торопился, дома еще дел невпроворот. Лето.

Я погреб за наволок, где с вечера стояли Колины сети. Пока греб, сквозь тяжелое свое дыхание слышал на озере посторонний звук. Но внимания не обращал — жужжит и жужжит, может, самолет какой пролетает. Коля же внимательно вглядывался в даль.

— А вот он! Ты гляди чего делает!

Я оглянулся через плечо. Рядом с Колиным порядком крутилась надувная лодка. Красивая и новая, ярко-серого цвета, она ужом вилась возле деревенских сеток. Дорогой мотор был поднят. Двое мужиков в лодке явно торопились. Не по лесному нарядные, они воровато перебирали чужую сеть.

— Вы чего творите, демоны? — на старой, но ходкой деревяшке мы быстро и нешумно добрались до гостей.

Те встрепенулись. Но увидев обычную лодку, заулыбались змеиными улыбками.

— Чего надо, мужички? — Один, постарше, был совсем уж ярок, на выданье, эдакий столичный Робинзон Крузо.

— Ничего не надо. Чужое брось, — в лодке гостей трепыхалось несколько рыбин.

— Да ты что, карел, охренел, что ли? — Молодой был совсем без понимания, быстрый и гибкий.

— Где чужое? Тут все общее, — старший пытался про диалектику. Мы не успевали сказать ни слова. Гости напористо наступали. Молодой был совсем злой, гад такой.

— Сейчас на берег выйдем, морду обоим набью, аборигены херовы, — из них так и перло московское счастье.

Я поразился спокойствию Коли. Сам-то уж давно сжимал в руках тяжелое весло. Тот же медленно подтягивал надувнуху к деревянному борту:

— Не выйдешь ты на берег.

— Как не выйду? — опешил гибкий.

— А так. Я сейчас ножом ткну в твою лодку, — в руке Коли внезапно появился охотничий нож. — До берега не доплывете. А мне ничего не будет — на сучок напоролись.

Гости занервничали.

— У нас, у херовых карелов, это называется — положить в озеро, — Коля продолжал рассказывать местные правила.

Пришельцы думали быстро:

— Да ладно, мужики, чего вы. Пошутили мы. Не со зла, — затянул заунывную песню старший. Младший же молча выкинул в воду живую рыбу и завел мотор. Коля оттолкнул от борта лодку гостей и махнул рукой, то ли прощаясь, то ли отмахиваясь. Заревел мотор, и пришлецы унеслись прочь. Рев этот был чужим. Его не было в голосе внутренних озер.

— Вот так и живем, сами себе не хозяева, — но я лишь молча греб, успокаивая внутреннюю ярость.

Я довез Колю до дому. Быстро выгрузили снасти. И я уехал. Длинная серая дорога изгибами вела к моему дому. Сложные чувства боролись внутри. А тут еще в машине музыка играла, на карельском языке пели. Знакомый музыкант дал послушать. Тот, с кем дрались когда-то. А сейчас я слушал эти песни, и слезы наворачивались на глаза. Не знаю, почему.

Остановил машину у деревенского магазина. Захотелось выпить зеленого — погасить разброд. Зашел внутрь. Там вилась небольшая очередь.

Впервые в жизни поздоровался не по-русски.

— Терве![1] — сказал всем стоящим внутри...

---

[1] Терве — здравствуйте *(карельск.)*.

ДРУГАЯ РЕКА

Ох, и смешно же мне, братие, теперь, хоть и прошло времени совсем мало. Смеюсь я слезами, и ветер острый срывает их у меня со щек и бросает в море подобно дождю мелкому, ничтожному. Смеюсь я над собой, над чаяньями своими, ожиданиями и надеждами, ибо не то человек существо, чтобы надеяться. Нет у него права такого — думать, что воздастся ему за дела благие. И только пройдя испытания многие, понимать начинает, что верой спасаться должен, а остальное отринуть, ибо слишком жесток мир, слишком мало в нем любви, и справедлив Бог в человецех — смири гордыню свою.

Был я, братие, Варлаам, Кольский священник. И хоть говорили мудрые, силу и радость мою видя — ты, Варлаам — шаламат[1] словно, живешь слишком вольно, сам себе на заклание, ничего не боишься, страха не ведаешь — не слушал я их. Ибо все, почитал, есть в силах человеческих и благоволении божьем.

---

[1] Шаламат — олень для заклания.

Как же хорошо жилось мне на родимом Севере! Все Бог мне дал — веру дал, надеждой не обделил, крепостью тела своего вдохновлен я был. А пуще всего благодарил я Отца нашего за свою Варвару. Такое чудо была она, такая красота, что порою не верил я своему счастью и вопрошал ночами белыми, бессонными — мне ли это, не ошибка ли, за подвиги какие? Но в гордыне своей успокаивался и отвечал себе — мое. Потому что не только красотой телесной блажила меня, но и всей душою своей, казалось, ко мне стремилась. Так и жили мы счастливо, и летом текла рядом Кола-река, а зимой замерзала, но пищу давала, красоту и удовольствие — семужкой баловала, медленным бегом своим среди сопок взор услаждала и гостей приводила всяких, добрых людей в основном, чтобы интерес мой к жизни разнообразной удовольствовать. А зимой хоть и холодно у нас, но все радость — то баньку истопишь да в бодрящую прорубь окунешься во славу господа, а то лыжи наденешь да на охоту за зверьем малым и большим. И служение свое искренне я правил, людей уча в бедах и радостях хвалу Создателю возносить. Верил я благодарно, братие, да, видно, недостаточно.

Сильно кружит, колесом юлит Кола-река, словно жизнь наша — ни догадки, ни предсказа. Так идешь по берегу, по лесу светлому, сосновому, словно по кущам райским гуляешь, да вдруг глядишь — шаг за шагом попадаешь в дурную болотину. Мелколес кругом стеной встает, черная ольха да осина подлая, хлесь тебе по глазам тонкой веткой до слез, хлесь другой раз. И тут же комарья да гнуса рой налетает, в уши, ноздри, в рот лезет без счета, и такой писк оголтелый подымается, что через мгновение уже не писк, а вой кругом стоит. И бредешь во мхах, по колено в воду гнилую проваливаясь, плечами частокол цепкий раздвигаешь, горлом пересохши. Такой чепыжник настает, что и в голове твоей мутится, ничего не понятно, не знаешь ни сторон света уже, ни имени своего почти. Тогда только остановишься на миг, да переведешь душу, да к небу глаза подымешь: Господи, спаси. И глядишь — успокоится сердце, и отчаянье уйдет, и налегке вынесет тебя из дурной этой чепыги, и в прошлом останется страх. Только впредь не угадаешь никак, когда и где снова занесет тебя в лихие места и смутит нечистый душу. И усомнишься...

...Долго я теперь не поеду на Север. Долго не буду даже думать о том, чтобы залить полный бак бензина на самой дешевой заправке, включить погромче музыку и разогнать машину так, чтобы невольно нога притормаживала, сама, потому что вот-вот готов был взлететь от ощущения счастливого и долгого пути. Не поеду, потому что на пути этом подстерегают меня реки. Первой весело прожурчит по камням Елгамка, а потом спокойно пронесет темные воды Идель, мрачной красотой глянет сквозь ели широкая Тунгуда, и совсем уж душу разорвет надвое изменчивая Поньгома. А после уж и сама стылая река Кереть спросит за все и по делам воздаст.

А вот раньше часто ездил. Среди виденных красот дальних, чужих вдруг открылось, что искал я совсем не там. Оказалось вдруг — пятьсот километров всего разделяют меня и те места, где даже утлый челн не нужен — подъедешь на машине прямо к берегу морскому, остановишься, и в глаза сразу дорожка солнечная, ночная по ласковой глади воды, в ноздри — воздух свежий, пряный и густой, в душу — восторг тихий, незапятнанный. Называется это все Белым морем, и грош бездушному цена.

Последний раз в конце зимы это было. Еще когда к Чупе подъезжал, уже знал, как вначале все сложится. С кем бы ни ехал, разговор один:

— Давай только в бар местный не пойдем.

— Почему? — удивляется попутчик.

— Потому что зайдем на полчаса, бар в Чупе утлый и смешной, почти столовка деревенская. А там заполнят все помещение чупинские девчонки — и глаз будет не отвести, будешь удивляться и радоваться, что в богом забытом месте такие красавицы. И не заметишь, как невольно, неожиданно возникнет в тебе отчаянная надежда на счастье, и будешь сидеть всю ночь напролет, танцевать будешь, уговаривать, и под утро разбегутся поморочки, обморочно ножками топоча, и будет муторно и тошно, и ехать еще бог весть куда с самого утра, десятки километров по морю или по снежным волнам — все одно качка, и еле выживешь первый день на севере. Давай хоть на этот раз в бар не пойдем.

У меня в Чупе знакомый — Юра. У Юры фирма — «Кереть тур» называется. Я его так и зову — Юра из «Кереть тура». Он весь маленький, улыбчивый, как медвежонок, но важным казаться пытается, значительным. Все себе передряги устраивает. «Осенью на яхте шел, — рассказывает, — сеть на винт намотал, пришлось у Шарапова мыса на берег выбрасываться. Хорошо на песок выскочить умудрился». И все ахают, восхищаются Юрой, пока не проговорится напарник его, что вина много в тот день выпили, вот и посадил посудину на мель бывалый моряк, правда, да, удачно посадил, не отымешь.

В этот раз меня опять Юра встречал. Поздоровались, обнялись:

— Ну что, в бар зайдем наш?

— Да нет, знаешь, не стоит, дорога длинная завтра. Да и сейчас путь был неблизкий. Устал. Не хочу. Разве что на полчаса...

...Так за счастьем своим, братие, не заметил я вовремя неладного. В нашей стороне изначально так — нельзя никогда взгляд свой рассеивать, сторожко нужно к миру присматриваться. А забудешься чуть, размякнешь душой — тут же обнакажет тебя, что волком выть будешь, а поздно уже — проехали. Только когда стал я замечать нехорошее, уже давно все случилось. И знали все вкруг меня об этом, да молчали, за спиной злые языки свои теша. А я как младенец был невменяемый. Потому что любил очень Варвару свою. Ведь как учат умные: любишь — не доверяй все равно, ибо враги люди, и нет промеж ними любви истинной. А мы же гордимся: «Есть», — кричим, и душу за милых своих продаем. Стал я замечать, что Варвара не в себе вроде временами становится. Норов ее как вода в реке менялся: светит солнце — светла вода, чуть тучка наплывет — чернее черного становится. И глаза прятать стала от меня, не испуганно, а с думой затаенной. Я и так ее спрашивал, и эдак — молчит, а и ответит что — сама далеко-далеко от меня. Так и гнал я от себя дурные мысли, гнал и верил ей, как себе, как матери, как Богу.

...Утром мы, как всегда, рано вышли. Снегоход Юрин уже наготове стоял, старый неказистый «Буран». Сзади прицеп — санки маленькие. Туда вещи побросали, я сверху сел, и покатили по улице заснеженной. Только за поворот свернули да из-за домов выехали — гляжу, новое что-то. На скалистом взгорке прямо над губой чупинской поднялся уже в пяток метров сруб новый, ладный весь и свежий, словно хлеб утренний. Желтизной своей радостной сразу в глаза бросился, и утро хмурое посветлело словно. «Юра, стой, — кричу, за мотором неслышимый, — стой, посмотреть хочу».

Юра остановился, недовольный:

— Чего, только выехали. Еще шестьдесят километров пилить до Керети, намудохаемся.

— Подожди. Что за строение? Я раньше не видел.

Он обернулся:

— А, часовню строят новую. Варлааму Керетскому. Не слышал? Святой здесь был веке в семнадцатом. История-то жуть. Но он мужик настоящий, мужичара. Поехали, дорогой расскажу.

Снова затарахтел «Буран». А я все оглядывался и оглядывался на светлую посреди темных строений, веселую и одновременно строгую какую-то, ветрам открытую и мудрую часовню. «Варлаам», — в голове крутилось старое, забытое уже и будто бы чужое имя.

...Маетно мне было в тот день. Не на месте душа, хоть и службу правил усердно, и работой пытался удушить тревогу. А все равно — кричали чайки так жалобно, так пронзительно, что сжималось внутри в предчувствии недобром. Варвара с утра в близкий поселок ушла, соль у нас кончилась, а скоро семге идти. И долго ее не было, уж солнце на сон пошло. Не выдержал я, собрался мигом и вослед, а сам ругаю себя — зря отпустил человечка слабого среди природы злой и людей недобрых. До поселка добрался, как долетел, аж весла в руках гнулись. Там искать кинулся, спрашивать. Только не говорит никто, все глаза отводят с ухмылкою странной. Наконец не вытерпел, за грудки схватил прихожанина бородатого, тот и показал тогда на корабль норвегов, что на недалеком рейде стоял.

Я опять в лодью, да к кораблику тому. Подплыл, а там шум, гам, веселье, ни вахты, ни приличия, шатается пьянь-сбродь по палубе да по кубрикам таскается. Человек семь их там было, и среди них Варвара моя. Я сначала даже не узнал ее. Волосы распущены, глаза бесовским огнем горят, щеки румяные, да не от стыда, а от веселья низкого. И хватают ее пришлые люди, и таскают, а ей все в радость, то с одним кружит, то к другому прильнет как к другу любезному. Тут меня заметили, сгрудились все, и она среди них. Пытался увещевать ее, да недолго, хохочет ведьмой, в руки не дается, волчком кружит. И пришлые, нерусские залопотали что-то по-своему, ко мне двинулись. Забыл я Бога в тот миг, забыл веру свою и упование. Только гнев черный внутри остался и поднялся волной наливной. Затопил всего меня внутри, глаза застил, в руки свинцом налился. Схватил я тогда анкерок[1] малый, двухпудовый, что с вином на баночке[2] стоял, и в толпу кинул с размаху. Разметались они, как брызги зелья, по палубе, к переборкам прижалися. А мне уж не остановиться было — попал в руки якорек небольший, и пошел крушить направо-налево, кто сопротивлялся — тому с большим пылом, скулящих тоже не жалел. Ее первую убил.

Как очнулся немного, не стал думать долгого. Разом кончилось все для меня, жизнь моя, любовь моя, все дьявол забрал и меня с собой прихватил. Завернул я Варвару мою в кусок холста, который рядом, будто нарочно уготовленный, лежал, положил ее на нос лодьи своей и от борта страшного оттолкнулся. И пошел, сначала по Коле-реке, потом в залив, а потом и в моря северные. Не было мне места больше на земле этой, и пусть пучина меня пожрет. Ведь вечным укором передо мною любимая мертвою лежит, сквозь холстину родными очертаниями светясь, а сзади — посудина чужая, кровью до бортов мной

---

[1] Анкерок *(морск.)* — бочонок.
[2] Баночка *(морск.)* — скамейка.

заполненная. Не знал я раньше ничего про дорогу страшную, да в момент узнал. Прости, господи, душу грешную.

... Снегоход стремительно несся по укатанной лесовозной дороге, и прицепные санки мотало из стороны в сторону так, что дух захватывало и руки невольно вцеплялись в высокие борта. Потом, когда съехали с трассы и пошли по снежной целине, скорость меньше стала, зато качка и тряска начались — только держись. Словно по мелким, острым волнам прыгали санки, и все внутренности сотрясались крупной дрожью, похожей на ужас. Зато снаружи творилась красота. Потихоньку, совсем медленно вылезло солнце из облачных перин, сбросило их за горизонт и, сладко потянувшись, раскинулось по небу, лучи широко распластав. Хмурыми кочками лежавший утренний снег сразу заиграл, заискрился в ответ, словно нежданно обласканный дворовый котенок. Чуть только отошли подальше от дороги и пересекли невнятную болотину с обиженно торчащим сухостоем — сразу взлетели на гребень длинной, изгибчивой сопки и понеслись по нему, изо всех сил приминая рвущийся наружу нутряной восторг. Справа на далекие мили тянулся лесной распадок с проблесками полян, старых вырубок и скалистых откосов. Все это сливалось в хаоти-

ческий, казалось, узор, в котором вдруг светилась такая строгая гармония, что только
гордый ворон своим отрывистым «кра» смел
выстрелить в эту красоту и остаться в живых.
Слева, сквозь частую рябь стволов, стали исподволь, стыдливо выглядывать несколько
лесных озер. Берега их были круты и высо-
ки, очертания сложны, казалось, они сплелись
в какой-то тесный суматошный клубок. Редкие искривленные сосны смогли забраться на
самый верх темных первобытных скал и за-
мерли там в страхе перед собственной смело-
стью. Заливы озерные мелькали то тут, то там,
все казалось хаосом. «Крестовые озера», —
гордо, словно приложивший руку, сказал
Юра и, видя мое недоумение, остановился на
взгорке. Медленно достал и развернул карту.
На зеленом поле лесов строго и радостно си-
нели три крестика, совсем таких, что вешают
на шеи младенцам при крещении. Они лежали рядом, чуть не касаясь друг друга, щедрой
рукой брошенные на благосклонную землю.

Поехали дальше. Будто зная, что у нас нет
с собой оружия, кругом кипела неистовая
жизнь. За секунду до нашего появления зата-
ивалась, застывала в испуге. Но ее было много вокруг — в тесном переплетении длились
заячьи суматошные следы и расчетливые ли-
сьи цепочки; всюду виднелись куропачьи по-
скребыши — словно кто-то большими когтями

скреб снег по обе стороны птичьих тропинок; деловито и скупо резал поляны след внимательного волка; поверх всего, разлаписто и по-хозяйски, ступала росомаха. И чуть только я привык к обилию оставленных, остывших уже следов — из-под снегохода стали с грохотом выстреливать косачи. Так близко, что можно было сбивать их рукой, будь на то желание и воля к добыче. С десяток их вспорхнуло черной кровью из взрезанных снежных вен и расселось на ближайших деревьях в любопытстве и ожидании: что дальше — жизнь или смерть. Будь даже у меня ружье, не смел бы выстрелить в резных, солнцем облитых птах, сидящих на ветках, словно в детстве прозрачные на палках петушки. Слишком красивы и доверчивы они были. Слишком невинны и далеки от желания, скользкой рыбой душу сосущего. Полгода уже мучило оно меня. Лечить его я забирался в эту глушь, подальше от людей.

...Ох и смешно же мне, братие, было. Смеялся я слезами, и ветер острый срывал их у меня со щек и бросал в море подобно дождю мелкому, ничтожному. Смешно мне было и путешествие мое внезапное, и благолепие недавнее, и волна морская с перехлестом, и небо серое над головой, и груз мой страшный на носу лодочном. Смешно мне было несколько дней. Но не дал господь мне в сумашествии облегчения, разума не забрал, а понудил до конца путь свой идти, в рассудке и отчаяньи. И когда понял я это — пропал мой смех и стал я дальше жить в молчании мрачном и упорстве. Решил я, ничтожный, что понял замысел божий, и стал к северу лодью свою править, подальше от земли и людей. Не было мне прощения ни от них, ни от себя, и наказан я должен быть примерно — ледяными пучинами поглощен без остатка и памяти. Не помню теперь, сколько жил так — в ожидании бесчувственном. Все молил бога о смерти скорейшей, ведь каждый новый день начинался с вида укрутка страшного на носу, и каждая ночь воспоминаниями полнилась. И кричал порой криком звериным от тоски и боли душевной, но равнодушно волны мои крики слушали. Шторма страшные видел я, братие, где требуха воды взрывалась, вздымаясь бешено и небесам грозя. И радовался каждый раз, конец своим мучениям узрев. Но словно сила неведомая мою лодку над бездной поднимала и дальше несла. И богохульствовал я, кляня жестокого, и бился в корчах, и засыпал потом обессиленный, а когда просыпался — спокойно море было кругом и я дальше жил. Голодал я много дней, и воды не пил, да потом моря северные кормить и поить меня стали, хоть не просил я их. То капусты морской шторм надерет да к лодке моей прибьет, то к отмели меня принесет, где накопаю пескожилов, да потом знай снасть в воду закидывай — треска валом шла. Снасть свою из холста я ссучил, что груз мой покрывал, да крюк из гвоздя сделал. Грубая снасть получилась, да только такой рыбной ловли богатой я в жизни не видывал. Из рыбы и сок выжимал пресный, пил его, а потом и дожди стали воду мне приносить. Не хотел господь быстрой смерти моей, не бывает так — отмолить грехи и не мучиться.

Долго я ходил по морям, покоя не ведая, — внутри рвалось и кричало все, снаружи руки без устали трудились делом морским. Только донесло меня до горла Белого моря, узнал его по рассказам прошлым. Славилось место это червями морскими, что дерево корабельное точат в труху, и тонут здесь корабли без счета. Вот куда привел ты меня, господи, вот смерти какой мне уготовил. И опять в гордыне своей ослеплен был, и радовался, что прозорлив. Только прошла моя лодья через горло, и ни одного червя я на ней не увидел, целехонька она была, словно из рук мастера только вышла. А потом ветер был малый, ласковый, и порывом теплым и резким сорвал вдруг холст с носа лодочного, и зажмурился я в ужасе. А когда глаза осмелился открыть — не было ничего. Унес ветер прах истлевший, и любовь мою с ним. И понял я, что другой мой путь — не в смерти, а в жизни спасение искать, и трудиться вечно, неустанно, помня все, здравствуя, других устерегая. И воздал в слезах славу господню.

Тут открылась мне бухта малая, где посреди скал и лесов благодатных живая светлая река в море впадала. Закончилось мое странствие. Речку эту Кереть называли.

...У Юры, кроме мной придуманной, еще и местная кличка была. Звали его все — Несун. Это потому, что на правой руке все пальцы у него пилорамой отрезаны были. И на место указательного большой палец с ноги пришит. Он ловко с этими двумя фалангами вместо трех управлялся — цеплял за проушину любую, за ручку, а то и за пиджак в пылу пьяного разговора. Сильный этот палец был и какой-то страшноватый, хоть и родной. Так нелепо смотрится любой человек, сросшийся кожей с профессией своей, и вдруг на другом месте оказавшийся — пожарный там какой на должности властителя дум. На кличку свою Юра не обижался и пальца не стыдился — значит, уродством не считал. Даже нравилось ему, похоже, испуганные взгляды собеседника ловить, когда он им кусок хлеба подхватывал или нос чесал. В любом случае, проводник Юра был отличный. Не знаю, по каким признакам ориентировался, или просто уже настолько с местами своими сросся, что и признаков никаких не надо, — а только из леса вдруг вышли мы точнехонько к устью реки. Была она еще льдом покрыта, но тут и там вырывалась из-под него в бурном веселье и на спящую красавицу совсем похожа не была, скорей на проказливую девчонку, которая, даже и одеялом накрывшись, выглядывает из-под него озорными глазками, хихикает и егозит, в любую минуту готовая выскочить и в пляс пуститься.

— Вот она, Кереть, — Юра любовно огляделся и снял шапку с мокрой головы.

Невысокие пологие скалы возвышались по обоим берегам реки, словно ласково держали ее в серых натруженных ладонях. Несколько полуразрушенных домов у самого моря, заброшенное кладбище. Дальше, к северу, простиралась бескрайняя ледяная равнина, исчерченная порой острыми торосами. Совсем далеко темнела узкая полоска незамерзшего моря и низкими облаками клубились острова. Лед был бел и сверкающе ярок, а у самого устья Керети он темно и опасно синел и раздавался порой незакрытыми майнами[1]. Тишину нарушало лишь шерстяное шептание ветра, шелестящего мелкой сухой поземкой.

---

[1] Майна — промоина.

...Ничуть меня одиночество не тяготило. Поселился я в местах этих благодатных, и пение любой пичуги лесной было милее мне, чем голос человечий. Род наш только и терпеть можно из-за детей наших да животных всяких, что тоже нам родственники, а значит, в чем-то оправдание наше. В остальном же народец мы пакостный, и нужна, ой нужна нам милость божия — без нее смысла нет существованию. Но раз уж живем мы, суетимся, делаем что-то — все не зря, есть в этом промысел, только недоступен он скудоумию нашему, значит на веру должны принимать многое, иначе занесет нас в гордыне куда бог весть. Так и я жил с памятью о страшном, с болью в душе и с надеждой ласковой. О питании не думал — все под рукой уготовлено было. Одну вещь натвердо запомнил из жизни своей и опытов, мне данных — радостнее, легче, когда жалеешь. И потому молился ежечасно: Господи, прими слово мое за детей и животных!

...Снегоход Несуна затих вдали, и я остался один посреди снегов. Все эти дни я наматывал десятки километров по лесам, озерам, морскому побережью. Широкие лыжи, подбитые камусом[1], позволяли с легкостью бегать по сугробам, лишь иногда, летя с горы,

---

[1] Камус — кожа с ног лося.

я не рассчитывал высоты елок, коварно засыпанных рыхлым снегом, пытался пропустить их между ног и за глупость свою бывал наказан нестерпимой и обидной болью. Я ловил рыбу, охотился, но не добыча была главным для меня. Мне нужно было каждый день изнурить себя до смерти, чтобы можно было ночью заснуть, чтобы хоть на время улеглась в душе обида, чтобы перестало дрожать нутро от животного желания рвать зубами, когтями драть, мстить. Я пытался разумно убеждать себя, что не нужно так, что виноват сам, что знал о невозможности любви в этом мире, и все равно доверился, раскрылся полностью, подставил мягкое брюхо. И наказан был за глупость поделом. Что не должен больше никто страдать, что нужно пытаться забыть и жить дальше, что излечиться можно. Но лишь только отвлекался на секунду, отпускал себя — мозг тут же рисовал кровавые картинки, и, отмщенный, я ликовал, пока не вспоминалось, что все еще впереди.

Помогала только беготня лесная, до одури, до отупения, до страшной ломоты в спине и ногах. По вечерам, поужинав и падая в сон, успевал поспорить с Несуном, который все дни наблюдал за мной с тревогой и пониманием.

— Нужно попробовать верить, — говорил он убежденно, — просто верить, не требуя доказательств. И боль свою богу отдать. Станет легче, увидишь.

— Смешно мне это, — я не сдавался никогда и не боялся никого до этих самых пор, — в этой стране верить нельзя. Бессмысленно. Мы ходим по костям, здесь вся земля — труха, обломки тех, кто тоже верил, и надеялся, и ждал. Бессмысленно и тупо.

Вздыхал Несун, а я не засыпал, нет, умирал на время, до утра.

До Крестовых озер было далековато, не дойти пешком. Я упросил Несуна свезти меня туда и на день там оставить. Казалось почемуто, что будет здесь какая-то небывалая удача — под крутыми скалами берегов чудилась темная бездна, полная таинственных рыб. Несун, прощаясь, посмотрел на меня с каким-то сожалением:

— Если что, Варлаама проси.

Я усмехнулся в ответ.

Небольшого окуня я поймал почти сразу, лишь только уселся у первой лунки и опустил в воду наживку. Сразу смотал небольшую донку и достал хорошую самоловку, с толстой леской и мощным тройником. Насадил жалобно пискнувшего окушарика и стал опускать его в воду. До дна оказалось метров тридцать, такой же была черная скала, в тени которой я и примостился. Я сидел довольно долго и стал уже уставать, как вдруг взяло. Взяло сильно и уверенно, властно. Я подождал немного, потом подсек и стал тащить. Из пучины поднималось что-то большое. Оно шло без рывков, но так тяжело, что где-то глубоко внутри у меня затрепетал, зачастил аорты пульс. Я подтащил рыбину к лунке — оказалось, что она в нее не проходит. Темная тень встала подо льдом. Я скинул рукавицу, полушубок и сунул руку в воду, чтобы развернуть рыбу головой к лунке и за жабры вытащить на свет. Дотронулся до тела и еле удержался, не отдернул руку. Голая противная кожа без чешуи, скользкая и холодная — это был налим. Огромный, я таких не ловил. И вообще не любил их. Всегда отвращала медлительная уверенность этих трупоедов. Но не отпускать же его. Я продвинулся к голове, нащупал жабры. Вдруг рыбина мощно метнулась в сторону. Я вскрикнул от боли — в ладонь, в мясо глубоко вонзился крючок тройника. Я было дернулся, но в секунду все понял — не выбраться.

Очень холодная вода. Боли не было, но не было и выхода. Я тянул порой, но крючок только глубже входил в руку. Другое жало держало огромную скользкую рыбу. Я был сверху, она замерла подо мной. Она могла долго ждать. Я ждать не мог вообще. Руки я уже не чувствовал. Плавился гладкий лед под щекой, и тут же замерзал, твердя о неизбежном. Я пытался кричать, но замолкал — бессмысленно. Несун должен был приехать через многие часы. Мне было холодно и жутко. Я хотел жить, и чтобы жили все другие. Я больше не хотел убивать. Я очень устал. Я ничего не знал про время. Я начинал засыпать — сами закрывались глаза. Иногда казалось, что слышу шум мотора, но это гулял ветер в соснах. Губы скорежило в нелепую усмешку. Я с трудом разжал их и просипел:

— Помоги!!!

Прошептал еле слышно, потом закрыл глаза и отчаялся.

Очнулся от сильного удара — рядом с моей головой глубоко в лед вонзился багор.

В СЕТЯХ ТВОИХ

Светлой памяти Димы Горчева
посвящается

Отец Митрофан, нестарый мужик, в поношенной, ветром трепанной рясе и с тяжелым шрамом на правой щеке, еще раз внимательно оглядел нас:

— Крещеные?

— Я даже исповедовался уже, — торопливо произнес Конев. Он боялся, что внешность подведет его в очередной раз — горбоносый, чернявый, с маленькими глазками, боязливо глядящими на мир из глубин черепа, он не был сильно похож на православного.

— Тогда ладно, тогда езжайте с Богом, — отец Митрофан широко перекрестил нас, улыбнувшись глазами нашей от смущенного незнания торопливости.

Выскочив на улицу, радостно выдохнув из легких воздух дома священника, мы с Коневым переглянулись. Путь на север был открыт.

— Ну что, по коньяку? — В других делах он бывает медлителен, тут же по-хорошему прыток, Конев доставал уже из кабины припасенную бутылку.

«Тысяча километров за рулем. Двойное пересечение Полярного круга — сначала на север, потом на юг, — Терский берег во многом непрост. Я молодец», — мысли медленно, словно низкие облака по смурному небу, двигались в голове. Спину ломило, руки стремились сжать привычную уже баранку, по лицу блуждала легкая, с тенью безумия улыбка. Я снова был на севере.

— Давай-давай, — Конев быстро открыл бутылку. Откуда только ловкость бралась в неумелых руках. Протянул ее мне. До моря было еще шестьдесят километров, но дорога шла по пустыне. В прямом смысле — впереди были пески Кузомени. Ко всему — тысяча километров от Петрозаводска, полторы — от Питера. Мы были в глуши, бояться было нечего.

— Давай за дорогу.

— Давай, — легко согласился Конев, жажда не располагала к словесным изыскам.

Три раза «давай» по кругу, и бутылка коньячная опустела. Прозрачностью своей она живо приблизилась к сути пейзажа, стала частью его. Север всегда так — чистота, сквозное существование его таит в себе былое, настоящее, будущее, содержимое. Иногда — хорошее, доброе. Чаще — страшное. Не видно ни того, ни другого. Нужно знать. Или хотя бы дать себе смелость догадываться.

Конев на время утратил тщательно лелеемую свою мудрость и печаль.

— Мы в глуши, мы в глуши, — не таясь, веселился он. Мне отчего-то стало неловко.

— Поехали, — не место было здесь открытому веселью. Лучше — тихой радости. Еще лучше — упрямому спокойствию, в ожидании лишений и чудес. Их много здесь.

Коньяк медленно грел нутро. Опьянения не было — его съела усталость. За поворотом скрылись последние дома Варзуги. «Мы в дикой, глухой глуши!» — веселился Конев. У следующего поворота, где побитый ветром указатель значил «Кузомень», а покосившийся поморский крест из последних сил нес свою службу, стояла милицейская машина. Глушь оказалась обитаемой. Двое у машины призывно махали жезлом.

— Мы в глушь, мы в Кузомень, — добропорядочными жестами пытался показать я.

— Ничего, подь сюды, подь сюды, — приветствовали представители. Нехотя я нажал на тормоз.

— Ка-а-апитан Тан, мурманский облотдел, — рука его почесала козырек фуражки, глаза же цепко закрючились за содержимое багажника, благо он у меня открытый, честный. — Рыбу везем?

Я очень люблю ветер. Сильный, холодный, пронзительный, любой. Даже теплый. Но в этот раз я любил тот ветер с моря, который мощно дул капитану в спину. Я сам выбрал, с какой стороны подходить, сказались уроки друга-охотника. Ветер хорошо доносил до меня неприветливые слова милиционера. Мои же он слышал с трудом. Запах тоже уносился прочь.

— Какая рыба, только приехали, блесны замочить не успели, — я и так-то был не пьян, а тут еще напрягся весь, насторожился, как зверь в ожидании охотника. Не боялся, а проигрывать не хотелось.

— Рыбу и без блесен можно взять, — он начал поучать меня, а сам присматривался да принюхивался.

«Тебе-то точно можно, охранитель хренов», — подумалось, а сам сказал:

— Да мы больше не за рыбой, а так, красот поглядеть.

— Красот? — он почувствовал необычное, несвойственное. Подозрительное. Умом гибким отхлынул от рыбы: — А страховочка на машинку есть у вас?

«Началась вежливость, почуял что-то», — я знаю этот их подлый вопрос про страховку. Вроде невинный, а отвлекающий. Посмотрят, как ты пойдешь, прямо ли, чем из салона пахнет, не интересным ли. А вдруг и со страховкой неладно, вообще сладость тогда. Нюхать же для них — первое дело, один раз быстрый такой ко мне кинулся, головой близко мотнул. Чуть не поцеловал, подлец гадкий.

— Есть страховочка, — в тон ему ответил, а сам себе: «Тихо, не злись, спокойно, спокойно».

И пошел вокруг машинки, достал страховку — и опять к капитану с подветренной стороны. Все неплохо вроде идет, лишь округлившиеся глаза Конева за лобовым стеклом выдавали глубину переживаний.

«Спокойнее, спокойнее», — опять себе, а ему:

— В порядке?

— Да, езжайте, — а голос скучный такой стал, неулыбчивый.

— Ну и спасибо, — страховку взял, в машинку прыг, завел да и поехал потихоньку. «Спокойно, спокойно, не спеши!» — это мне Конев уже отважно и судорожно шепчет. А чего шептать, проехали уже. Проехали бесов, к морю нас не пускавших.

— Точно бесы были. А батюшка сказал — езжайте с Богом, вот и проехали. — Конев опять радовался смешной, ребячьей, не свойственной ему радостью. На севере многие меняются. Многое проясняется. Не зря здесь битва бесов с ангелами. Тихая такая. Постоянная. Без времени пространство.

Радовался Конев, а я вдруг загрустил. Фамилия капитанская по душе больно ударила. Полгода назад первый раз в жизни удержался я. Насильно сдавил себя, чтоб не влюбиться. Такими обручами сердце сжал, что сразу сморщилось оно, постарело как-то. Мудрость — нелегкое свойство. Тэн фамилия ее была. «Кореян, саран хэ», — в красивой и смешной песне их поется. А капитан на мордвина похож был, не на корейца вовсе. Да бесы, они разных обличий бывают. Порой так очень красивые. А порой — в капитанских званиях.

— Ты заметил, что у креста поморского они стояли? Со стороны тундры, а не моря. И словно границу перейти не могли, все здесь вошкались.

В ответ Конев лишь усмехнулся недоверчиво, по-городскому.

«Ну ладно», — подумал я.

Я не знаю, почему наши женщины не ездят с нами на север. Только догадываюсь. Друг-охотник рассказал историю правдивую, а по сути — притчу. У него самого-то жена очень красивая. Но при этом еще и на север с ним ездит. На байдарке, в палатке, ребенка с собой берут, Ваську трехлетнего. Куда как счастье. А брат его, охотника, очень завидовать ему стал. Сам он долго жениться не мог, все выбирал — или красивую в жены брать, или ту, что на север любит ездить. «А сразу вместе — такого не бывает. Такое только у брата моего, у охотника возможно», — горько он так говорил, со слезой.

Вот выбирал, выбирал, да и решился. Взял девушку некрасивую, но такую, что от походов без ума. Она и раз с ним сходила на север, и другой. Вот он наконец и женился. Еще раз они вместе сходили. А потом она и говорит: «Не хочу, говорит, больше на север. Не люблю больше в походы ходить. Я теперь больше к югу, к пляжному отдыху склонная».

Запечалился тогда охотников брат, а делать нечего. Теперь он опять один на север ездит. Только уже без иллюзий. Тоже — старое сердце. А байдарка женщины надежней.

Долго ли, коротко ли ехали — кончился лес, и открылась лежащая в пугающей, неживой неге северная пустыня. Бледно-желтый песок устало плыл под серым низким небом. Невысокие барханы застыли, словно вечно живое море устало вдруг волноваться, устало жить и умерло, оставив миру лишь следы своих страстей. Извилистые, старые следы машин то были странно параллельны, то пересекались, сплетались вдруг в неистовом круженьи и, так сплетясь, уносились прочь за низкий горизонт. То была Кузоменская пустыня. Посреди нее, посреди мертвого мира беспросветного северного песка, величаво текла жирная река Варзуга. Широкая, спокойная и серая, она медленно извивалась между барханов. Берега ее, крутые и высокие, были сплошь, до поверхности равнинной, отделаны толстыми заберегами тяжелого белого льда. Метра три толщиной, они тяжело нависали над поверхностью воды. Лед таял, благо был уже июнь. Иногда с неожиданно громким посреди окружающего безмолвия треском он обламывался, и тогда по реке плыл очередной, новый айсберг. Сначала притонув, он выныривал из холодной, родной ему воды и плыл затем, плавно покачиваясь, будто бы дитя в материнских объятиях.

Много минут, застыв, мы с Коневым смотрели на все это серое, белое, желтое, мрачное великолепие. И уже свыклись, уже душа приняла, что север такой вот, величественный, тихий, серый. И не догадывались совсем, что серый цвет — лишь предвестник, предчувствие синего. И потому, когда в разрыве туч вдруг яростно блеснуло солнце и засияло все новыми цветами, мы приняли, тревожные, за чудо. А природа северная просто открылась новой стороной, повернулась, проснувшись, на другой бочок. И сразу засияло, заискрилось все кругом, обрадовалось небо и в пляс повлекло за собой и реку, по щедрой поверхности которой запрыгали ослепительные зайцы. И айсберги побежали весело к морю степенной стайкой растолстевших на жирных бутербродах мальчишек. И песок зажелтел по-другому, не мрачно и уныло, а свежо, как поле одуванчиков — бывают щедрые цвета. Все обрадовалось, крутанулось пару раз, всплеснуло развеселыми ладонями, прошло с притопом, подбоченясь. А потом опять небо заволокли низкие тучи, снова задул сивер. Потянуло холодом, и погасла улыбка песка, съежилась и задрожала вода. Нужно было ехать дальше, к морю.

Мне часто бывает жалко себя. И судьба тяжелая, и мир несправедлив, и люди злы. Но больше жалеешь прибрежную траву северных морей. Редкими кустиками, вся издерганная пронзительным завыванием ветров, бьется и мечется она посреди бесплодных песков бессмысленных ледовитых пляжей. И тяжело ей, и страшно, и темно впереди. А она все не сдается, все живет себе жизнь. И попробуй вырви ее — не поддастся, глубоко держится корнями за родную и безжалостную землю. И попробуй пригрей немного сверху да приспусти жесткие паруса ветров — тут же расцветет цветами, тут же даст семена, чтобы опять держаться, опять жить на своей земле. Так и северные люди.

Мы с Коневым поставили палатку у самого берега, за небольшой песчаной дюной. Это чтобы совсем уж не сносило напрочь, не выдувало мозг и душу. Чтобы было где спрятаться. Слева от нас широким устьем впадала в море Варзуга, справа доживала век рыбацкая тоня, избушка, битая ветрами и людьми, горелая и нужная всем. Рядом стоял рыбный амбар, теперь и давно уже пустой. Лишь большие весы около него да обрывки сетей на стенах свидетельствовали о прошлой, тяжелой и радостной, работе. Позади нас лежала Кузоменская пустыня. Впереди — бесконечными волнами било берег бескрайнее море. Сверху был Бог. Снизу и везде были бесы. Уздой их был большой желтый крест нового дерева. Видно было, что поставлен недавно. Недалеко от него лежал на земле крест поморский, серый, с треугольным домиком-крышей над верхней перекладиной. Уставший, упавший, он продолжал нести службу, оберегая небо от земли, глядя вверх прозрачными старческими глазами.

— Ты Казакова читал? — так обидно мне стало за мир, за себя, за море. Ведь сидел он так же на песке, перебирал, пересеивал с руки на руку. И одиночество ласкало сердце.

И жила надежда, что все-таки получится. Ан нет, и любой теперь может страдания свои почитать уникальными.

— Казакова? Который артист? — Вот что в Коневе нравится, так это беспринципность. Он-то давно уверился, что Конев на свете один, и теперь собирает с этого знания слабую жатву.

— Сам ты артист. Не понимаешь ничего. Иди вон за водой, пожалуйста. А я байду пока соберу.

Конев, обиженный, ушел. До побережного бархана он брел, понурый, словно обездоленная, злым хозяином наказанная лошадь. В руке его уныло болталось белое пластмассовое ведро. Мое любимое. Потому что я не слишком умелый рыбак. Но очень чувствительный. Многие люди, от рыбы далекие, даже почитают меня за героя. Опытные же распознают сразу. А в ведре этом я и семгу уже солил. И сигов тугих, многочисленных, когда с другом-охотником заплыли осенью однажды на остров посреди круглого озера. Потом шторм начался. И мы три дня из этого ведра питались икрой сиговой. Еще хлеб был и водка. Больше ничего не было.

Завспоминал я, нахохлился. Руки сами выронили байдарочные болты на песок. Причальные брусья вперемежку со стрингерами валялись рядом. В красивом беспорядке. А как она тогда танцевала! Красное шелковое платье так и вилось вокруг ног. Я бы сам так вился. Но сидел, молчал, уверенный. Потому что уже знал все. Уже на какой-то миг был главным и ведущим. Не знал только, насколько этот миг короток.

Горел, метался северный костер. Он здесь сам не гаснет никогда — ветер постоянно раздувает угли, и знай подкидывай плавник. Сквозь горький дым воспоминаний я глядел на реку, на бархан, за которым скрылся Конев. Река была величава. По ней медленно плыло мое ведро. Следуя за ним, по берегу печально брел Конев. Самым противным было то, что он не просто покорился реке и судьбе. Он заранее выбрал себе такую покорность. В этом даже была его какая-то отвратительная притягательность, моего друга Конева. Так маленькая собачка ложится на спину перед большой и подставляет мягкий живот, угодливо метя хвостом пыль под ногами победителя. При этом она еще интеллигентно улыбается.

А мне по душе злобные, завшивленные, все в струпьях и шрамах от былых ран псы, которые не сдаются. Никому и никогда. Убить их можно, победить нельзя. Они не выпускают из зубов ничего, даже пластмассового ведра, не покоряются никому, даже морю и реке.

— Ну что, проспал? Природой любовался? — Мой гнев был справедлив и оттого приятен.

— Да я и не думал, что прилив такой быстрый. Только оно у ног стояло, а гляжу — плывет.

— Ты не просто проспал. Ты повернулся к жизни задом, и она тебя наказала. Ты просто проспатель, всю жизнь так проспишь, — меня распирала ярость. Бог бы с ним, ведром. Но вот эта покорность, а вернее, нежелание что-нибудь сделать, поспешить, сделать лучше себе и другим!

Увидев, что я раскусил его, Конев вдруг ехидно улыбнулся:

— Это всего лишь ведро. Пластмассовое ведро. Не стоит так переживать.

— А рыбу мы в чем солить будем? А воду таскать, чтобы спирт разводить?

— А мы поймаем ее, рыбу-то? А спирт можно и в животе разводить, выпил его, водой из ладошек запил, — Конев завещал вдруг свою истину, свое видение мира, свою философию. Вызвать жалость, смириться, заплакать — авось и пронесет. Да и легче так. Меня тоже в жизни порой миновали беды. Но чаще нет.

— Я поймаю рыбу, а ты — не знаю. И поэтому мне нужно мое ведро! — Ярость часто плохой советчик, но бывает хорошим движителем. Без нее жизнь может замереть.

Я схватил полусобраню байдарку и, задыхаясь, потащил к реке. Шкура на нее была надета, но не обтянута, фальшборта не поставлены, болты, соединяющие борт и корму, остались валяться на песке. Держалась она лишь на стрингерах да на упругой стремительности конструкции своей, которая сама собой уже рыба, радость воды.

С моря в устье реки шел большой накат. Дно здесь было отмелое, и море поднимало большую волну. Ведро, белый безумный дредноут, приближалось к линии пены, за которой уже грохотало. Плыло оно медленно, и казалось, его можно догнать, нужно только поторопиться.

— Помогай давай скорей, тащи, — я бежал, увязая в песке, сквозь тягучую неотвратимость его. Конев взялся за корму байды и поплелся следом, продолжая канючить:

— Это всего лишь ведро. Всего лишь ведро.

— А раньше были всего лишь фашисты. А до них — всего лишь революционеры. А до них — всего лишь север, всего лишь пурга и всего лишь смерть. Тащи давай! — Я уже хрипел, задыхался, но тут ноги сами вбежали в холодную воду, байдарка плюхнулась мягким брюхом о поверхность реки, я повалился в нее и схватился за весло.

— Запомни, я в этом не участвую, — быстро сказал Конев.

— Ну и черт с тобой, — я принялся грести.

Быстро вышел на середину реки. Оглянулся. Спина Конева медленно удалялась от берега. Он шел к палатке. Я снова был один.

Байдарку перевернуло у самого края реки, на другой стороне. Меня любят границы, а я — их. Было мелко, но я выкупался с головой. Ледяная вода приятно охладила горячее хмельное тело. Ярость не утихла, она просто стала расчетливой и умной. Напряженно я перевернул байдарку, вытащил ее на берег, вылил воду. Подобрал ведро, которое накат выплеснул прямо к моим ногам. Сел в байдарку и пошел обратно, уже против течения и поперек волн, лелея в душе новое знание. Грести было тяжело и радостно. Морская волна помогала мне — боролась с рекой.

Из-за бархана высунулась голова Конева. Увидав мое возвращение, он подбежал, помог вытащить байдарку на песок.

— Понимаешь, я не мог смотреть, как ты будешь тонуть. По-глупому, из-за ведра. Я бы ничего не смог сделать и потому ушел.

— Ладно. Неси воду, будем суп варить да спирт разводить, — я покровительственно протянул ему ведро.

Через полчаса, захмелев, уже спорили.

— Бесы — они разные. Сильные и слабые. Бесы силы и бесы слабости. Любовные бесы. Смешные даже бывают, кабиасы те же.

— Нет-нет, все проще, черное и белое, посередке — слабости, — яростно горячился уже Конев.

А на меня вдруг нахлынула усталость.

— Ну ладно, — сказал я и полез в палатку. Сквозь сон слышал, что Конев продолжает с кем-то спорить.

Утро выдалось тревожным. Всю ночь сивер долбил берег волнами, рождая глухой, низкий ропот. Солнца не было. Конева в палатке тоже. Я вылез наружу — он сидел на вершине кучи песка, лицом к морю. Давно я не видел его таким серьезным. Обычно он ерничает, шутит, старается смешить.

— Слушай, я начал понимать, — он выглядел даже немного испуганным.

— Что понимать? — вчерашний вечерний хмель не способствовал философии с утра.

— Да ты говорил про север, про поморов, про битвы эти. И это небо, море, ветер — я стал понимать, что все серьезно.

— А то! — настроение мое улучшилось. Я сам скептик, но есть вещи, которые истинны. Закат скептицизма — зрелище приятное.

Тогда и случилось. Порыскав по округе, Конев не обнаружил свой фотоаппарат. Он долго до того искал его в Интернете, обсуждая с многочисленными и заядлыми знатоками достоинства и недостатки. Конев с фотоаппаратом был сам себе художник — без промыслов владел всем. Поэтому без него выглядел неважно. Потерял, говорит, камеру свою. Жить теперь не могу. Потому иди, мол, ищи, спасай, друг — друга. Чуть не плачет, бедный. Сначала на песке сидел горестно. Потом встал, помял опухшее ото сна лицо и увидел на горизонте семь непростых фигур. Шли они далеко, гуськом, маленькие были, еле видимые. Но как-то напористо шли, с неприятной целеустремленностью. Словно за продовольственной разверсткой отряд. Будто на истребление собак специальная команда душителей. Как-то неуютно душе становилось при взгляде на их приближение. Как-то зябко. Еще и ветер этот постоянный.

Тут Конев и возбудился сильно.

— Это бесы, — говорит, — кабиасы. Точно знаю. Это они мою камеру взяли.

Фигурки приближались, становились видны в мелких деталях. У передней горгоньим сплетением развевались на ветру длинные волосы. У последней — торчали на голове небольшие, но рога. Идущие между ними были каждая по-своему неприятна. Не знаю, как у Конева, у меня же возникли разные предчувствия, большей частью тревожные. Но виду не подаю, стою спокойно. Здесь как-то всегда так — тревожно, но мирно.

А Конев раздухарился, от страху ли, с алкоголя вчерашнего, в крови дображивающего. А может, утрата любимой вещи его на душевное величие подвигла. Только встал он твердо на родную землю, уперся в нее ногами, грудь выпятил да плечи широко расправил.

А потом царственным жестом, как Калигула какой гладиаторам своим, широко рукой указал:

— Иди и отбери у них мой фотоаппарат!

Тут я огорчился. Не люблю, когда мне снаружи указывают. Хоть кто, будь ты сам Владимир Черно Горюшко. Да даже и Конев.

— Иди сам, — говорю, — Конев, и отбери, коли уверен. А я сомневаюсь, что они взяли. На севере так не принято.

— Так бесы же, бесы! — загорячился Конев. — Я чувствую.

— Ничего ты не понял. Здешние бесы внутри у каждого по большей части. Наружу редко показываются. Робкие они.

Ну ладно, я к людям биться не пошел за правое дело, а Конев сам идти забоялся. А те, когда подошли, оказались польскими туристами. Почему польскими, чего здесь забыли — неясно. Только никакие не бесы. Который первый шел, с длинными волосами, — вообще детский врач из Белоруссии, проводник их по России. У последнего же просто шапка охотничья на голове была, с ушами стоячими. Встали они неподалеку от нас, разложили снедь на обломках корабля старого. Бутылку достали. Когда я познакомиться подошел, сразу стакан мне налили, испуганно как-то. А то не испугаться: я большой да борода уже за несколько дней выросла. Да север опять же в чужой незнакомой стране. В России, где все опасно, где сам воздух несет в себе весть о смерти. И о жизни тоже. Думаю, если бы я по наущению Конева фотоаппарат у них спросил — свой бы отдали с радостью. И потом молились бы, что так легко отделались от опасных русских мужиков.

От водки я отказался, она на спирт плохо ложится. Поговорил с поляками о том о сем, о жизни, о рыбалке немного да и пошел восвояси к Коневу. И такой за спиной вздох радости и облегчения услышал, что улыбнулся невольно. Приятно иногда быть страшным для окружающих, без всяких к тому усилий.

— Ну чего, Конь, плохо ты о людях думаешь. Не брали они твоей камеры. И близко не видели.

— Они врут, я знаю, они бесы, — слегка Конев застрял на северной тематике. Так бывает. Внимания обычно на это не обращаешь, потом само проходит.

— Я знаю... — продолжал долдонить Конев.

Тут Ленка Заборщикова и позвонила:

— Не вы вчера фотоаппарат потеряли? А то наша молодежь нашла в песке. Приезжайте, коли так.

И тут вспомнилось. Мы же вчера еще в Кузомень ездили. Жалко ведь столько проехать и не половить. Задергался я, потому что забыл внезапно, где живу, утратил чувство локтя. Потому что не было лицензий, а потом вдруг появились. У тех же девчонок, что неприступно в домиках колхозных по торговле этими бумажками сидели. Вчера — не было, сегодня — есть. Да и не за деньги, не за взятки — ласковое слово, шоколадка да улыбка пристальная, благожелательная. Красивые поморочки по деревенским улицам ходят, морок на тебя наводят, тень на плетень.

Сорвались мы с Коневым вчера под самый вечер. Уже выпившие крепко были, но в машину сели, и ну по пустыне колесить. Благо внедорожная у меня, песка не чуяла. И такое счастье беспредельное вдруг охватило — ни преграды, ни засады впереди. Лишь ровный бескрайний песок повсюду да безграничное море вдалеке. Да небо над тобой, где Бог — твой единственный судья. Да земля родная, северная, которую любишь за невзрачность, неброскость, за силу ее и страдания. И воля в душе, неограниченность рамками — ты сам себе человек, и совесть в твоем нутре не даст тебе сорваться на злое. А весело, пьяно, разгульно за рулем, по пустыне, кругами и зигзагами, вдоль и поперек, и смех, наружу рвущийся, и крепость пальцев, в руль вцепившихся, и мотор, взревывающий весело на очередном бархане, и веером песок из под колес — то-то счастье доброе! И вечно мрачный Конев тоже хохотал и наслаждался, видимо.

И снимал, фотографировал, любил все вокруг. И чайки участвовали в нашем весельи, порывисто сигая с высоты и вновь взмывая вверх. Не было предела свободе. Лишь сон сморил задолго за полночь. А утром мы искали фотоаппарат.

Ну ладно, делать нечего. И хоть стыдно за вчерашний разгул, но не очень. Поедем с молодежью общаться с местной. Заодно и на Ленку Заборщикову еще раз посмотрим, на красивую и добрую. Чего-то двух дней не прошло, как на природе, а всякая женщина красивой кажется. Или не кажется — на самом деле здесь все так? Или бесы крутят, или промысел божий. Все близко, все рядом, и душа потому слабая и крепкая здесь, одновременно, так тоже бывает. Очищается потому что мгновенно, а в чистоте и сила, и слабость. Правильность. Не ходите, дети, в Африку гулять. Езжайте лучше на Русский Север!

Другой день — не то, что прежний. Куда как вольно было вчера веселиться. Сегодня по-другому все. Небо опять низкое, не волю обещает — гнетет унылой совестью. Из низких туч бусь летит, мелкая, как мошкара, пронзительная, как недобрый взгляд. Сильный ветер несет ее параллельно земле, и спрятаться невозможно, промокаешь сверху, снизу, со всех сторон. Недаром и цвет туч — бусый, такой же неприятный, сырой, сомнительный. Сопутствуя буси и тучам, ее несущим, едем мы с Коневым, едем прочь от моря, надышавшиеся соленого вольного ветра. Едем на встречу с молодежью, спасать коневский фотоаппарат. Ведро свое я спасал один, потому решаю в переговорах не участвовать. Пусть Конь сам выкручивается пробкой из тугих молодежных объятий. В том, что они будут тугими, я ни минуты не сомневаюсь — нашей молодежи если попало что в цепкие руки — вырвешь с трудом. Конев тоже это знает, а потому сидит понуро, готовится. Потому что нужно очень грамотно провести переговоры, пережмешь чуть — можешь и в морду за свой же фотоаппарат получить. Конев умный, он догадывается, что помогать разговаривать я ему не буду. Хотя если в морду — то я, конечно, с ним. Куда ж его бросишь, худощавого. А разговаривать — нет, не хочу. Буду лучше Ленкой Заборщиковой любоваться. Мою первую жену тоже Ленка звали. Так остро у нас все начиналось. Так же остро и закончилось. Много лет уже прошло, а душа до сих пор болит. И дочка старшая — мой на всю жизнь укор, умница-красавица. Я раньше выл порой, когда напивался, и скучал сильно. А теперь ничего, держусь. Только молитву свою повторю, вроде и легче. Она простая, из двух слов всего. «Ну ладно», — так говорю.

Лена нас встретила у своего домика, на окраине деревни. В нем она и лицензии на рыбу от колхоза продает. Дом старый, покосившийся весь, песком наполовину занесенный. Да и все дома в Кузомени такие. Будто проклял кто деревню — ни травинки, ни кустика. Песок везде носится, струится, вьется. Несколько месяцев так, пока снег не выпадет. Тогда снег точно так же струится.

И кладбище в Кузомени страшное. Стоят кресты на высоченных столбах. Песок то придет барханом, то опять уйдет, развеется повторяющимся сном. Тогда могилы может обнажить. Потому глубоко хоронят, под самую землю. А кресты высоченные, на случай нового песка.

Только река спасает Кузомень. Жирная река Варзуга. Медленно течет она между барханов. А в глубине ее идет на нерест семга. Большое стадо. Одно из немногих, оставшихся в живых.

А еще люди спасают. Вон Ленка стоит, улыбается синими глазами. Второй день знакомы, а радуется, нас увидев. Видно, нелепо мы выглядим с Коневым, печальные потерянцы. Приехать не успели, как ищем уже вещи. С молодежью общаемся.

— Ну пойдемте, горемыки, отведу вас к ребятам, — серьезно говорит, а глаза лучатся, как кусок внезапный неба голубого посреди серых туч. За такими глазами куда хочешь пойдешь. Вот и мы обреченно пошли за Ленкой на неприятную встречу.

Молодежь уже ждала нас. Состояла она из двоих синих от наколок, черноротых от отсутствия зубов пацанов лет по пятьдесят. Была она не первый десяток лет пьяна и с трудом держалась на ногах. Но дело свое знала туго.

— Мы идем с моря, а он лежит в песке и мигает. Зелененьким таким, — рассказ молодежи получался живой и веселый.

— Мигает, — подтвердила вторая молодежь, видом еще поизношеннее первой.

— И мы ведь не украли. Мы просто взяли, потому что лежит ничей, — располагая знанием закона, умело по местам расставляла все первая.

— Да, не украли. Если бы украли — тогда другое дело. А так — первое, — слегка не совладала с разумом вторая.

— Потому деньги нам нужны, — первая не теряла мысль, пусть даже и простую.

— Деньги, — утвердительно упала головой вторая.

— А без денег не дадим. Потому как нашли, а не украли, — первая облегченно закончила рассказ.

— Пятьсот, — обреченно сказал Конев. Денег было немного.

— Да не, мало. Мы же не украли, — молодежь была по-хорошему настойчивой.

— Ну хорошо, тысячу. Ребята, больше правда нет, — Коневу было неловко. Я сидел в машине, не выходил до поры. Фотоаппарата в руках у молодежи не было. К тому же она принялась гадливо хихикать, видя смущение Конева.

— Две тысячи, — отхихикав свое, строго сказала молодежь. Конев покраснел.

— Ребята, имейте совесть, — вступила тут в разговор Лена. Слова ее, видимо, имели цену — молодежь слегка затревожилась, переступила с ноги на ногу.

— А чего ты, Ленка? Мы же не украли, — аргумент их был железный. Они сами верили в него.

Конев вообще часто краснеет в присутствии молодежи. Я вышел из машины и стал рядом. Я вообще большой и хмурый. Кто знает, что у меня на уме.

— Ладно, полторы, — смилостивилась внезапно молодежь.

— А где фотоаппарат-то? — я спросил, не имея ничего худого.

Молодежь как-то сникла.

— У Власьича он. Мы ему за пятьсот рублей заложили.

— Ладно, пятьсот Власьичу, и пятьсот вам, за то, что не украли, — Ленка строгая была еще красивее. — И перед людьми чтоб не стыдно было!

Странная эта логика убедила молодежь. Недовольная, она сдалась.

— Только пятьсот нам сейчас сразу. А у Власьича сами заберете. Мы же не обманем, — и, зажав в кулаке мятую бумажку, устав от долгих переговоров, молодежь заторопилась в ведомом только ей направлении. Видимо, туда, где восстанавливают силы. По пути из соседнего двора к ней присоседилась еще пара молодых. Мы их не заметили, в глубокой засаде они ждали того или иного исхода. В случае драки могли подбежать сзади.

— Хорошо, когда хорошо, — заулыбался Конев.

— А вы больше ничего не теряйте, — строго сказала Лена. — А там, может, фотографий пришлете, если делали. Я денег могу дать.

— Не надо денег, я так пришлю, — заволновался возбужденный Конев, размахивая вновь обретенным сокровищем с огромным объективом.

— Места у нас красивые, — так же строго, без улыбки сказала Лена.

Лена, которая незапамятно женой моей была, тоже строгая. А я глупый тогда был, не приведи господь. Хоть и умный, отличник по всем предметам, боксер юношеский да душа нараспашку. Еще начитанный, много вредной литературы прочел, про доброту и любовь. И она тоже глупая была, Ленка. А в одиноче-

стве юношеском есть такое отчаяние несус-
ветное, что порой кажется, что жить невмочь
одному, без малейшего ответного луча. Вот мы
и кинулись друг к другу, оголтелые, лишь бы
прижаться, лишь бы почувствовать, лишь бы
не одному в темноте. Глупая она, юношеская
любовь, а такая красивая. Так больно становится, когда по прошествии лет вспоминаешь
ее. Не знаю, за что меня Ленка тогда полю-
била, а я ее — за улыбку. Первый раз увидел, как она улыбнулась, и пропал. Изгиб губ
был красивый, жалобный, немного нервный.
И все, и понеслось. И такой водоворот закру-
жил, что очнулись уже вместе. А потом несколько лет — и очнулись уже врозь. Но вот
услышал недавно пожилого английского пев-
ца: «I saw you, I knew you, I touched you when
the world was young», — и так внутри все за-
тряслось, потому что вспомнил, как в городе
Николаеве, в гостинице, отпущенный в уволь-
нение на два дня и впервые женатый, обни-
мал сзади свою первую женщину, которая
стояла нагая у окна и смотрела вдаль на темный город и Черное море и лицо у нее тихо
светилось от счастья...

Кому куда, а нам с Коневым пора было
собираться прочь от моря. Иначе мы могли
остаться здесь навсегда. Слишком уж впи-
сались в здешний пейзаж, слишком сродни-
лись с ним душой. Со временем мы могли бы

стать местной молодежью, и судьба дарила бы нам время от времени различные подарки — фотоаппараты, компьютеры и прочую приятную технику. А мы бы отдавали ее людям, за небольшую плату, ибо были бы доброй молодежью. Но нас звал, ждал к себе Дикий лагерь. Он издалека шумел, обещая грозную радость — волю, а что может быть сильнее этой радости? Там, в Диком лагере, не было власти, кроме изредка появляющегося рыбнадзора. Там в большом количестве копились русские мужики со всей страны, промчавшиеся сотни и тысячи километров, чтобы ощутить древнее счастье борьбы с рыбой. Там в маленьких будочках сидели прекрасные девушки, продающие лицензии на ловлю, к ночи они все предусмотрительно куда-то исчезали. Там, в Диком лагере, люди жили по законам справедливости и чести, как понимали их они сами, а не как внушал им подлый телевизор. Там мужики пили, дрались, мирились и добывали добычу, чтобы есть ее. Я был уже в Диком лагере с другом-охотником. Меня очень тянуло туда еще.

Стали потихоньку собираться. Неспешно. Очень уж хорошо было здесь. Редкое удовольствие — чувствовать себя чистым. Я не про тело — за несколько дней без душа мужчина превращается в грязное животное, которое запахом своим отпугнет любого хищника. Особенно если с алкоголем — все в ужасе бегут от него, за исключением подобных. Я про душу. Север — это очень важно для любого, я уверен. Потому что сам прошел уже многие стадии — от недоумения, удивления, легкого, а потом и тяжелого изумления, через дикий азарт — к спокойному, вернее, глубоко запрятанному любованию и восторгу, который нет-нет да и прорвется наружу. На севере очищается душа, сначала грубо, с теркой и наждачкой, потом все мягче — с разговорами и плачем, потом опять грубо. И так — бесконечный процесс. Ну а каким он должен быть? Вечные вопросы на то и вечные. Без мыслей о них жить становится плоско.

Конев же пока на второй стадии. Я брал его сюда дважды, заботился о нем, теперь он смело рассуждает о тяготах и преодолении. Ну ладно. Все равно в каких-то моментах он был гораздо лучше многих, которые начинали плакать или жлобить. Он, по крайней мере, старается понять. Вот и теперь говорит:

— Знаешь, поморы твои никому не интересны. Никому на фиг не нужны. Ну были, жили, плавали, и что?

— Дело не в поморах, — не люблю я объяснять, а приходится. — Представь, вот все мы русские, гостеприимные, дружелюбные, любвеобильные. Но это официально и сверху. А копни чуть вглубь — мы же злые как черти. Мы близкого загрызть готовы за малость.

У нас Гражданская война до сих пор не кончилась. У нас раскол в крови! А поморы — единственные из русских, у кого вся злая энергия и воля уходили не на битву с себе подобными, а на борьбу с морем, с севером неуютным. Вот крест поморский, ты думаешь — могила. А часто — указатель, примета для идущих о коргах опасных и прочих несчастьях. Острова порой в море насыпали, чтобы кресты поставить и людей предупредить. Оно и Богу приятно.

— Да не верю я в эти сопли.

— Ну и не верь. А я в сказках лоцманских читал: «Чего отец мне преподал, то и я людям память оставлю для спасения и на море убережения. Человек ведь я...»

— Сейчас так не выживешь, хоть в городе, хоть в деревне.

— Деревню ты не трожь, не знаешь. А в городе нечего тогда и стонать по утраченному да смысла искать. Приняли, что волки, и живите так. Только сюда зачем многие едут? Сидели бы дома и пели бессмысленные песни про большие города.

— А я, а мы... — заторопился спорить Конев, но тут быстро-быстро лодка к берегу подошла, из нее пять очень пьяных мужиков вывалилось. Лица у них были грубыми, одежда грязная, движения размашисты.

Конев насторожился:

— Эти точно бесы какие-то, — зашептал.

Мужики меж тем в мрачной решимости устремились к давно стоящей возле нас машине, паркетнику «Ниссану», штуке дорогой, модной, но бестолковой. Торопливо достав из нее бутылку, они жадно пустили ее по кругу. Полегчало. Лица их посветлели, утратили тяжесть. К следующей они уже радушно приглашали нас.

— Мужики, на Индеру не ходите, нечего делать. Мы неделю там, ни поклевки.

— А откуда сами?

— Из Челябинска мы.

— Ну тоже свои, северные, считай.

— Да северные, южные — все русские.

— Да, парни, за вас...

— И мы за вас.

— Вот не думали, что здесь все люди такие приятные. Вчера водка кончилась, так нас какие-то поляки напоили.

— Да здесь всегда так, все братья.

— Чего ж в других местах иначе?

— Это уже сложный вопрос. Но будете у нас в Челябинске, сразу звоните. Вот телефоны. Свозим везде, порыбачим.

— И вы к нам.

— Не преминем.

Быстро так пообщались, мгновенно подружились. Обнялись напоследок с теми, чьих имен-то не успели как следует узнать. А такое чувство братское — аж слезы на глазах.

— Давайте, мужики, удачи! Мы помчались. А вам в Дикий лагерь нужно.

— Туда и едем. Счастливо в пути!

И новые, малознакомые братья наши вскочили в свой «Ниссан». Вернее, водитель вскочил и натужно поехал сквозь песок. Остальные привычно, тяжелой трусцой побежали следом. Еще в нашей видимости они дружно сзади подталкивали низкорослого «японца». Паркетникам в пустыне тяжело.

А нам пути другого не было, только в Дикий. С веселой обреченностью тронулись и мы. Вообще, в Диком лагере ничего страшного нет. Кроме русских мужиков, там еще полно леммингов. Такими же веселыми оравами шныряют они повсюду, роются в мусоре, играют в брачные игры. Они гораздо симпатичнее крыс, опять же — дикие зверьки. Поэтому никто на них не обращает внимания. Лишь изредка какой пьяный вознамерится дать пинка особо бесшабашному. Да промахнется по ловкому юрку и с крепким русским словом повалится на спину. Так, бывает, и заснет, успокоенный. А нет, подымется — глядь, и лицо просветлело от осознания уклюжести смешного быстрого зверька и неуклюжести своей. Как-то люди в Диком в основном хорошие. Плохие сюда не едут. Или не доезжают. Может, в этом дело — зачем плохим лишения и тяготы, когда на юге — женщины и фрукты.

Туда лежит их своевольный путь. Ну а у нас на Варзуге — туман.

Мы быстро добрались до деревни по уже знакомой дороге. Опять полюбовались из окон на красавицу церковь, о которой тщательно печется отец Митрофан. Проехали дальше по улице. Потом она кончилась. Просто уперлась в реку. Дальше пути не было. Дорогам суши наступил конец.

Тупик был запружен несколькими десятками машин. От старых «Жигулей» и «Москвичей» до навороченных «Хаммеров» и «Мерседесов» — всем было тут место. Все стояли рядом, плечом к плечу, и никто не толкался локтями. У всех была одна цель.

Стали быстро разгружаться. На смену созерцательной неге пришел воинственный азарт. Хватило уж красот, пора было брать рыбу. Рядом с нами таскали вещи двое парней из «Хаммера» с московскими номерами. Ярко упакованные, с дорогими снастями, они тем не менее улыбались широко и открыто. Север уже полечил их. Немного позже я увижу одного из них, навзничь лежащего в поморской лодке. Ноги его в кислотного цвета сапожках будут бессильно болтаться в воде. На лице сквозь сон пробьется блаженная улыбка. Он с головой будет накрыт пьяной русской нирваной. Конечно — алкоголь. Но больше — добрая свобода здешних сильных мест.

А пока:

— Парни, пошла рыба-то?

— Пошла-пошла, езжайте быстрей, наловитесь.

— А берет на что?

— Вот на такие блесны, на «тобики». На, бери, у меня много еще. Удачи!!!

Их лодка отвалила от берега.

А мы принялись искать себе Харона. Спросили у мужика, копавшего огород у ближайшего дома. Тот принялся звонить кому-то по мобильнику. Пока разговаривал, резко сменилась погода. Спряталось солнце, налетел сильный ветер и пошел снег.

— Сейчас Македоныч подойдет, — сказал огородник и, не смущаясь, стал снова перелопачивать землю с насыпавшимся уже толстым слоем снега. — Скоро картофель сажать.

Мы с Коневым понятливо переглянулись.

Македоныч подошел быстро. Странные они, эти поморские старики. Кожа на лице задубелая, словно голенище старого кирзового сапога. А глаза молодые да голубые. Спина сгорбленная, руки — лопаты гребные. А походка твердая, по воде, как посуху. Это он когда лодку свою на мелководье вытолкнул да принялся помогать нам вещи таскать.

— Да спасибо, мы сами, — пытались возражать.

Не стал и слушать:

— Чего ж я, деньги возьму и стоять-смотреть буду?

Так и носил наравне с нами, а палатка у меня нелегкая, да байдарка еще тяжелее. Благо тушенки в рюкзаке поубавилось, от спирта половина осталась — разводящий не ленился разводить. Но смотрю, приуныл чего-то мой Конев, призадумался. То ли погода давит, то ли неизвестность томит. Я-то уже знаю, на что иду, мне море в ноги, небо в голову. Кстати, и развиднелось оно опять, разлеглось. И только я радоваться начал, что вот, сейчас, совсем уже близко тот миг, когда на берегу ты вместе с большой рыбой ведешь свой важный для тебя и для нее спор, что чувствуешь себя природным незлобивым существом, пуповиной-леской связанным с праматерью своей — семгой, тут-то телефон и крякнул последний раз перед лагерем, где связи нет. Эсэмэска пришла нежданная. Еще не чувствуя худого, я открыл ее.

«Ах ты, сука позорная, мечтатель хренов», — написала мне та, без которой я долгие годы уже еле выживал. Потому что другом была и подругой одновременно. Потому что мудрой казалась и ласковой. Потому что если б я не пил эти годы, то, наверное, сдох — ведь алкоголь лишь и способствует сжиганию любви.

— Ну ладно, — сказал я сам себе и оттолкнулся ногой от близкого дна. Македоныч завел мотор. А Коневу я ничего не сказал, он и так большой птицей нахохлился посередине лодки. Только нос унылый свисал да глазки черные испуганно смотрели.

— Ну ладно, поехали, — это я уже вслух, чтобы отвлечь раскричавшееся сердце.

Не знаю, что приснилось мне, пока мы шли на лодке по реке. Просто очень тихо было вокруг. По одному берегу еще тянулся лес, по другому проглядывали тундры — невысокие горы со снежными не от высоты, а от климата шапками. Было невероятно, пугающе красиво. Вроде бы нет никакой опасности, а душа постоянно настороже. Читал где-то — север назначен местом последней битвы добра и зла. Именно здесь сойдутся ангелы и бесы. Здесь полетят клочья. История мест тому порукой — уже сходились в битве шаманская магия и вера православная. Уже жег брат брата за веру старую, сам веру новую по выгоде приняв. Уже казнил один другого за то, чего сам не имел. Это называлось справедливостью. Многое было здесь. Многое еще будет.

От мыслей этих я быстро напился. Конев пока отказался — затрепетал его слабый желудок. Мой же, луженый, голове хорошее подспорье. Чтоб не думала лишнего. Напился я так, что не смог поставить палатку. Падая, вытаскали вещи на скользкий склон. Македоныч, усмехаясь, помогал. Конев таскал молча, было ему не лучше, чем мне. Попеременно падая и скользя, добрались мы до ближайшего навеса, что построен для пущего удобства рыбаков. Поздоровались и спросили «добро» у тех, кто уже жил здесь. После этого сил моих хватило лишь на то, чтобы застегнуть молнию на спальном мешке. Какое-то тупое, отчаянное опустошение овладело всем организмом. Я быстро провалился в черноту.

Проснулся засветло. Открыл глаза, увидел голубое небо и обрадовался. А потом засмеялся над собой — отвык за зиму от возможности белых ночей. В голове на удивление было тихо, в груди чуть побаливало, желудок же тревожился и требовал еды. Чуть только я зашевелился, над мешком моим склонился незнакомый человек бандитского вида. Я сразу заметил лиловый шрам на лбу, пальцы в синих наколках, аккуратную, ловко пригнанную и удобную одежду не из дешевых. А главное — взгляд, холодная внимательность всегда выдает бывалого. Даже похмельный, я насторожился. А он вдруг протянул мне глубокую миску:

— Что, плохо тебе? На вот семужьей печенки жареной поешь, полегчает.

И, не дожидаясь благодарности, повернулся и неспешно отошел к своей палатке, что стояла под этим же навесом.

Было видно, что парни, а их было трое, разместились по-взрослому. Торец навеса и обе стены возле него были затянуты толстой пленкой из полиэтилена, защитой от ветра и косого дождя. В этом сразу ставшем уютным аппендиксе стояла большая ладная палатка с предбанником. Рядом с ней — раздвижной стол со стульями. Баллон с газом. Плита небольшая, но и не маленькая. Снасти недешевые, но и без лишнего пафоса.

— Серьезные парни, — а самого уже неумолимо влек запах из миски. Большие, розовато-коричневые куски, нежащиеся в жидком прозрачном жире, покрытые толстыми кольцами желтого, чуть схваченного жаром лука. Миска была велика и от души полна. В ней же лежала белесая алюминиевая ложка и большой ломоть черного хлеба. Запах сводил с ума. Рот вместо благодарных слов наполнился слюной, я жадно схватил ложку и зачерпнул ее сполна. Потом еще раз. Потом еще. Во рту образовался рай. Желудок удовлетворенно забурчал, потом стих. В тело пришла истома. В голову — спокойствие и радость. Все это мгновенно, я не успел опомниться, как из несчастного червяка, свернувшегося в мокром спальнике, на свет появился обновленный я, полный сил и живой радости:

— Спасибо, брат! Как зовут тебя?
— Василий я. Откуда прибыли?
— Из Карелии мы.

— А мы из Апатит.

— Выпьешь? — снедаемый благодарностью, я потянулся к канистре.

— Да нет, в завязке давно, — Василий наперед знал весь ход беседы и усмехался. А я был снова рад. Печенка в миске стала остывать и запахла тоньше и сильней. На запах этот из криво поставленной палатки стал выпрастываться Конев.

— Вот не хочу есть, а этого отведаю, — он недоверчиво прислушивался к себе и доверчиво — к окружающему миру.

— Ешь, ребята угостили, — я протянул ему миску. — За геройство твое, одиночное установление жилища.

— Какой ты пафосный со сна, — пробурчал Конев и жадно вонзился ложкой в рыбное, сочащееся жизнью жарево.

Начали подтягиваться другие рыбаки. Кто возвращался с поздней ловли, тут же потрошил рыбу и закапывал в лежащие еще повсюду снежники. Кто, разбуженный голосами, легко просыпался после здорового на свежем воздухе сна. Кто с трудом очухивался от тяжелого хмеля и тоже жаждал общения. Почему-то тянулись к нам. Немудрено, мы были новенькими, а посему проставлялись. Канистра спирта стояла посреди стола и маяком мигала мужикам. Вокруг громоздилась мужская снедь — банки с тушенкой и фасолью, сало, хлеб, куски соленой рыбы. Кто-то притащил котелок свежей ухи из голов и хвостов семги, и запах закружился у навеса. Была благодать. Светлая тихая ночь. Комаров еще не было — снег сошел не везде. Холода зимнего не было уже — за день проглянувшая земля успевала нагреваться и парила. Небо сегодня стало ясным и прозрачным. Детскими сонными глазами глядело оно на собравшихся внизу. А были они разные, из разных мест. Мурманск и Псков, Воронеж, Липецк, даже Ростов залетел сюда. Присутствовала Москва, как-то без особой гордыни ведшая себя здесь. Были близкие Апатиты, Кандалакша, Никель — весь цветмет Кольского полуострова. Всех манила семга с Варзуги. Хоть и некрупная она здесь — шесть килограммов максимум, зато без улова никто не уезжал. За исключением тех, кто за зелеными змеями и человечками забывал махать спиннингом.

Питер в этот раз был неприятным. Двое молодых парней, палатка их стояла рядом с нашей. Один — никакой, незаметный, как змея в жухлой листве. Второй — большой, яркий, чем-то даже красивый. Черные волнистые волосы, большие, навыкате, глаза. Толстые вывороченные губы. Высокий рост. Тяжелые высокие ботинки на длинных ногах. Одеты были парни хорошо. Пятнистые комбезы из нового какого-то материала, того, что, сам не промокая, дышит. Разгрузки с множеством карманов и карманчиков, в каждом из которых, аккуратно пригнанная, лежала какая-нибудь полезная вещь: нож, фонарь, еще что-то — всего невероятно много, все было недешевым, часто — бесполезным здесь, но красивым. Было видно, что парни гордятся собой. Вели они себя вызывающе. Борзо раздвинули уже сидящих, сели к столу. Сами себе налили из нашей канистры. По-хозяйски закусили каким-то куском.

— Ну чего, отцы, откуда прибыли?

— Я из Питера, — с готовностью отозвался Конев. К сему моменту он слегка ожил, вкусив свежей семги. Правда, внешне это было мало видно — напялив на себя мой лыжный комбинезон, который я на всякий случай захватил с собой; не найдя, чем подпоясаться, он ходил в нем словно отощавший Карлсон в одежде прежнего размера. И хоть глаза живее смотрели сквозь очки на окружающий его мир, видна была вся чуждость Конева ему.

— Ты зачем ботаника сюда взял? — как-то быстро яркий сокол задал мне непозволительный вопрос.

— А ты кто сам, не ботаник? — так не люблю, когда посреди мира и веселья кто-то начинает морщить лоб.

— Ты быстро здесь освоился, — бывалый вид порой сбивает с панталыку. Но мне казалось — я таких видал.

— Смотрящий, что ли, за порядком?

— Нет, не смотрящий. Но борзых не люблю.

— Сынок, ты сам здесь самый борзый.

Яркому того и надо было. Я-то уже опять захмелился.

— Пошли в кусты, поговорим.

— Пошли, — говорю, не парюсь даже. Чего-то злость такая взяла, что вот и здесь найдутся люди, менеджеры среднего звена, которые умеют все поганить. Да люди ли?

— Давай-ка ножи здесь оставим, — хорошо, когда пьяный задор не теряет трезвых мыслей.

— Давай, — легко согласился мой противник, и мы положили на стол хорошие рыбацкие ножи. — Теперь пошли.

Мужики все замолчали. Неприятно как-то стало вокруг. Конев мой сидел, не поднимая глаз.

— Пошли, — я сделал шаг к кустам, попутно разминая руки да головой туда-сюда качнув, чтобы шея напряглась и крепко держала ее — это важно бывает, когда получишь в лицо и боль застит глаза.

— Ты чего, боксер? — насторожился мой противник, замечательный такой — все сразу замечает.

— Боксер, — ответил я, хотя когда я был боксер — лет пятнадцать тому назад. Да и то низшего ранга и разряда.

— Ну ладно, — ответил «яркий», и бой начался.

Ах, что это был за бой! Кусты трещали и ломались под нашей тяжестью, вес обоих был не мал. «Яркий», как услышал про бокс, сразу стал за деревья прятаться и пинаться оттуда большими ботинками, хоть и был на полголовы выше меня. А мне так обидно это показалось, так хотелось этого бесенка наказать сразу и одним ударом, что я промахивался постоянно. Хмель, помноженный на ярость, — плохой помощник. А ярость была отменная — всегда в нашей жизни найдется тот, кто начнет диктовать, как нам нужно жить. И напористо так, словно один знает истину. А поддашься чуть — уже и на шею вспрыгнул и понукает оттуда. И с уверенностью дьявольской, непонятно, откуда берется, ни тени сомнения посреди наглости. Очень не люблю я так. А потому и говорю:

— Подь сюды, чего ты прячешься?

А тот опять ногой из-за дерева — хабах, я еле блокировать сумел тяжелый ботинок, а то бы пах не собрать. Тут я совсем рассвирепел — чуть он только голову из-за дерева высунул, я ему левой в нее — буцк. Успел зацепить, чиркнул по скуле. Несильно получилось, но хоть раз попал. Заторопился, правда, и правой вслед — ащ наискось. Как перекрестил, получилось. Только так сильно, что самого на месте развернуло, и свалился я на колени. «Яркий» же, не будь медленным, выскочил из-за дерева и ко мне. И гляжу — ствол выхватил и ко лбу мне приставил. Ну, думаю, приехали, и холодный кружок так неприятно свербит кожу металлом. Но уж ярость никуда не делась. Поднимаюсь я с колен и говорю уродцу медленно и внятно:

— Если, — говорю, — пистолет свой смешной сейчас сам не выкинешь в кусты, я у тебя его отберу и по голове тебе настучу нахрен его же рукояткой.

Смотрю, поразился он моей отваге и пистолет подальше кинул. Тут мы опять сцепились, но уже вяло, задышали тяжело, устали оба. На том и разошлись.

Я в палатку забрался, а там уже Конев лежит. Не спит, тревожится.

— Ты, — говорю, — про бесов все говорил, про кабиасов. Так вот встретились нам. Эти двое — точно нелюди. Только мелкие бесенята, немощные. Завтра увидишь.

А наутро проснулись от криков.

— Украли! — кричат. — Украли!

Я вылез на свет. Милиция уже тут, автоматчики с пистолетчиками. И наш знакомец как близким им докладывает:

— Был пистолет вчера, а сегодня нету. Вот право на ношение. Вот все прочие радости.

— Слышь, ты, — говорю ему. — Ты вчера пистолет свой сам в кусты закинул спьяну. Не помнишь?

Бросились они искать — лежит, родимый. Обложили они «яркого» матами, сели в моторку свою и умчались восвояси.

В этот день «яркий» как с ума сошел. Корежило его всего. Два раза еще кричал — то деньги у него украли на обратную дорогу. То рыбу пойманную. Ко мне же народ потянулся, с кем вчера выпивали, и другие прочие:

— Видели, как ты его учил вчера. И правильно. Он за три дня достал тут всех наглостью своей, хамло питерское. Правильно все.

— Да я не учил вроде, — а самому стыдно наутро.

— Да не, нормально, — мужики говорят.

С «ярким» же точно что-то случилось. Точно бесы из него повылезали. Стал в истерике биться. Потом к людям пошел, к одному, другому, кем командовать до того пытался.

А все, не боясь уже, увидев, кто он есть, по-простому посылают его к матушке да батюшке. Первый, второй. Он к Васе, соседу нашему, а тот:

— Да надоел ты совсем. Не подходи больше.

Тут «яркий» к дереву, осине ближайшей, и давай вдруг рыдать неожиданно:

— Вы не знаете. Меня в детстве отец бросил. Я найду и убью его, убью!

И взрослый мужик, а плачет-заливается, как дите малое, брошенное. Аж жалко его стало. Вышли бесы из человека. Надолго ли?

— Ладно, — говорю, — хватит рыдать. Иди вон, горячего поешь.

Трудно порой, ой как трудно разобраться в человеке. Иной всем хорош — и пригож, и румян, и весел с притопом, а в душу заглянешь — есть что-то черненькое, какая-то червоточина. И такая она бывает извилистая, непростая — просто загляденье.

Другой же зол как черт, несуразен, прихотлив, а прощаешь ему все. Потому что точно знаешь — свой человек, не продаст, не заступит за границу белого с черным.

Было у меня два друга — один с волосами, второй — без. Оба писали печальные и смешные книжки. Я в них прямо влюблен был за их талант и красоту.

С безволосым когда познакомился да почитал его первую книжку про войну — так и подумал: брат народился. Так он правильно все понимал, так писал искренно, с болью и бесстрашием. Такую женщину красивую любил, таких детишек славных нарожал! Да и сам хорош собой — взгляд пронзительный, голос зычный, подбородок небритый, мужественный. В солнечные дни над головой самодельный нимб стоит. Походка четкая была, как печатный текст. Не человек, а кумир молодежи и студентов. Он тогда еще весь в черном и кожаном ходил, даже и в носках. Но не это главное. Показалось мне вдруг, что не один я думаю о мучительных вещах, что нашелся наконец человек-глубокопатель, молодой, а правильный. Так он о жизни и смерти со знанием писал, так про детство рассказывал да про любовь плакал, как я почти не умел. Только потом что-то насторожило меня. Слишком уж все гладко и отважно получается. Будто по маслу пальцем — борозда заметная, а края оплывшие. Сначала я, после лет уже знакомства, все понять не мог — как же его зовут. То ли Мирон Прилавин, то ли Целестий Лабильный. Даже и сейчас не знаю. Как-то неуютно мне стало с человеком без имени дружить. А он пуще того — принялся революцией заниматься.

— За последние годы, — говорит, — у нас двадцать процентов населения заразились сифилисом!

Я от нынешнего времени тоже не в восторге. И про болезни разные побольше моего друга Целестия знаю. Туберкулез вырос и окреп, во всем мире про него забыли и лекарств новых не делают. И у нас не делают и забыли — и больные с открытой формой шашлыки на улицах продают. Да много еще другого, Мирону неведомого, по причине неспециального образования. Но чтобы двадцать процентов сифилиса...

— Слушай, — говорю, — дружище Мирон, вот нас пятеро тут стоит, беседует. Это значит — один из нас сифилитик. Давай-ка выясним — кто? А вот на рынке сто человек толкутся, включая стариков и детей. Двадцать из них — больные?

— Это статистика такая специальная, — быстро и правильно говорит мне Мирон, а глаза отважные и хитрые.

Дальше — больше. Гляжу, друг мой на государственном телевидении занимается революцией. А также в различных поездках за деньги налогоплательщиков.

«Какой молодец! — думаю. — Как он ловко занимается революцией под носом у властей!»

— Друг родной, — спрашиваю его, — а не боишься, что лодка раскачается с твоей помощью и не станет ни правых, ни левых, ни виноватых?

— Я знаю, что нужно начать, а там само все сложится, — заслушаешься моего красавца.

Дружу с ним, а все удивляюсь — и левак он, и православный христианин, и созидатель, и разрушитель одновременно.

— Да ты же бес! — догадался я внезапно. Радуется.

— Поехали со мной на север, — предлагаю, — почистишься.

— Я и так чистый, — отвечает. — Мне незачем.

Последний раз когда с другом моим общались, напились сильно, по-пролетарски, он бутыль со спиртом припас тогда. Мужикам пьяным — про баб да про машины поговорить, то-то радость.

Мы по Ленинградскому вокзалу тогда шли с трудом, возвращались после длительной поездки.

— Нравится мне мой джип, люблю большие машины, — по-рабочему честно сказал мне Мирон.

— И мне мой нравится, — с буржуазной изворотливостью подхватил я. — Вот сейчас вернусь домой, нужно будет обслужить машинку, масло поменять там, фильтра.

— А мне шофер мой все это делает, — приоткрылся на мгновение Целестий, но тут же опять улыбнулся располагающей улыбкой.

Попрощались мы как-то быстро. Я пошел прямо к поездам на север. Он же нырнул внезапно вниз, в переход Казанского вокзала, и кокетливо стал спускаться по лестнице.

Я с недоумением и жалостью посмотрел ему вслед. А потом подумал про клоунов...

Конева, второго моего друга, тоже все любят. И я со всеми. Хоть, казалось бы, за что его любить. О нем нужно заботиться постоянно, иначе он вымрет, как редкий вид живого вещества. Вернее, он уже вымер, этот вид. Конев — один из последних представителей. Хомо интеллигентус, несмотря ни на что. Невозможно себе представить, чтобы Конев кого обидел. Хотя он уверяет, что так бывает часто. По мне, так он — сама душевная нежность и слабость, несмотря на внешность и гадость. А того и другого тоже хоть отбавляй. Зато книжки его читаешь — и смеешься до слез. Редко так бывает, чтобы не сквозь и не вместо.

Внешне Конев примечателен. Худоба, борода, нос, очки. Руки тонкие. Душа крепкая, чистая и едкая. Когда первый раз его на Белое море взял с собой, он сзади на байдарке от усталости так ухал, что я пугался каждый раз — думал, белуха какая рядом всплыла. Вздрогнешь так всем телом, оглянешься — а там Конев чуть живой. И что важно — чуть живой, а гребущий, весло не бросающий. Наравне со всеми мастер. Я как вспомню о его службе в архангельском стройбате году так в восемьдесят пятом — оторопь берет. Реально представляю себе, что такое стройбат. Локальные войны отдыхают — там хоть ясно, кто враг — примерно половина людей. Здесь же все люди — враги. Живо-живо чувствую, как обрадовались военные строители, когда впервые Конева в своих рядах узрели. Я сам через подобное прошел, но, хоть юношей был задумчивым, все ж с боксерским разрядом. Это и выручило в итоге. Конев же на ровном месте спотыкается, подзатыльник же наверняка весь мир его приводит в хаос. И вот быдло стройбатовское, сиделое и стоялое, веселое и пластичное — и Конев между них. Ах вы, ночи, ах вы, дни. Кто понимает — молодец.

А удивительное рядом. Очень его рассказы о службе люблю, о том, что плохо жил до тех пор, пока сержанту Нурмухамедову не сделал наколку на плече в виде его любимой девушки. И когда девушка получилась в несколько раз красивее, чем на фотографии, Конев вдруг зажил хорошо. Потому что у всех сержантов, и даже у рядовых, оказались любимые девушки. И всем наколки коневские понадобились — толпа вдруг признала художника. Тут-то и картошечка жареная появилась, и коньячок армянский, и освобождение от работ. А также почет, уважение и слава — каждый с ним теперь хотел дружить. И я — тоже. Потому что почет выстоявшему. А когда он еще говорит, что сына любимого обязательно в армию отдаст служить, потому что иначе негде жизни научиться, — тут я вообще падаю ниц и ставлю стопу коневскую себе на голову. Потому что люблю людей из проволоки. Из сталистой. Она тонкая и гнется, конечно, но с большим трудом.

Все рассуждения свои я рассуждал на следующую ночь, когда угомонился, затих на час Дикий лагерь. Кое-где струился дым от догорающих костров. С разных сторон доносился рычащий мужской храп. Он странно гармонировал со стоящей кругом тишиной. Тишина была родиной. Русские люди спали на своей земле.

Мне не спалось. Я сидел и думал о многом. О том, почему правители наши уже век поголовно происходят из народа, из нас же, а счастья по-прежнему нет. О том, почему нас, русских, не любят за границей страны, а внутри этих границ мы сами не любим друг друга. О том, почему у нас нет мудрых стариков, старцев, которые научили бы отличать нас черное от белого, острым безжалостным лезвием рассекая зыбкую границу между небом и землей и не допуская этим прикосновения к сладким губам врага. Почему даже лучшие из нас врут, и не от этого ли постоянно напряжена и болит душа. Почему мы гадим на своей природе. Почему живем в постоянном говне и не пытаемся хотя бы лично отойти немного в сторону.

Глобальные эти вопросы измучили меня, и я стал думать о личном. О всех, кого любил, их сладко было вспоминать по очереди и вместе, и только я забылся — боль высекла слезы из глаз. Такая острая и непредсказуемая, что возопил я, неверующий и смышленый прежде: Господи, за что?!!!

«А за это, за это и вот за то. И помнишь еще — за это тоже», — хорошо, когда сам себе можешь трезво отвечать на такие вопросы.

Было близко-близко к выходу солнца из-за ближайшей сопки. От жирной реки Варзуги пошел пар. Стих совсем и до того небольшой ветер. Зашевелились в прошлогодней листве просыпающиеся лемминги. Заворочались в палатках мужики. Протарахтела первая моторка, привезшая из деревни продавщиц лицензий. Тоненько вскрикнул кто-то в бесовской палатке. Пискнула птичка Божия. Я вытер глаза грязной от пепла ладонью и поднялся на ноги. Сегодня я должен был поймать рыбу.

Я точно знаю, что нет рыбы красивее и благороднее семги. Это даже не рыба, это — разумное существо, особой стати рыбный народ. Так умно и уместно все устроено в его жизни, от рождения и до смерти. Из родных рек уходит она в далекие моря своей юности и проводит там несколько лет в никому не известных занятиях, словно познает мир во всей его сладости. Затем, повзрослев, возвращается на родину. За многие сотни километров чует она вкус родной воды и приходит точно к тем рекам, где родилась. По пути к нерестилищам перестает питаться и только убивает, поморы говорят «мнет», сорную рыбу, которая может повредить ее потомству. После нереста скатывается обратно в море, чтобы продолжить жизнь, сделать еще несколько циклов, от свободы до любви, совсем как человек. А в реке остается стадо нянек, которое охраняет общее потомство, само не питается ничем, потому сильно худеет и в конце концов гибнет, жизнь на благое дело положив.

Трудно поймать семгу. Она рвет сети и избегает ловушек. Потому строили раньше сложные лабиринты, чтобы запутать ее, чтоб не выпустить. Но и тогда бежала их большая часть.

Лишь во время любви, во время пути на нерест, можно легко поймать ее. Как и человек, теряет она тогда голову и бросается на любую наживку. Как и человек, хочет защитить свое потомство и в благородстве своем становится легкой добычей. Нет вкуснее рыбы семги.

Я долго, оскальзываясь на прибрежных камнях, бродил вдоль реки. Возбуждение, азарт, гоняющие вверх и вниз по течению, утихли, и пришла усталость. Я в разных направлениях хлестал воду спиннингом, и каждый раз блесна приходила пустой. Иногда ее сильно дергало, и сердце тогда замирало в радостном предчувствии, но это были всего лишь речные водоросли, которые податливым пуком приплывали потом вслед за снастью. Счастья не было. Не было и удачи. Снасти мои, привезенные из далекой от моря местности, были скорее щучьими, нежели семужьими, и я начал ярко осознавать еле видимую раньше разницу. Я был глуп, неумел, неудачлив и беспомощен. Рыба не шла ко мне. Так же точно любая женщина чувствует недостаток твоей энергии, если ты устал и слаб, и любые говорения, шутки, изысканное кружение будут бессмысленны. Слабый остается голодным.

Я думал так и медленно отчаивался. Неспешно текла жирная река Варзуга, гораздо быстрее ее бежало время лицензии, уходила, ускользала от меня моя рыба. Где-то в глубине воды, за камнями, в медленных водоворотах обратного тока, что бывает возле глубоких ям, стояла она, отдыхала после борьбы с рекой и смеялась надо мной. Вернее — подсмеивалась, настоящие женщины никогда не смеются открыто, с окончательной бесповоротностью. Они всегда дают шанс.

В тщетных этих надеждах прошли последние полчаса. Подушечки пальцев уже сильно болели, стертые грубой лесой. Та, в свою очередь, начала путаться и виться в кружева, устав от бесконечных забросов. Многочисленные смененные блесны отдыхали в беспорядке в пластмассовом ящике. Последней я нацепил «тобик», подаренный нарядным москвичом. Нацепил, не веря уже ни во что, слишком уж аляповато раскрашен неестественными, кислотными красками был он. Но так же думаешь порой о людских игрищах — кому нужны их дешевые, злые кривляния. А потом глядишь — и сам уже пляшешь под общую прелестную дуду. Всех нас легко обмануть.

Она взяла быстро и яростно. Несколько раз успела всплыть, блеснуть ярким серебряным брюхом, отчаянно рвануться в глубь, извернуться, выстрелить против течения, притвориться усталой и вновь рвануться с предсмертной искренней силой. Я сам не успел испугаться и поэтому был неумолим. Тупо, пыром, пер ее на берег. Не было ни времени, ни пространства — лишь мы с ней. Мы были единым существом, связанным, как пуповиной, толстой плетеной лесой, которую невозможно разорвать. Я не помнил себя, не было рук, ног, ушей — ничего. Лишь в глазах бился серебряный огонь. Очнулся я, когда она уже лежала на берегу, не сумев разорвать нить, но сломав напоследок, в последнем излете, крючок обманной яркой снасти, уйдя от него, но уже на берегу, уже опоздав. Она освободилась в смерти, и это был единственный способ, единственный метод свободы. Для нее. Возможно, для меня. Вероятно — для всех.

Я сидел на берегу жирной реки. Тихо плескала о камни проходившая мимо вечная вода. Лежала рядом мертвая царевна — красавица серебрянка. Солнце медленно выплывало из-за сопки. Начинался новый день. Последний. Здесь.

Я шел к навесу, бережно неся ее на руках. Прекрасное прохладное тело ласкало мои ладони своей ласковой тяжестью, своей неземной гладкостью. Оно было и в смерти стремительно. Я был очень рад ему. Я был счастлив ей.

Под навесом за деревянным столом сидел нахохлившийся, лохматый со сна Конев и пил свой утренний чай. Сладкий и горячий, он был здесь его единственной едой, кроме спирта.

— Конев, я поймал ее! Я поймал свою рыбу! — Я был переполнен счастьем, громок.

— То-то я гляжу — идешь надувшись. Смотри, под навес не влезешь, — завистлив и точен был мой друг. Он умеет так, по-разному и одновременно.

Неслышно подошел Македоныч.

— Словил? — Он вскользь посмотрел на мою рыбу, скользнул по ней корявым пальцем. — В каком месте?

— За мысом, у камня, где водоворот, — ликовал я.

— На больничке взял, — констатировал Македоныч.

— ...??? — кончились мои слова.

— Там яма у берега. Там ослабелая отдыхает. Другая же посередине прет.

«Ну ладно», — опять подумал я.

Мы печально собирались уезжать. Почему-то так здесь всегда — тяжело, неприкаянно,

никаких тебе бытовых условий. А душа накрепко прикипает к северным местам. Так,
что, покидая их, отдираешь ее с болью, и дол-
гое время потом сочится еще она сукрови-
цей. Читал я про Бориса Шергина, великого
поморского писателя, что когда жил он уже,
старенький и слепой, с несостоявшейся судь-
бой и разрушенным здоровьем, приживалом
на даче знакомых в Подмосковье, то уехал
племянник хозяев на Север в путешествие.
Вернувшись же оттуда, впал в длительный,
слезливый, нескончаемый запой. Все ругали
племянника, совестили, кляли на чем свет стоит. И только мудрый Шергин увещевал всех
ласково:

— Не ругайте, не ругайте его. Вы не знаете, что такое Север!!!

Уложили вещи, разобрали собранную было
Коневым байдарку. Он под конец похода решил, что совсем уже окреп, и даже сумел сделать лодку. Весь дикий лагерь с интересом
ждал нашего отплытия: байдарка — редкое
судно в кругах матерых рыболовов. Но поднялся сильный полуношник, вспенил воду
и погнал баранов по широкой реке. В такую
волну соваться на воду не хотелось, и под ус-
мешки лагерных жителей мы сложили лодку
обратно в мешки. Все это усилило и без того
тяжелую грусть. Уезжать в цивилизацию не
хотелось так, что усталые руки сами опускались вниз и роняли на землю различные гру-

зы. Нам опять помогал Македоныч. Палатка, спиннинги, мешки с байдаркой были снесены в лодку. Канистру с остатками спирта мы подарили благодарным мужикам. Самое ценное — пластмассовое ведро с засоленной семгой — я любовно носил везде с собой. Конев крепился — у него не было такого ведра. Заварили прощальный чай. Сели кругом с новыми друзьями, бесы уехали на день раньше. Во главу стола посадили Македоныча.

— Как жить, старик? — все не унимался с расспросами я. — Как разобраться в этой стране, где люди злы и добры одновременно, где ничто не движется вперед, а все только по кругу, где подвиги похожи на преступления, и обратно все тоже похоже? Где на словах вместе, а на деле все люди — враги?

— Почему семга мелкая идет? — интересовало практичных мужиков.

Моим глупостям старик улыбался устало, рыбакам же ответил коротко:

— Залома не стало давно.

— Что есть «залом»? — надменно спросил новичок, по виду — типичный питерский.

— Залом — самая крупная семга была, в бочку не влезала, вот ей спину ломали, чтобы поместилась. За десять килограмм вся, а то и в тридцать попадала. Она поздно шла из реки в море, последняя, перед самым льдом. А у нас был рыбнадзор, — Македоныч вдруг разговорился.

— Фамилия как?

— Не наша фамилия, Прищепа, то ли Прилюба какой, не помню уже сейчас. Но такой идейный — все знал, как правильно, ни в чем не сомневался никогда. Тюрьма так тюрьма рыбаку, раньше строго было. А потом власть да научники решили реку перегородить. Сами все вычислили, ни стариков, ни прочего народа не спросили. То ли с вредителем семужьим боролись, то ли еще с чем глобальным. Сеть поставили в октябре.

— Дальше чего? — даже бывалые заинтересовались.

— А ничего. Прилюба этот несколько месяцев пришибленный ходил. Так-то раньше хорохорился да сеть ставить помогал. А через месяцев несколько проговорился: «Не будет больше залома, мужики, — говорит. — Ходил я по реке в конце той осени. Все берега колобахами такими мертвыми усеяны были. Разом все стадо вывели. С ним и вредитель пропал. Некому вредить стало».

— И где он теперь, идейный этот?

— Не знаю, пропал потом. Уехал куда, наверно. Теперь в другом месте служит.

Мы допили чай, поручкались с мужиками и сели в лодку. Македоныч дал течению отнести ее от берега и завел мотор. Тот затарахтел тихо, не нарушая лежащего вокруг покоя. Его ничто не могло нарушить. Ни наши новые друзья, отчего-то решившие проводить нас до ближайшего мыска, медленно бегущие по берегу с явной похмельной одышкой. Ни плеск семги, которую тащил то на одном, то на другом берегу удачливый рыболов, сразу сгущающий вокруг себя пространство хорошей, азартной зависти. Ни даже взлетающий с завидной периодичностью вертолет, возящий совсем богатых в верховье реки, где они тешили самолюбие на нерестовых ямах. Все это знала и видела не один раз жирная река Варзуга. Всю людскую доблесть, боль, гнев и отчаяние впитала она в себя и теперь текла мудро и неторопливо. Все было, и все будет. Только бы не совсем в бесовское бесчинство впадали насельники земли, и тогда будет идти в глубине воды большое стадо рыбы, движимое любовью.

Так же неторопливо, как река, правил лодкой старик Македоныч. Есть вещи, о которых не принято говорить, вот он и молчал. Есть вещи, о которых говорить бессмысленно, и он не говорил. Но меня опять черт за язык тянул:

— Македоныч, а вот у отца Митрофана мы были. Вроде ничего мужик, церковь восстанавливает, книги пишет. Вы как к нему в деревне относитесь?

— А плохо относимся, — без заминки, как о давно решенном, отозвался старик.

— Почему? — я сильно удивился.

— Да понаставил всюду крестов своих, новых, не наших.

И таким холодом древнего раскола дохнуло вдруг, что жутью пробежал по коже дальний ветерок. Ведь прошли века, почти забылись войны, и лишь непримиримая память честной веры не простила дочери своей принятия искуса. Так и вкусившие однажды не простят обмана революции. Будут молчать и помнить.

— Ну что, до дома напрямки? — Македоныч, казалось, не заметил нашего волнения. — Давайте, приезжайте еще. Осенью приезжайте, тут совсем красиво будет. И листопадка пойдет, самая крупная после залома. Приезжайте, остановиться у меня можно будет, изба есть свободная.

— Я очень хочу, я обязательно приеду, — сказал я, а Конев промолчал. Его уже изо всех сил тянуло в цивилизацию.

— Ладно, до встречи тогда. Бог вам в помощь. И мне тоже — гавры еще проверить нужно до полной воды, — старик легко оттолкнул от берега. Лодка как по маслу пошла по успокоившейся к вечеру воде.

Мы быстро уложили вещи в машину. Хотелось ехать — не тянуть саднящей горечи прощания с любимыми местами. Благо к нам они были спокойны, не назойливы — дали рыбы, ветром приласкали да водой окропили — на том спасибо. Сантименты для тонких душою. Мы же за несколько дней здесь покрылись грубою коркой грязи, копоти, запахов, радости. Мы вновь были сильны для мира. Черт нам был не брат.

А когда выехали из деревни и дорога вновь прошла у моря, не смогли не остановиться на прощание. Был уже поздний вечер. Ветхая серая дымка раненого северного лета висела над водой. Само же море было темно-синее, спокойное и неприветливое, как усталая от жизни старуха. Тихо и замкнуто лежало оно перед нами. Где-то невдалеке покрикивала стайка птиц, сидевшая на воде. Негромко постукивала уключинами рыбацкая лодка, угадываемая в темном силуэте. Размыто чернели всплывающие в отливе камни. Дальше было совсем сине, мрачно, беспросветно.

И вдруг что-то случилось! Что-то чудесное грянуло, произошло! Невероятный, безумный, отчаянно-веселый солнечный луч вырвался из узкой щели между низкими тучами и горизонтом. Он вырвался, и ворвался, и вдруг окрасил все золотом, неприкрытым, непредумышленным золотом счастья. И на темно-синем фоне засверкали — больно глазам и душе — камни, птицы, поплавки сетей.

И возле них, в золотой ладье, медленно перебирал, тянул золотые сети сверкающий человек. В сетях этих светлым золотом билась си-
ятельная рыба.

Через месяц я позвонил Коневу. Соскучил-
ся по нему, да и как-то замолчал он после поездки.

— Не ругай, не ругай меня! Ты же знаешь,
что такое Север, — сказала трубка хриплым
коневским голосом.

ВМЕСТО ПОСЛЕСЛОВИЯ

Новые поморские сказы имени Шотмана, или мифы «Нового реализма»

> Эстетство — это расчет: взять без страдания,
> даже страдание превратить в усладу!
> Не будьте эстетом. Не любите
> красок — глазами, звуков — ушами,
> губ — губами. Любите все душой.
> Эстет — это мозговой чувственник,
> существо презренное, пять чувств
> его — проводники не в душу, а в пустоту.
> От этого один шаг до гастрономии.
>
> *Марина Цветаева*

Судьба Бориса Шергина давно мучила меня. Великий писатель и собиратель, донесший до нас поморскую говОрю — старый русский язык, что сладок словно мед для измученного корявой современностью слуха, он был кто? Реалист, модернист, сказочник, интепретатор? Наверное, сказочный реалист. И язык этот давался ему, тек весело и свободно, норовисто бурлил и ласково шутил в его сказах и притчах. Но потом, преодолеть пытаясь жизненные беды, писатель вынужденно (думаю, уверен) пытался написать все тем же языком рассказы о новых героях — о Ленине, о Сталине etc. И, несмотря на все ухищрения и старые приемы, язык ушел. Он выскользнул сквозь пальцы, не принимая ложь, а в руках осталась сухая мертвая оболочка. Не помог ни реализм, ни сказочность, герои не были героями и не рождали мифа. В чем причина трагедии? Возможно, в древней истине, что настоящее искусство не прощает лжи. Старый реализм этим частенько грешил.

Из всего предисловия для меня ясно одно — сейчас я буду рассказывать две истории про выдру. Вообще, в хитросплетениях психологических нюансов деление поведенческих мотиваций современного человека, изрядно затуманенное декларируемой повсеместно адаптивностью, на черное и белое для меня порой радостно и необходимо. Так вот, одна из историй про выдру будет чудесная, а другая — отвратительная.

Одна молодая привлекательная женщина питала слабость к отставным военным мужчинам. Тут были и воспоминания о детстве, проведенном в военном городке бравых летчиков, и приязнь к простоте суждений, и любование общей подтянутостью. Поэтому, когда в купе поезда дальнего следования ее попутчиком оказался чудесный полковник с пышными усами и седеющим ежиком оправданной прически, симпатия не заставила себя ждать долго. Нет-нет, ни о каком интиме речи быть не могло, молодую женщину сопровождал ее пожилой отец, да и нравов она была достойных, то есть строгих. Но симпатии приказать никто не мог, да и должен не был.

Полковник оказался приятным собеседником, много видел и потому знал, обладал острым наблюдательным взглядом и бойким языком. Ко всему прочему он был еще и заядлым охотником, а природа — одно из немногих явлений в современном нам мире, которое не дает окончательно скиснуть душе. Молодую женщину потряс именно охотничий рассказ собеседника. Однажды тот охотился на выдру и метким выстрелом ранил ее. Выдра спряталась. Под какие-то коряги. А наш герой, умудренный значительным жизненным опытом в самой разнузданной в мире стране, знал — живое существо перед смертью очень боится остаться одно. Ему обязательно нужен кто-нибудь подобный, тогда легче. Поэтому и солдат погибших зачастую находят в воронках и других укрытиях по двое, тесно прижавшихся друг к другу.

Полковник все это знал. А еще обладал важным умением. Увидев, что зверь недостижим в хитросплетениях укрытия, он закричал голосом смертельно раненной выдры. Всем сердцем потянувшись к страдающему собрату, настоящая выдра вылезла из спасительных корней и была добита бравым охотником.

У меня есть чудесный друг. Он очень тонкий (даже внешне), талантливый и печальный. Пишет, фотографирует, лазает по лесам. Не человек, а пароход. Легкий пароход называется глиссер. Человек-глиссер. Следующий рассказ принадлежит ему. Я — лишь неумелый передатчик страстной и завораживающей истории.

«Ехать на Север страшно. Особенно в незнакомые места. Будь даже у тебя ружье, палатка, байдарка, спиннинги и сети, опыт выживания — безумно страшно все равно. Этому страху нет названия, и оправдания ему тоже нет — ты давно уже живешь в цивилизации, ты знаешь, что земля почти вся освоена, что на том же Севере, в самых непролазных лесах, ты встретишь какого-нибудь московского безумного туриста, а местные жители будут слегка насмешливы, но в трудную минуту всегда помогут. Ты охотился, ловил рыбу, собирал ягоды и грибы, выходил из самых замысловатых плутаний — страху наплевать на все твои достоинства. Ты взрослый, ты отец и муж — ему все равно. Кто-то перед выездом сутками не спит, ходит с остекленевшим взором и нервно вздрагивает на вопрос о спичках. Кто-то много ест, словно стремится насытиться впрок перед неминуемыми лишениями. Кто-то пьет. А у меня слабеет желудок. Медвежья болезнь посещает меня еще в городе. Я мучаюсь ею, но молчу. Брат же мой, верный попутчик и соохотник, страдая тем же недугом, любуется собой. Стоит нам вырваться на волю, в леса — счастью его не бывает предела. Рыбача, собирая, дыша, он еще и раблезиански щедр на иные плоды и радостные рассказы о них.

В тот раз мы взяли в путешествие мою жену. Девушка она привычная, боевая и походная, не раз уже пряталась в палатках от медведей и в дыму от комаров. Но на третий день живописания братом своих подвигов не выдержала и она:

— Ребята, хватит, — взмолилась полуобморочно, — давайте о чем-нибудь другом поговорим, чудесном.

— А о чем чудесном еще можно говорить? — искренне удивился брат.

— Вот, например, я в озере вчера видела прекрасное животное выдру, — не сдавалась жена.

Брат напряженно думал несколько секунд. Затем лицо его просветлело:

— А меня с утра так выдрало...»

Одному мальчику мама купила аквариумную рыбку, сомика. Он долго мечтал именно о такой — вроде бы некрасивый, даже безобразный, а очень полезный. Сплюснутая широкая голова с длинными выростами-щупами, пятнистое тело неприятного зеленоватого оттенка. Но зато — присоска. Могучая присоска с толстыми жадными губами. Губы эти находились в постоянном движении, сидел ли сомик на листе подводных растений или рывками продвигался вверх по гладкому аквариумному стеклу — губы шевелились. Сначала мальчик думал, что рыба бесшумно говорит что-то, одно и то же, видимо, очень важное — губы шевелились одинаково: «вот-там, от-ман, кот-мам». Мальчик заходил в зоомагазин и часами наблюдал за чудесной рыбой, силясь разгадать ее тайну, печальную и однообразную. Лишь через много дней его заметила продавщица, сначала долго и зорко наблюдала за ним — не стащит ли чего, а потом подошла и спросила.

— Вот-там, от-ман, — от смущения мальчик с трудом смог объяснить, чего он ждет от рыбы.

— А, этот, — усмехнулась созревшего вида девица. — Ничего он не говорит. Он от грязи стекла чистит. Потому полезный очень.

Она ушла, успокоенная. А мальчик не поверил ей. Он совсем не разочаровался в этом сомике. Да, полезный. Да, чистит. Но еще и говорит при этом что-то важное — мальчик это точно знал, видел глазами, чувствовал ужасом приобщенности к тайне.

С того дня он буквально замучил маму уговорами. Уже знал, что для нее лучшее — это польза всего на свете, и напирал особенно на это. Доказывал, как чисто станет в их аквариуме с маленькими глупыми гуппиями, когда там появится такой чудесный сом. Доказывал — и доказал.

В выходной, один из лучших в жизни, они поехали в магазин. Они купили сомика у той же вольготной за прилавком продавщицы. Они взяли пакетик с водой и накачанным туда кислородом. Они посадили туда меланхолического сомика, который тут же стал чистить изнутри полиэтиленовую гладь. Для мамы, чтобы ей понравиться. Потом они втроем сели в автобус. Мама тут же повстречала знакомую и стала с ней разговаривать, а мальчик вытащил из-за пазухи пакет с водой и рыбой. Сомик чистил. Вернее, нет, мама не смотрела сейчас, — он говорил. Он шептал беззвучно, отчаянно, безнадежно, словно хотел о чем-то предупредить, спасти: «вот-там, от-ман, кот-мам».

— Мам, а как мы назовем нашего сомика? — без имени есть только половина вещи, рыбы, чувства. Так если есть любовь — она целиком, а половина не называется никак.

— Не знаю, подожди, не мешай, — мама увлеклась обсуждением важностей.

— Ладно, — мальчик не расстроился, он уже привык.

В руке колыхался пакет с водой. Рыба шептала в нем. «Остановка улица имени Шотмана», — сказал водитель. «Шотман ты мой, Шотман», — прошептал мальчик, бережно укладывая неустанную рыбу обратно за пазуху.

А теперь я попытаюсь свести воедино двух выдр и Шотмана, чтобы попробовать порассуждать о «новом реализме».

Для начала тезисы:

1. Название это лично мне греет душу, так как напоминает забытый сейчас неореализм в кинематографе. А он дал огромное количество открытий и прозрений о человеке, жизни, смерти, прочих важных материях. Этого я бы желал и новому реализму в литературе.

2. Деление литературы на реализм и модернизм, по-моему, условно. Я бы сказал, что модернизм и постмодернизм — это тоже реализм, только вычурный и болезненный. Опять же, примером выдр и Шотмана я попытался иллюстрировать широту возможностей реализма, и даже не в фантазийных неумелых нелепостях, а в самой окружающей нас жизни, которая дает неисчерпаемые возможности для словесных полетов и душевной эквилибристики.

3. Конечно же, «новый реализм» — явление не новое. Это продолжение традиций всех предыдущих видов реализма, начиная с классического, продолжая социалистическим и заканчивая магическим. Хотелось бы думать, что он впитает в себя и нелегкий опыт постмодернизма, без лишней, впрочем, увлеченности формальным конструированием аб-

страктных смыслов, уводящих в пустыню от живой, яркой, сочной, больной, непредсказуемой жизни.

4. Термин «новый реализм» мне кажется оправданным, ибо о чем бы еще сейчас спорили критики, писатели и читатели, что бы еще вносило движение в достаточно инертный мир литературы. Как верна народная мудрость, что под лежачий камень не течет вода, так верно будет и утверждение — если постоянно двигать камни, под одним из них обязательно найдется ключ. Поэтому пускай будет «новый реализм», пусть он борется, определяется, проигрывает, побеждает. Пусть живет.

5. И все-таки в попытке определить его черты я попробую назвать несколько качеств, на мой взгляд, присущих ему. Впрочем, качества эти желательны и мечтаемы, и нет уверенности в том, что они проявятся в полной мере в произведениях людей, кто сочтет себя «новыми реалистами». Однако очень хотелось бы, чтобы они (качества) проявились как можно ярче. Вот они: вчувствованная внимательность к жизни, ко всем ее светлым и темным проявлениям, любовное любование ей, небоязнь ее. Предельная, а порой и запредельная искренность, тяжелое бремя обнажения души — только тогда ее кровоточивые движения будут интересны. Сопереживание, жалость, боль, иногда через отрицание их, но все же имея пробуждение лучших чувств как ко-

нечную цель. Разнообразие методов, форм, плясок, гримас и телодвижений, незацикленность на простой описательности. Боязнь гламурной изящности как неискренности и открытой грубости как неумелости. Радость. Боль. Жизнь. Правда.

Когда год назад мы собирались с моим другом на север, в Терский район Мурманской области, то очень боялись. Северная неизвестность жутко страшит. Тогда я рассказал другу про мальчика и про Шотмана. Тот внезапно возбудился. Я, кстати, не смог ему объяснить, не знаю и до сих пор, чем занимался Шотман как человек и революционер. Вот есть в городе улица Анохина, так про того известно, что на одной из маевок он зачем-то ударил ножом полицейского. Тем и стал почитаем. А Шотман — не знаю. Мы полезли в Интернет. Первое же воспоминание какого-то знатного большевика гласило, что Шотман был с Лениным в ссылке и тот им весьма увлекался. Из фразы этой еще яснее стала иррациональная, надмирная природа Шотмана. Мы ехали на машине тысячу сто километров, и друг мой постоянно думал о Шотмане. Он вдруг понял, что имени Шотмана может быть все что угодно: рыба имени Шотмана, море имени Шотмана, небо имени Шотмана, воздух его же имени. Потом он подумал, что не только предметы и явления, но и действия могут быть именными: прыгнуть имени Шотмана, закричать имени Шотмана, выстрелить имени Шотмана.

Мы приехали в поморский поселок Умбу, и Шотман с новой силой охватил нас. Нас поселили у последнего циркача Кольского полуострова, члена компартии Вити. Он действительно двадцать лет работал в московском цирке, потом вышел на пенсию и живет теперь на родине. Витя говорил так много и быстро, что насмерть завораживал обилием слов и идей. Мы медленно ехали на машине, Витя проводил экскурсию по Умбе. «Вот это дом, в котором я жил, а это мост, с которого я упал», — Витин монолог был нескончаем. Иногда я нажимал сильнее на газ, чтобы побыстрее покончить с этим могучим потоком, но тогда и Витя начинал говорить гораздо быстрее. «Шотман», — одновременно подумали мы с другом, чувствуя, как туманится сознание. Наконец наступил вечер. После сдобренного обильными Витиными рассказами ужина я сломался. Тысяча сто километров за рулем дала себя знать. Заснул накрепко. Друг же мой с Витей целую ночь еще ходили по улицам в поисках умбийской любви, пока не осознали, что главный трюк в самбо — не получить в умбу.

На следующее утро мы вырвались от Вити и добрались наконец до жирной реки Варзуги. Там поймали по первой в жизни семжине. Там ощутили вкус победы над огромной умной рыбой. Там возбудились так, что не спали сутками, и мимо текла медленная река Варзуга, а майский ночной воздух звенел, наполненный солнцем и прозрачной пустотой. Какая-то невиданная сила передалась нам от убитых рыб и вот уже, не сомкнув глаз, часами вещали о великом Шотмане, о жизненной ярости, о новом реализме. А собравшиеся вокруг нас рыбаки, съехавшиеся сюда со всей страны, завороженно слушали эти бесконечные рассказы и смеялись в нужных местах, а в других — плакали. Это была ночь имени Шотмана.

Где здесь реализм, новый ли он — я не знаю. Но то, что через благотворящую природу, через поморскую речь, которую в других местах отыщешь лишь в далевском словаре, через королеву-рыбу и жирную реку удалось прикоснуться к какому-то древнему, юному, вечноживому мифу — несомненно. И может быть, поиск, отыскание, работа с мифом и есть главные принципы нового реализма?

СОДЕРЖАНИЕ

ГЛАЗА ЛЕСА 5

КУЙПОГА 34

НА СУМЕ-РЕКЕ 49

ЖАБЫ МЕСТИ И СОВЕСТИ 71

СМЕРТЬ СТАРУШКИ 89

БЕЛОМОР 108

ЗАПАХ ОРУЖИЯ 135

СТРОИТЬ! 153

ЗМЕЙ (Голос внутренних озер) 223

ДРУГАЯ РЕКА 283

В СЕТЯХ ТВОИХ 304

ВМЕСТО ПОСЛЕСЛОВИЯ
   Новые поморские сказы имени Шотмана,
   или Мифы «нового реализма» 368

Литературно-художественное издание

ЛАУРЕАТЫ ЛИТЕРАТУРНЫХ ПРЕМИЙ

Новиков Дмитрий Геннадьевич

В СЕТЯХ ТВОИХ

Ответственный редактор *О. Аминова*
Ведущий редактор *Ю. Качалкина*
Младший редактор *О. Крылова*
Художественный редактор *А. Сауков*
Технический редактор *Г. Романова*
Компьютерная верстка *Г. Клочкова*
Корректор *Т. Павлова*

Иллюстрация на переплете *Ф. Барбышева*

ООО «Издательство «Эксмо»
123308, Москва, ул. Зорге, д. 1. Тел. 8 (495) 411-68-86, 8 (495) 956-39-21.
Home page: **www.eksmo.ru** E-mail: **info@eksmo.ru**

Өндіруші: «ЭКСМО» АҚБ Баспасы, 123308, Мәскеу, Ресей, Зорге көшесі, 1 үй.
Тел. 8 (495) 411-68-86, 8 (495) 956-39-21
Home page: www.eksmo.ru E-mail: info@eksmo.ru.
Тауар белгісі: «Эксмо»
Қазақстан Республикасында дистрибьютор және өнім бойынша
арыз-талаптарды қабылдаушының
өкілі «РДЦ-Алматы» ЖШС, Алматы қ., Домбровский көш., 3«а», литер Б, офис 1.
Тел.: 8 (727) 2 51 59 89,90,91,92, факс: 8 (727) 251 58 12 вн. 107; E-mail: RDC-Almaty@eksmo.kz
Өнімнің жарамдылық мерзімі шектелмеген.
Сертификация туралы ақпарат сайтта: www.eksmo.ru/certification

Сведения о подтверждении соответствия издания согласно
законодательству РФ о техническом регулировании можно получить по
адресу: http://eksmo.ru/certification/

Өндірген мемлекет: Ресей
Сертификация қарастырылмаған

Подписано в печать 21.03.2014.
Формат 80x100 ¹/₃₂. Гарнитура «Балтика».
Печать офсетная. Усл. печ. л. 17,78.
Тираж 1200 экз. Заказ № 5455.

Отпечатано в ОАО «Можайский полиграфический комбинат».
143200, г. Можайск, ул. Мира, 93.
www.oaompk.ru, www.oaompk.рф тел.: (495) 745-84-28, (49638) 20-685

ISBN 978-5-699-71773-6

9 785699 717736 >

16+

покупателями обращаться в отдел зарубежных продаж Iд «эксмо»
E-mail: **international@eksmo-sale.ru**
*International Sales: International wholesale customers should contact
Foreign Sales Department of Trading House «Eksmo» for their orders.*
international@eksmo-sale.ru

**По вопросам заказа книг корпоративным клиентам, в том числе в специальном
оформлении, обращаться по тел. +7 (495) 411-68-59, доб. 2261, 1257.**
E-mail: **vipzakaz@eksmo.ru**

**Оптовая торговля бумажно-беловыми и канцелярскими товарами для школы и офиса
«Канц-Эксмо»:** Компания «Канц-Эксмо»: 142702, Московская обл., Ленинский р-н, г. Видное-2,
Белокаменное ш., д. 1, а/я 5. Тел./факс +7 (495) 745-28-87 (многоканальный).
e-mail: **kanc@eksmo-sale.ru**, сайт: www.**kanc-eksmo.ru**

Полный ассортимент книг издательства «Эксмо» для оптовых покупателей:
В Санкт-Петербурге: ООО СЗКО, пр-т Обуховской Обороны, д. 84Е. Тел. (812) 365-46-03/04.
В Нижнем Новгороде: ООО ТД «Эксмо НН», 603094, г. Нижний Новгород, ул. Карпинского, д.
29, бизнес-парк «Грин Плаза». Тел. (831) 216-15-91 (92, 93, 94).
В Ростове-на-Дону: ООО «РДЦ-Ростов», пр. Стачки, 243А. Тел. (863) 220-19-34.
В Самаре: ООО «РДЦ-Самара», пр-т Кирова, д. 75/1, литера «Е». Тел. (846) 269-66-70.
В Екатеринбурге: ООО «РДЦ-Екатеринбург», ул. Прибалтийская, д. 24а.
Тел. +7 (343) 272-72-01/02/03/04/05/06/07/08.
В Новосибирске: ООО «РДЦ-Новосибирск», Комбинатский пер., д. 3.
Тел. +7 (383) 289-91-42.
E-mail: **eksmo-nsk@yandex.ru**
В Киеве: ООО «РДЦ Эксмо-Украина», Московский пр-т, д. 9. Тел./факс: (044) 495-79-80/81.
В Донецке: ул. Артема, д. 160. Тел. +38 (032) 381-81-05.
В Харькове: ул. Гвардейцев Железнодорожников, д. 8. Тел. +38 (057) 724-11-56.
Во Львове: ТП ООО «Эксмо-Запад», ул. Бузкова, д. 2. Тел./факс (032) 245-00-19.
В Симферополе: ООО «Эксмо-Крым», ул. Киевская, д. 153.
Тел./факс (0652) 22-90-03, 54-32-99.
В Казахстане: ТОО «РДЦ-Алматы», ул. Домбровского, д. 3а.
Тел./факс (727) 251-59-90/91. rdc-almaty@mail.ru
Интернет-магазин ООО «Издательство «Эксмо»
www.**fiction.eksmo.ru**
Розничная продажа книг с доставкой по всему миру.
Тел.: +7 (495) 745-89-14. E-mail: **imarket@eksmo-sale.ru**

Русский Сноб.
Проза
ВАЛЕРИЯ ПАНЮШКИНА

Современность лишь кажется хаосом. Острый взгляд интеллектуала ищет и находит неожиданные закономерности во всем. Умение легко говорить о том, что доступно немногим, проницательность и оптимизм автора и вызывающая ясность стиля сделали эту прозу европейского уровня подлинным трендом активного поколения.

ВЗГЛЯНИ НА МИР С УЛЫБКОЙ ПРЕВОСХОДСТВА!